tormenta

Livros da autora publicados pela Galera Record

Série Fallen
Volume 1 – Fallen
Volume 2 – Tormenta
Volume 3 – Paixão
Volume 4 – Êxtase

Apaixonados – Histórias de amor de Fallen
Anjos na escuridão – Contos da série Fallen
O livro de Cam – Um romance da série Fallen

Série Teardrop
Volume 1 – Lágrima
Volume 2 – Dilúvio

A traição de Natalie Hargrove

um romance da série
FALLEN

tormenta

LAUREN KATE

Tradução
Alda Lima

2ª EDIÇÃO

2024

CIP-BRASIL. CATALOGAÇÃO NA FONTE
SINDICATO NACIONAL DOS EDITORES DE LIVROS, RJ

K31t
Kate, Lauren
    Tormenta / Lauren Kate ; tradução Alda Lima.
2.- ed. - Rio de Janeiro : Galera Record, 2024.
    (Fallen ; 2)

    Tradução de: Torment
    Sequência de: Fallen
    ISBN 978-65-5981-308-7

    1. Ficção americana. I. Lima, Alda. II. Título. III. Série.

23-84289
CDD: 813
CDU: 82-3(73)

Gabriela Faray Ferreira Lopes - Bibliotecária - CRB-7/6643

Copyright © 2010 by Lauren Kate and Tinderbox Books, LLC
Publicado originalmente por Delacorte Press, um selo da Random House Children's Books, divisão da Random House, Inc.
Direitos de tradução negociados com Tinderbox Books, LLC e Sandra Bruna Agencia Literaria, S. L.

Todos os direitos reservados.
Proibida a reprodução, no todo ou
em parte, através de quaisquer meios.
Os direitos morais da autora foram assegurados.

Composição de miolo: Adaptação de Abreu's System para projeto de Angela Carlino

Texto revisado segundo Acordo Ortográfico da Língua Portuguesa de 1990.

Direitos exclusivos de publicação em língua portuguesa somente para o Brasil
adquiridos pela
EDITORA GALERA RECORD LTDA.
Rua Argentina, 120 – Rio de Janeiro, RJ – 20921-380 – Tel.: (21) 2585-2000,
que se reserva a propriedade literária desta tradução.

Impresso no Brasil

ISBN 978-65-5981-308-7

Seja um leitor preferencial Record.
Cadastre-se e receba informações sobre nossos
lançamentos e nossas promoções.

Atendimento e venda direta ao leitor:
sac@record.com.br

Para Elizabeth, Irdy, Anne e Vic.
Como tenho sorte em ter vocês.

AGRADECIMENTOS

Primeiramente, não tenho como agradecer o suficiente a meus leitores por todo o efusivo e generoso apoio. Por causa de vocês, pode ser que eu tenha que continuar escrevendo para sempre.

Para Wendy Loggia, cuja fé nessa série foi um grande presente, e que sabe exatamente como torná-la o que deveria ser. Para Beverly Horowitz, pela melhor e mais encorajadora conversa que já tive na vida, e pela sobremesa que você enfiou na minha bolsa. Para Krista Vitola, cujos e-mails com boas notícias alegraram tantos dos meus dias. Para Angela Carlino e o time de design, pela capa que poderia lançar ao mar mil navios. Para minha parceira de viagem, Noreen Marchisi, para Roshan Nozari e o resto da tremenda equipe de marketing da Random House. Vocês são mágicos. Para Michael Stearns e Ted Malawer, gênios incansáveis. Sua sabedoria e encorajamento fazem com que o trabalho seja quase divertido demais.

Para meus amigos, que me mantêm sã e inspirada. Para minha família no Texas, Arkansas, Baltimore e Flórida por tanta exuberância e amor. E para Jason, por cada dia.

*Pois, se eu enxertar minhas asas nas suas
A aflição há de adiantar o voo em mim.*

❅

— George Herbert, *Easter Wings*

PRÓLOGO

CAMPO NEUTRO

Daniel encarava a baía. Seus olhos estavam tão cinzentos quanto a espessa neblina que envolvia o litoral de Sausalito e as águas agitadas que revolviam os seixos sob seus pés. Não havia nenhum vestígio de violeta em seus olhos agora; ele podia sentir. Ela estava longe demais.

Apertou os braços contra o corpo para se proteger do vendaval que batia nas águas, respingando nele. Mas, mesmo quando fechou mais ainda seu grosso casaco de lã, sabia que não adiantaria. Caçar sempre o deixava gelado.

Apenas uma coisa poderia esquentá-lo hoje, e ela estava fora de seu alcance. Sentia saudades de como o topo da cabeça de Luce era o lugar perfeito para os lábios dele descansarem. Imaginava-se preenchendo o vazio entre seus braços com o corpo dela, se inclinando para beijar seu pescoço. Mas era melhor que Luce não estivesse ali agora. O que veria a deixaria horrorizada.

Atrás dele, o ruído dos leões-marinhos indo de um lado para o outro ao longo da costa sul da Ilha Angel soava como seus sentimentos: uma solidão dolorosa, sem ninguém por perto para ouvi-lo.

Ninguém além de Cam.

Ele estava agachado na frente de Daniel, amarrando uma âncora enferrujada em volta da forma molhada e desajeitada aos pés dos dois. Mesmo ocupado com algo tão sinistro, Cam era belo. Seus olhos verdes cintilavam e o cabelo escuro fora cortado. Era a trégua; ela sempre trazia um brilho mais intenso aos anjos, uma luminosidade ainda mais forte no rosto e no cabelo e até mesmo uma forma mais bem-feita ao já impecável e musculoso corpo. Dias de trégua faziam pelos anjos o que férias na praia faziam pelos humanos.

Então, mesmo que Daniel chorasse por dentro cada vez que era forçado a acabar com uma vida humana, para qualquer um ele pareceria um cara voltando das férias no Havaí: relaxado, descansado, bronzeado.

Apertando um de seus elaborados nós, Cam disse:

— É tão típico de você, Daniel. Sumir e me deixar fazer o trabalho sujo sozinho.

— Do que está falando? Fui eu quem o matou. — Daniel baixou os olhos para o homem morto, o cabelo grisalho e crespo grudado na testa pálida, para as mãos enrugadas e galochas de borracha barata, para o risco vermelho-escuro no peito dele. Aquilo fez Daniel sentir frio mais uma vez. Se essa morte não fosse necessária para garantir a segurança de Luce, para deixá-la a salvo, Daniel nunca mais levantaria uma arma. Nunca mais lutaria numa batalha.

E alguma coisa sobre a morte desse homem não parecia se encaixar muito bem. Na verdade, Daniel tinha uma vaga e preocupante sensação de que alguma coisa estava profundamente errada.

— Acabar com eles é a melhor parte. — Cam envolveu o peito do homem com a corda, apertando bem debaixo dos braços. — O trabalho sujo é despachá-los mar adentro.

Daniel ainda estava segurando o galho de árvore ensanguentado. Cam tinha caçoado da escolha, mas Daniel nunca se importava com a arma que usava. Ele podia matar com qualquer coisa.

— Rápido — grunhiu, enojado pelo óbvio prazer que Cam sentia em derramar sangue humano. — Está perdendo tempo. A maré está baixando.

— E, a não ser que façamos isso do meu jeito, a maré alta de amanhã vai trazer o matador aqui de volta para a praia. Você é impulsivo demais, Daniel, sempre foi. Alguma vez já planejou algo um pouco mais à frente?

Daniel cruzou os braços e olhou para trás em direção às cristas brancas das ondas. Uma balsa turística do cais de São Francisco estava deslizando na direção deles. Tempos atrás, a visão daquele barco poderia ter trazido de volta uma enxurrada de memórias. Mil viagens felizes que havia feito com Luce através de mares ao longo de encarnações diferentes. Mas, agora — agora que ela podia morrer e nunca mais voltar, nessa vida onde tudo havia mudado e não haveria mais encarnações —, Daniel estava sempre muito ciente de como a memória *dela* estava em branco. Essa era a última chance, para ambos. Para todo mundo, na verdade. Portanto, era a memória de Luce, e não a de Daniel, que importava, e se ela desejasse sobreviver, inúmeras verdades terríveis precisariam ser reveladas. Só de pensar em tudo o que ela precisava descobrir fazia seu corpo todo ficar tenso.

Se Cam achava que Daniel não estava planejando à frente, estava muito enganado.

— Você sabe que só existe um motivo para eu ainda estar aqui — disse Daniel. — Precisamos conversar sobre ela.

Cam riu.

— Ia fazer isso. — Com um grunhido, ele jogou o cadáver ensopado por cima do ombro. O terno azul-marinho do morto se enrugou entre as voltas de corda que Cam tinha amarrado. A pesada âncora descansava no peito ensanguentado.

— Esse aqui é meio esquisito, não é? — perguntou Cam. — Estou quase ofendido que os Anciões não tenham mandado um assassino mais desafiador.

Em seguida — como se fosse um arremessador olímpico de peso —, Cam dobrou os joelhos, girou três vezes para ganhar velocidade, e lançou o homem morto na água, mais de trezentos metros pelo mar adentro.

Durante alguns longos segundos, o cadáver percorreu a baía. Então, o peso da âncora o puxou para baixo... para baixo... Cada vez mais. Quando caiu, espirrou água do profundo mar verde-azulado. Mas quase instantaneamente afundou e sumiu de vista.

Cam limpou as mãos e disse:

— Acho que acabo de bater um recorde.

Eles se pareciam de tantas maneiras. Mas Cam era algo ruim, um demônio, e por isso era capaz de atos desprezíveis sem o menor remorso. Daniel estava aleijado pelo remorso. E, nesse momento, estava ainda mais aleijado pelo amor.

— Você não leva a vida humana a sério — disse Daniel.

— Esse cara mereceu — respondeu Cam. — Realmente não vê diversão nisso tudo?

Nesse momento, Daniel o encarou e esbravejou:

— Ela não é um jogo para mim.

— E é exatamente por isso que você vai perder.

Daniel segurou Cam pela gola de seu casaco cinza-escuro. Pensou em jogá-lo na água da mesma maneira que ele acabara de jogar o predador.

Uma nuvem atravessou na frente do sol, sombreando o rosto de ambos.

— Calma — disse Cam, afastando as mãos de Daniel. — Você tem inimigos de sobra, Daniel, mas, nesse momento, não sou um deles. Lembre-se da trégua.

— Uma trégua e tanto — reclamou Daniel. — Dezoito dias em que outros tentam matá-la.

— Dezoito dias em que você e eu acabamos com eles — corrigiu Cam.

Era uma tradição angélica que a trégua durasse dezoito dias. No Céu, dezoito era o número mais divino e de sorte: uma afirmação da vida feita por setes (os arcanjos e as virtudes cardeais), e equilibrada pela advertência dos quatro cavaleiros do Apocalipse. Em alguns idiomas mortais, dezoito passara a significar a própria vida — apesar de, nesse caso, para Luce poder facilmente significar tanto a vida quanto a morte.

Cam tinha razão. Conforme a notícia da mortalidade de Luce se espalhasse pelas camadas celestes, as hordas de inimigos iriam dobrar e quadruplicar a cada dia. A Srta. Sophia e seus soldados, os 24 Anciãos de Zhsmaelin, ainda estavam atrás de Luce. Daniel vira os Anciãos nas sombras lançadas pelos Anunciadores naquela mesma manhã. Ele havia visto outra coisa também — outra escuridão, uma artimanha mais elaborada, uma que a princípio ele não reconhecera.

Um raio de luz solar atravessara as nuvens, e alguma coisa brilhou na visão periférica de Daniel. Ele se virou e se ajoelhou, encontrando uma única flecha espetada na areia molhada. Era mais fina que uma flecha comum, de um prata esmaecido, adornada por desenhos um espiral. Estava quente ao toque.

Daniel parou de respirar por um momento. Há uma eternidade não via uma seta estelar. Seus dedos tremiam enquanto gentilmente retirava-a da areia, tomando cuidado para não tocar a ponta afiada e mortal.

Agora Daniel sabia de onde aquela outra escuridão viera em meio às sombras dos Anunciadores naquela manhã. As notícias eram ainda piores do que temia. Ele se virou para Cam, com a flecha leve como uma pluma equilibrada sobre uma das mãos.

— Ele não estava agindo só.

Cam se enrijeceu ao ver a flecha. Moveu-se em direção a ela quase com reverência, estendendo a mão para tocá-la da mesma maneira que Daniel havia feito.

— Uma arma tão valiosa para ser deixada para trás. O Pária devia estar com muita pressa para fugir.

Os Párias: uma facção de anjos covardes e tagarelas, evitados tanto pelo Céu quanto pelo Inferno. Sua grande força estava no recluso anjo Azazel, o único ferreiro remanescente daquele tipo, que ainda conhecia a arte da confecção de setas estelares. Quando disparada por seu arco de prata, uma seta estelar não deixava mais do que um ponto dolorido em um mortal, mas, para anjos e demônios, aquela era a arma mais mortal de todas.

Todos as queriam, mas ninguém estava disposto a se associar aos Párias, então a troca de setas estelares era sempre feita clandestinamente, por meio de algum mensageiro. O que significava que o homem que Daniel eliminara não era nenhum matador enviado pelos Anciãos. Era um simples contrabandista. O Pária, o verdadeiro inimigo, havia se afastado — provavelmente assim que vira Daniel e Cam. Daniel sentiu um arrepio. Essa notícia não era nada boa.

— Matamos o cara errado.

— Como "errado"? — replicou Cam. — O mundo não ficou melhor com um predador a menos? Luce não está mais segura? — Ele encarou Daniel, e depois o mar. — O problema é que...

— Os Párias.

Cam assentiu.

— Então agora eles também a querem.

Daniel podia sentir as pontas de suas asas se eriçando por baixo do suéter de cashmere e do casaco pesado, uma coceira ardente que o fazia tremer. Ele ficou parado, os olhos fechados e os braços caídos, lutando para se controlar antes que suas asas explodissem como as velas de um navio se desenrolando violentamente, levando-o para o alto e para fora da ilha, em direção à baía. Em direção a ela.

Ele fechou os olhos e tentou imaginar Luce. Fora um esforço monumental abandonar aquela cabine, e o sono tranquilo dela na pequena ilha a leste de Tybee. Já era noite lá. Será que ela estava acordada? Será que estava com fome?

A batalha na Sword & Cross, as revelações, a morte de sua amiga, tudo aquilo havia abalado muito Luce. Os anjos esperavam que ela dormisse por um dia e uma noite inteiros. Mas, na amanhã seguinte, precisavam ter um plano pronto.

Essa havia sido a primeira vez que Daniel propusera uma trégua. Definir os limites, fazer as regras, e elaborar um sistema de consequências caso qualquer um dos lados desobedecesse às regras — era uma imensa responsabilidade a se dividir com Cam. É óbvio que ele faria isso, faria qualquer coisa por ela... Só queria ter certeza de que estava fazendo tudo *certo*.

— Temos que escondê-la em algum lugar seguro — dissera. — Há uma escola ao norte, perto de Fort Bragg...

— A Shoreline. — Cam assentiu. — Os meus também já pensaram nisso. Ela ficará feliz lá. Será educada em um lugar que não a colocará em perigo. E, acima de tudo, estará protegida.

Gabbe já havia explicado a Daniel que tipo de camuflagem a Shoreline podia proporcionar. Em breve, a notícia de que Luce estava escondida lá se espalharia, mas, ao menos durante um tempo, no perímetro da escola, ela estaria praticamente invisível. Lá dentro, Francesca, o anjo mais próximo a Gabbe, cuidaria de Luce. Do lado de fora, Daniel e Cam caçariam e matariam qualquer um que ousasse se aproximar das fronteiras da escola.

Quem teria contado a Cam sobre a Shoreline? Daniel não gostava da ideia dos aliados de Cam saberem mais do que os dele. Já estava se amaldiçoando por não ter visitado a escola antes de tomar essa decisão, mas fora difícil o suficiente deixar Luce quando foi preciso.

— Ela pode começar amanhã de manhã. Contanto... — os olhos de Cam examinaram o rosto de Daniel. — Contanto que você esteja de acordo.

Daniel tocou o bolso da frente de sua camisa, onde guardava uma fotografia recente. Luce no lago da Sword & Cross, o cabelo molhado brilhando e um raro sorriso em seu rosto. Geralmente, quando finalmente conseguia uma foto dela numa de suas encarnações, já a tinha perdido de novo. Dessa vez ela ainda estava lá.

— Vamos, Daniel — disse Cam. — Nós dois sabemos do que ela precisa. Nós a matriculamos... depois a deixamos em paz. Não há nada que possamos fazer para apressar essa fase, a não ser deixá-la sozinha.

— Não posso deixá-la sozinha por tanto tempo assim. — Daniel havia soltado aquelas palavras rápido demais. Ele baixou os olhos para a flecha em suas mãos, sentindo-se enjoado. Queria atirá-la no oceano, mas não podia.

— Então. — Cam apertou os olhos. — Não contou a ela.

Daniel congelou.

— Não posso contar nada a ela. Nós poderíamos perdê-la.

— *Você* poderia perdê-la — zombou Cam.

— Sabe o que quero dizer. — Daniel enrijeceu. — É arriscado demais achar que ela poderia compreender tudo sem...

Fechou os olhos para espantar a imagem das aterrorizantes chamas vermelhas. Mas elas estavam sempre ardendo no fundo de seus pensamentos, com a ameaça iminente de se espalharem como um incêndio florestal. Se contasse a verdade a ela e isso a matasse, dessa vez Luce *realmente* desapareceria. E seria culpa dele. Daniel não poderia fazer nada — não poderia existir — sem ela. Suas asas arderam com aquele pensamento. Melhor protegê-la por apenas mais algum tempo.

— Que conveniente para você — murmurou Cam. — Só espero que ela não fique desapontada.

Daniel o ignorou.

— Acha que ela vai conseguir aprender algo nessa escola?

— Sim — respondeu Cam lentamente. — Contanto que concordemos que ela não terá distrações externas. Isso significa nada de Daniel, nada de Cam. Esta precisa ser nossa regra fundamental.

Não a ver durante dezoito dias? Daniel não podia nem imaginar. Também não conseguia imaginar Luce concordando com isso. Acabaram de se encontrar nessa vida e finalmente tinham uma chance de ficarem juntos. Mas, como de costume, explicar os detalhes poderia matá-la. Ela não podia ouvir sobre suas vidas passadas através dos anjos. Luce ainda não sabia, mas, muito em breve, ela teria que compreender tudo... sozinha.

A verdade de que não se podia falar — e principalmente o que Luce acharia dela — aterrorizava Daniel. Mas Luce precisava descobri-la sozinha para se libertar daquele horrível ciclo vicioso. Por isso sua experiência na Shoreline seria crucial. Durante dezoito dias, Daniel poderia matar todos os Párias que atravessassem seu caminho. Mas, quando a trégua acabasse, tudo estaria nas mãos de Luce, mais uma vez. Nas mãos de Luce, e de mais ninguém.

O sol estava se pondo sobre o Monte Tamalpais e a neblina noturna se assentava.

— Deixe-me levá-la para a Shoreline — disse Daniel. Seria a última chance de vê-la.

Cam o olhou de um jeito estranho, pensando se deveria permitir. Mais uma vez, Daniel teve que fazer um esforço consciente para que as asas permanecessem em suas costas.

— Tudo bem — respondeu Cam, finalmente. — Mas quero a seta estelar em troca.

Daniel entregou a arma, e Cam a guardou dentro de seu casaco.

— Leve-a até a escola e então me encontre. Não faça besteira; estarei atento.

— E depois?

— Nós dois precisamos caçar.

Daniel assentiu e desenrolou suas asas, sentindo o profundo prazer de libertá-las correndo por todo o corpo. Ficou parado por um momento, juntando energias, sentindo a resistência cruel do vento. Hora de partir desse lugar amaldiçoado e feio, de deixar suas asas levarem-no de volta para um lugar onde podia ser ele mesmo.

De volta para Luce.

E de volta para a mentira que ele teria que manter por mais algum tempo.

— A trégua começa à meia-noite de amanhã — falou Daniel, espalhando um jato de areia às suas costas enquanto subia e atravessava o céu.

UM

DEZOITO DIAS

Luce se forçou a ficar de olhos fechados durante as seis horas de voo para atravessar o país, da Geórgia até a Califórnia, até as rodas do avião tocarem o chão de São Francisco. Assim, quase dormindo, era bem mais fácil fingir que já estava com Daniel.

Parecia que se passara uma vida inteira desde a última vez em que ela o vira, apesar de terem sido na verdade apenas alguns dias. Desde que se despediram na Sword & Cross, sexta de manhã, Luce sentia-se fraca. A ausência da voz dele, de seu calor, do toque de suas asas: aquilo doía nos ossos, como uma doença estranha.

Um braço encostou no seu, e Luce abriu os olhos. Ela estava a centímetros de um homem de olhos grandes e cabelos castanhos, alguns anos mais velho do que ela.

— Desculpe — disseram os dois ao mesmo tempo, cada qual se afastando alguns centímetros para lados opostos do braço da poltrona do avião.

A vista era deslumbrante do lado de fora da janela. O avião estava aterrissando em São Francisco, e Luce nunca vira nada como aquilo. Enquanto cruzavam a parte sul da baía, um afluente azul parecia atravessar a terra a caminho do mar. O córrego dividia um campo verde arrebatador: de um lado um redemoinho de algo vermelho de outro lado era branco. Ela encostou a testa na janela do avião e tentou enxergar melhor.

— O que é aquilo? — perguntou-se em voz alta.

— Sal — respondeu o homem, apontando. Ele se inclinou para mais perto. — Sai do Pacífico.

A resposta era tão simples, tão... humana. Quase uma surpresa depois do tempo que ela passara com Daniel e os outros — ainda não tinha prática em usar aqueles termos de forma literal — anjos e demônios. Ela olhou para a água azul-escura, que parecia se estender infinitamente a oeste. O sol batendo nas águas sempre significara *manhã* para Luce, que crescera na costa do Atlântico. Mas aqui já era quase noite.

— Você não é daqui, é? — perguntou seu colega de poltrona.

Luce confirmou com a cabeça, mas segurou a língua. Ela continuou encarando a janela. Antes de deixar a Geórgia nessa manhã, o Sr. Cole a havia instruído a ser discreta. Os outros professores achavam que os pais de Luce haviam pedido que ela fosse transferida, mas era mentira. Para os pais de Luce, Callie, e qualquer outra pessoa que a conhecesse, ela ainda estava matriculada na Sword & Cross.

Algumas semanas antes, isso a teria deixado enfurecida. Mas os acontecimentos naqueles últimos dias na Sword & Cross transformaram Luce em uma pessoa que levava o mundo mais a sério. Ela tivera um vislumbre de outra encarnação — uma das muitas que partilhara com Daniel antes, e descobrira um amor mais profundo do que ela jamais achara ser possível existir. E depois havia visto tudo aquilo ser ameaçado por uma velha desequilibrada, em quem achava que podia confiar, brandindo um punhal.

Havia mais pessoas por aí como a Srta. Sophia, Luce sabia disso. Mas ninguém lhe explicara como reconhecê-las. A Srta. Sophia parecia normal até então. Será que os outros poderiam parecer tão inocentes quanto... esse cara de cabelo castanho sentado ao seu lado? Luce engoliu em seco, cruzou as mãos sobre o colo, e tentou pensar em Daniel.

Daniel estava levando-a para um lugar seguro.

Luce imaginou-o esperando por ela numa daquelas cadeiras de plástico cinzentas de aeroporto, com os cotovelos apoiados nos joelhos, a cabeça loira caída entre os ombros. Balançando para a frente e para trás sobre o par de All Star preto. Levantando-se de poucos em poucos minutos para andar de um lado da esteira até o outro.

Sentiu um solavanco quando o avião tocou o solo. Subitamente ela estava nervosa. Será que Daniel ficaria tão feliz em vê-la quanto ela estava em vê-lo?

Ela concentrou sua atenção na estampa marrom e bege do tecido da poltrona à frente. Seu pescoço estava tenso por causa do longo voo, e as roupas tinham aquele cheiro de ambiente fechado de avião. Os trabalhadores de roupa azul-marinho do outro lado das janelas pareciam estar demorando mais do que o normal para direcionar o avião para a vaga. Seus joelhos balançavam-se de impaciência.

— Então você vai ficar na Califórnia por algum tempo? — O cara ao lado dela abriu um sorriso preguiçoso que só deixou Luce com ainda mais vontade de se levantar.

— Por que acha isso? — perguntou ela rapidamente. — O que o fez pensar assim?

Sem entender, ele respondeu:

— Essa bolsa de viagem vermelha imensa e tal.

Luce se afastou dele alguns centímetros. Ela nem havia notado esse cara até dois minutos atrás, quando ele esbarrara nela, acordando-a. Como ele sabia sobre sua bagagem?

— Ei, não precisa ficar assustada. — Ele olhou de forma estranha para ela. — Eu só estava atrás de você na fila do check-in.

Luce sorriu, sem jeito.

— Tenho namorado — soltou sem querer. Instantaneamente, seu rosto ficou vermelho.

O homem tossiu.

— Certo, entendi.

Luce fez uma careta. Ela não sabia por que havia dito aquilo. Não queria ser grosseira, mas já podia soltar o cinto de segurança e tudo que ela queria era ir pra longe daquele cara e daquele avião. O homem deve ter percebido, pois voltou um pouco no corredor e estendeu a mão para a frente. O mais educadamente possível, Luce passou à sua frente e seguiu para a saída.

Logo adiante, porém, acabou engarrafada na agonizante e lenta fila para sair do avião. Silenciosamente amaldiçoando todos os californianos relaxados que se embaralhavam na frente dela, Luce ficou na ponta dos pés, impaciente. Quando pisou no terminal, já estava furiosa.

Finalmente podia se mexer. Com habilidade, abriu caminho entre a multidão e se esqueceu completamente do cara que conhecera no avião. Esqueceu-se de ficar nervosa por nunca ter estado na Califórnia — nunca ter ido além de Branson, Missouri, naquela vez em que seus pais a arrastaram para assistir a uma comédia de Yakov Smirnoff. E, pela primeira vez em dias, ela até esqueceu por um momento das coisas horríveis pelas quais passara na Sword & Cross. Estava andando em direção à única coisa no mundo que tinha o poder de fazê-la se sentir melhor. A única coisa que podia fazê-la sentir que toda a angústia pela qual passara — todas as sombras, aquela batalha irreal no cemitério, e o pior de tudo, a dor pela morte de Penny — poderia ter valido a pena.

Lá estava ele.

Sentado exatamente como ela imaginara, na última fileira de um bloco sem graça de cadeiras cinzentas ao lado de uma porta automática que abria e fechava atrás dele. Por um segundo, Luce parou e simplesmente admirou a cena.

Daniel usava chinelos e jeans escuros que ela nunca vira antes, e uma camisa vermelha velha com um rasgo perto do bolso da frente. Ele parecia igual, mas de alguma maneira também diferente. Mais relaxado do que estivera quando se despediram no outro dia. E era só por sentir tanto sua falta, ou a pele dele estava mesmo ainda mais radiante do que ela se lembrava? Daniel levantou os olhos e finalmente a viu. Seu sorriso praticamente cintilava.

Luce disparou na direção dele. Em um segundo, os braços de Daniel estavam em volta dela, seu rosto enterrado no peito dele, e Luce soltou um suspiro longo e profundo. Sua boca encontrou a dele e os dois mergulharam num beijo. Ela ficou relaxada e feliz em seus braços.

Não havia percebido até agora, mas uma parte sua tinha se perguntado se o veria novamente, se aquilo tudo havia sido um sonho. O amor que sentia, o amor que Daniel retribuía, tudo ainda parecia tão surreal.

Ainda inebriada pelo beijo, Luce beliscou o braço dele levemente. Não era sonho. Pela primeira vez em sabe-se lá quanto tempo, sentia-se em casa.

— Você está aqui — sussurrou ele em seu ouvido.

— *Você* está aqui.

— Nós dois estamos aqui.

Eles riram, ainda se beijando, acabando com qualquer resquício da doce estranheza do reencontro. Mas, quando Luce mal esperava, sua risada virou um choramingo. Ela estava procurando uma maneira de dizer como os últimos dias haviam sido difíceis — sem ele, sem ninguém, meio adormecida e grogue, ciente de que tudo estava diferente —, mas nos braços de Daniel ela não conseguia achar as palavras.

— Eu sei — disse ele. — Vamos pegar a mala e dar o fora daqui.

Luce andou até a esteira e viu seu vizinho de avião parado na frente dela, as alças de sua imensa bolsa vermelha nas mãos.

— Eu vi isso passando — falou, com um sorriso forçado no rosto, como se quisesse de qualquer maneira provar que suas intenções eram boas. — É sua, não é?

Antes que Luce tivesse tempo de responder, Daniel tirou o peso do homem, usando apenas uma das mãos.

— Obrigado, cara. Eu cuido disso daqui em diante — disse, com determinação o bastante para terminar a conversa.

O homem observou enquanto Daniel passava a outra mão em volta da cintura de Luce e a levava para longe. Essa era a primeira vez desde a Sword & Cross em que ela podia ver Daniel pelos olhos do mundo, sua primeira chance de se perguntar se os outros podiam perceber, só de olhar, que havia algo de extraordinário nele.

Então passaram pelas portas de vidro automáticas e ela respirou pela primeira vez o ar da costa oeste. O ar do início de novembro parecia fresco e vivo, mais saudável de alguma maneira, diferente do ar úmido e gelado da Savannah naquela tarde, quando o avião decolara. O céu era de um azul brilhante, sem nuvens no horizonte. Tudo parecia novo e limpo — até mesmo o estacionamento, com suas inúmeras fileiras de carros recém-lavados. Um horizonte de montanhas emoldurava tudo, marrons com pequenos pontos de árvores verdes, uma colina encostada na outra.

Ela não estava mais na Geórgia.

— Não consigo decidir se fico surpreso — provocou Daniel. — Você sai debaixo da minha asa durante dois dias e outro cara já se intromete.

Luce revirou os olhos.

— Qual é. Mal nos falamos. Sério, dormi o voo inteiro. — Ela o cutucou. — Sonhei com você.

Os lábios de Daniel se abriram num sorriso e ele beijou o topo de sua cabeça. Ela ficou imóvel, querendo mais, nem percebendo que Daniel havia parado na frente de um carro. E não era um carro qualquer.

Um Alfa Romeo preto.

O queixo de Luce caiu quando Daniel abriu a porta do carona.

— I-isso... — gaguejou ela. — I-isso... Você *sabia* que esse é o carro dos meus sonhos?

— Melhor do que isso — riu Daniel. — Esse costumava *ser* o seu carro.

Ele riu quando Luce praticamente saltou com aquelas palavras. Ainda estava se acostumando com essa história de reencarnação. Era tão injusto. Um carro do qual nem se lembrava. Vidas *inteiras* das quais ela não se lembrava. Estava desesperada para se recordar, quase como se as Luces anteriores fossem irmãs de quem havia sido separada ao nascer. Ela colocou uma das mãos no painel, tentando despertar alguma coisa, algum déjà-vu.

Nada.

— Foi um presente de 16 anos de seus pais algumas vidas atrás. — Daniel olhou para os lados, como se estivesse tentando decidir o quanto contar. Como se soubesse que ela estava ávida por detalhes, mas não fosse conseguir descobrir muitos ao mesmo tempo. — Acabei de comprar de um cara em Reno. Ele comprou depois que você... Bem, depois de você...

Entrar em combustão espontânea, pensou Luce, completando a amarga verdade de que Daniel não falava. Esse era um ponto em comum entre suas vidas passadas: o final raramente mudava.

Dessa vez, porém, pelo que parecia, isso poderia acontecer. Dessa vez poderiam dar as mãos, se beijar, e... ela não sabia o que mais poderiam fazer, mas não via a hora de descobrir. Ela tentou se controlar. Precisavam ter cuidado. Dezessete anos não eram suficientes e, nessa vida, Luce estava determinada a ficar por aqui para ver como realmente era estar com Daniel.

Ele limpou a garganta e bateu de leve no capô preto e brilhante.

— Ainda corre como um campeão. O único problema é... — Ele olhou para o pequeno porta-malas do conversível, depois para a mala de Luce, depois de volta ao porta-malas.

Sim, Luce tinha um terrível hábito de colocar coisas demais na mala, ela mesma seria a primeira a admitir. Mas, dessa vez, não era culpa sua. Ariane e Gabbe haviam arrumado seus pertences do dormitório na Sword & Cross, guardando cada item preto e não preto de roupa que ela não tivera chances de usar. Estivera muito ocupada se despedindo de Daniel e de Penn para arrumar as malas. Ela fez uma careta, se sentindo culpada por estar na Califórnia com Daniel, tão longe de onde deixara a amiga enterrada. Não parecia justo. O Sr. Cole assegurou-lhe de que a Srta. Sophia pagaria pelo que fizera a Penn, mas quando

Luce o pressionou para saber o que exatamente ele queria dizer com aquilo, ele cofiara o bigode e se fechara.

Daniel olhou com desconfiança em volta do estacionamento. Ele abriu o porta-malas, com a imensa mala de Luce numa das mãos. Não havia possibilidade de caber, mas então um som suave de sucção veio da traseira do carro e a mala de Luce começou a encolher. Um momento depois, Daniel fechou o porta-malas.

Luce ficou impressionadíssima.

— Faz isso de novo!

Daniel não riu, parecia nervoso. Ele sentou no banco do motorista e ligou o carro sem dar uma palavra. Era uma coisa nova e estranha para Luce: ver seu rosto aparentemente tão sereno, mas conhecê-lo bem o bastante para perceber que havia alguma coisa escondida em seu íntimo.

— O que foi?

— O Sr. Cole lhe avisou para manter discrição, certo?

Luce assentiu.

Daniel deu ré, então virou o carro na direção da saída do estacionamento, enfiando um cartão na máquina que liberava a catraca.

— Isso foi idiotice. Eu devia ter pensado...

— Qual é o problema? — Luce colocou o cabelo escuro atrás das orelhas quando o carro começou a ganhar velocidade. — Acha que encaixar uma bagagem num porta-malas vai atrair a atenção de Cam?

Daniel ficou com um olhar distante e sacudiu a cabeça.

— Não de Cam. Não. — Um momento depois, ele apertou o joelho dela. — Esqueça o que eu disse. Eu só... *Nós* só precisamos ter cuidado.

Luce ouviu, mas estava esfuziante demais para prestar atenção. Ela amava observar Daniel dirigindo enquanto subiam a estrada e ultrapassavam o tráfego todo; amava a sensação do vento chicoteando o carro enquanto aceleravam na direção do imponente horizonte de São Francisco; amava — mais do que tudo — simplesmente estar com Daniel.

Em São Francisco, as estradas eram muito mais inclinadas. Toda vez que chegavam a um pico e começavam a descer de novo, Luce via uma faceta diferente da cidade. Parecia antiga e moderna ao mesmo tempo: arranha-céus espelhados lado a lado com restaurantes e bares que pareciam ter um século de idade. Pequenos carros espalhados pelas ruas, estacionados em ângulos que desafiavam a gravidade. O brilho da água azul envolvendo toda a cidade. E o primeiro vislumbre em vermelho da ponte Golden Gate a distância.

Seus olhos iam de um lado para o outro, tentando absorver todas aquelas imagens. E, mesmo que tivesse passado a maior parte dos últimos dias dormindo, subitamente Luce foi tomada por uma onda de exaustão.

Daniel esticou o braço livre em volta dela, trazendo a cabeça de Luce até seu ombro.

— Um fato pouco conhecido sobre os anjos é que somos excelentes travesseiros.

Luce riu, levantando a cabeça para beijar a bochecha dele.

— Nunca conseguiria dormir — respondeu, aconchegando-se no pescoço de Daniel.

Na ponte Golden Gate, uma multidão de pedestres, ciclistas de spandex e corredores flanqueavam os carros. Lá embaixo ficava a baía brilhante, pontilhada de pequenos veleiros brancos e as nuances iniciais de um pôr do sol violeta.

— Já se passaram dias desde que nos vimos pela última vez. Quero saber das novidades — disse ela. — Me conte o que andou fazendo. Conte tudo.

Por um instante, Luce pensou ter notado Daniel apertando o volante com mais força.

— Se seu objetivo é *não* dormir — disse ele, abrindo um sorriso —, então eu realmente não deveria entrar em detalhes sobre as minúcias da reunião de oito horas do Conselho dos Anjos onde fiquei preso o dia de ontem todo. Sabe, o comitê se reuniu para discutir uma emenda à proposição 362B, que detalha o formato sancionado para a participação angelical no terceiro circuito...

— Tá bom, tá bom, já entendi. — Luce fez um gesto com as mãos. Daniel estava brincando, mas era um tipo de brincadeira nova e estranha. Ele estava sendo aberto quanto a ser um anjo, o que ela adorava — ou pelo menos *adoraria*, assim que tivesse um pouco mais de tempo para compreender tudo. Luce ainda sentia como se seu coração e cérebro estivessem lutando para se adaptar às mudanças em sua vida.

Mas agora eles estavam juntos de novo, de verdade, então tudo era infinitamente mais fácil. Não havia mais nada para esconder um do outro. Ela puxou o braço dele, dizendo:

— Pelo menos me conte para onde estamos indo.

Daniel hesitou, e Luce sentiu um frio tomando seu estômago. Ela se moveu para colocar a mão sobre a dele, mas ele a afastou para mudar a marcha.

— Vamos para uma escola em Fort Bragg chamada Shoreline. As aulas começam amanhã.

— Vamos entrar em outra escola? — perguntou ela. — Por quê? — Parecia tão permanente. Essa viagem era para ser provisória. Seus pais nem sabiam que ela havia deixado o estado da Geórgia.

— Vai gostar da Shoreline. É muito progressiva, e bem melhor que a Sword & Cross. Acho que vai conseguir... se desenvolver lá. E nenhum mal poderá lhe atingir. A escola tem uma qualidade especial, protetora. Um escudo, tipo uma camuflagem.

— Não entendo. Por que preciso de um escudo? Achei que vir para cá, para longe da Srta. Sophia, fosse o bastante.

— Não é apenas a Srta. Sophia — disse Daniel, baixinho. — Existem outros.

— Quem? Você pode me proteger de Cam ou Molly, ou de quem quer que seja. — Luce riu, mas a sensação gelada em seu estômago estava se espalhando.

— Também não se trata de Cam nem de Molly, Luce. Não posso falar sobre isso.

— Vamos conhecer mais alguém lá dentro? Outros anjos?

— Tem alguns anjos lá, sim. Ninguém que você conheça, mas tenho certeza de que vão se dar bem. Tem mais uma coisa. — Sua voz estava fria agora, e ele olhava fixamente para a frente. — Não vou estudar lá. — Seus olhos não saíram da estrada nem uma única vez. — Só você. É só por um tempinho.

— Quanto tempo?

— Algumas... semanas.

Se Luce estivesse atrás do volante, esse era o momento em que ela teria pisado no freio com toda a força.

— Algumas *semanas*?

— Se eu pudesse ficar com você, ficaria. — A voz de Daniel estava tão sem emoção, tão estável, que deixou Luce ainda mais chateada. — Sabe o que aconteceu com sua bagagem e o porta-malas? Aquilo foi como atirar um sinalizador para o céu, avisando a todos onde estamos. Alertando qualquer um que esteja procurando por mim — e principalmente por você. Sou fácil demais de se achar, fácil demais de ser rastreado pelos outros. E aquele truque com sua mala? Aquilo não é nada comparado

às coisas que faço todo dia, coisas que atrairiam a atenção de...
— Ele balançou a cabeça, decidido. — Não vou colocá-la em perigo, Luce, não posso.

— Então *não faça isso*.

A expressão era uma máscara de sofrimento.

— É complicado.

— E deixe-me adivinhar: você não pode me explicar.

— Gostaria que fosse diferente.

Luce levou os joelhos até o peito, afastando-se dele para se encostar na porta do passageiro. De alguma maneira, ela se sentia claustrofóbica sob aquele imenso céu azul da Califórnia.

❄❄

Durante meia hora, os dois prosseguiram em silêncio. Entrando e saindo de trechos cobertos de neblina, subindo e descendo o terreno rochoso e árido. Passaram por placas de Sonoma, e, enquanto o carro atravessava abundantes vinhedos verdes, Daniel falou:

— São mais três horas até Fort Bragg. Vai ficar com raiva de mim esse tempo todo?

Luce o ignorou. Ela pensava e se recusava a dar voz a centenas de perguntas, frustrações, acusações, e, por fim, desculpas, por agir como uma criança mimada. Na saída de Anderson Valley, Daniel virou a oeste e tentou mais uma vez segurar a mão dela:

— Será que você vai me perdoar a tempo de aproveitar nossos últimos minutos juntos?

Ela queria. Queria muito *não* estar brigando com Daniel nesse momento. Mas a mera existência de algo como "últimos minutos juntos", o fato de que ele a deixaria sozinha por razões que ela não conseguia compreender, e que ele *sempre* se recusava a explicar — aquilo deixava Luce nervosa, aterrorizada e muito frustrada. Naquele maremoto — um novo estado, uma nova escola, além de novos perigos por toda parte —, Daniel era o único porto seguro no qual podia se segurar. E ele estava prestes a deixá-la? Ela já não havia sofrido o bastante? Os dois já não haviam sofrido o bastante?

Foi apenas depois de terem passado pelo Parque Nacional de Redwood para encontrarem uma noite estrelada e azul que Daniel conseguiu fazê-la ceder. Haviam acabado de passar por uma placa que dizia BEM-VINDO A MENDOCINO, e Luce estava olhando para o oeste. A lua cheia brilhava sobre um amontoado de construções: um farol, diversas torres de água feitas de cobre, e fileiras de velhas casas de madeira bem-cuidadas. Em algum lugar além daquilo tudo estava o oceano, que ela podia ouvir, mas não ver.

Daniel apontou para o leste, para uma floresta escura e densa de sequoias e bordos.

— Está vendo aquele estacionamento de trailers ali na frente?

Ela nunca teria visto aquilo se ele não tivesse apontado, mas Luce apertou os olhos para localizar uma estrada estreita, onde uma placa de madeira coberta de limo dizia TRAILERS MENDOCINO em letras caiadas.

— Você costumava viver bem ali.

— O quê? — Luce ficou sem fôlego. O susto foi tamanho que começou a tossir. O estacionamento parecia triste e solitário, uma fileira sem graça de caixas idênticas de teto baixo, dispostas ao longo de uma estrada de cascalhos barata. — Isso é horrível.

— Você vivia aqui antes de isso ser um estacionamento de trailers — disse Daniel, parando o carro na beira da estrada.

— Antes de existirem trailers. Seu pai naquela vida trouxe a família de Illinois para cá durante a corrida do ouro. — Ele parecia estar refletindo, pensativo, então balançou a cabeça com tristeza. — Costumava ser um lugar muito bom.

Luce olhou para um homem careca, com a barriga estufada, que puxava um cachorro caramelo pela coleira. O homem estava usando uma regata branca e bermuda. Luce não conseguia se imaginar ali de jeito nenhum.

Ainda assim, tudo parecia tão nítido para Daniel.

— Havia uma choupana de dois quartos e sua mãe era péssima cozinheira, então o lugar inteiro sempre cheirava a repolho. As cortinas do seu quarto eram azuis de algodão e eu costumava abri-las para entrar pela janela à noite, depois que seus pais caíam no sono.

O carro morreu. Luce fechou os olhos e tentou conter as lágrimas idiotas. Descobrir a história dos dois por Daniel fez com que parecesse ao mesmo tempo possível *e* impossível. Escutar aquilo também a fez se sentir extremamente culpada. Daniel tinha ficado ao lado dela por tanto tempo, durante tantas encarnações. Ela esquecera de como ele a conhecia bem, melhor até do que ela conhecia a si mesma. Será que Daniel sabia o que ela estava pensando agora? Luce pensou se, de alguma forma, era mais fácil ser ela e nunca se lembrar de Daniel, do que ser ele e passar por isso tantas vezes.

Se ele disse que tinha que deixá-la por algumas semanas e não podia explicar a razão... Teria que confiar nele.

— Como foi quando me conheceu? — perguntou ela.

Daniel sorriu.

— Eu cortava lenha em troca de comida naquela época. Uma noite, na hora do jantar, estava passando por sua casa. Sua mãe estava fazendo repolho, e fedia tanto que quase saí correndo. Mas então eu a vi pela janela. Você estava costurando. Eu não conseguia tirar os olhos de suas mãos.

Luce olhou para suas mãos, os dedos pálidos e cônicos, as palmas quadradas e pequenas. Ela se perguntou se elas foram sempre iguais. Daniel esticou o braço por cima da marcha para tocá-la.

— São tão macias agora quanto eram naquela época.

Luce balançou a cabeça. Ela amou a história, e queria escutar mais mil como aquela, mas essa não era a resposta que queria ouvir.

— Quero saber sobre a primeira vez que me conheceu — pediu. — Da primeira vez *de todas*. Como foi?

Depois de uma longa pausa, ele finalmente disse:

— Está ficando tarde. Estão esperando por você na Shoreline antes da meia-noite. — Ele pisou no acelerador, fazendo uma curva rápida para a esquerda, entrando em Mendocino. No espelho retrovisor, Luce observou o estacionamento de trailers ficar menor e mais encoberto, até desaparecer completamente. Então, alguns segundos depois, Daniel estacionou em frente a um restaurante 24 horas vazio, com paredes amarelas e janelas do chão até o teto.

O quarteirão era repleto de prédios estranhos e singulares que lembraram Luce de uma versão menos convencida da costa da Nova Inglaterra, perto de sua antiga escola de New Hampshire, Dover. A rua era pavimentada com paralelepípedos desiguais que brilhavam amarelados sob a luz dos postes. No final, a estrada parecia cair direto para dentro do oceano. Ela teve que ignorar seu medo instintivo do escuro. Daniel tinha explicado sobre as sombras — que não eram nada a se temer, e sim meros mensageiros. Isso deveria ter sido tranquilizador, exceto pelo fato, difícil de ignorar, que isso também significava que existiam coisas ainda piores a temer.

— Por que não me conta? — soltou ela contra sua vontade. Não sabia por que achava tão importante perguntar. Se ia confiar em Daniel quando ele dizia que teria que abandoná-la depois de esperar a vida toda por esse reencontro, bem, talvez ela só estivesse querendo entender as origens daquela confiança. Para saber quando e como tudo havia começado.

— Sabe o que significa meu sobrenome? — perguntou ele, surpreendendo-a.

Luce mordeu o lábio, tentando se lembrar da pesquisa que havia feito com Penn.

— Lembro-me da Srta. Sophia falando alguma coisa sobre Guardiões. Mas não sei o que significa, ou se deveria acreditar nela. — Seus dedos tocaram o pescoço, no local onde o punhal da Srta. Sophia havia encostado.

— Ela estava certa. Os Grigori são um clã. Um clã batizado por minha causa, na verdade. Porque eles observaram e aprenderam com o que aconteceu quando... quando eu ainda era bem-vindo no Céu. E quando você era... Bem, isso tudo aconteceu há muito tempo, Luce. É difícil me lembrar dos detalhes.

— Onde? O que eu era? — pressionou ela. — Lembro-me também da Srta. Sophia dizendo alguma coisa sobre os Grigori se associando a mulheres mortais. Foi isso o que aconteceu? Você...?

Daniel olhou para ela. Algo havia mudado em seu rosto e, sob a fraca luz da lua, Luce não conseguia decifrar o que significava. Era quase como se ele estivesse aliviado por ela ter adivinhado, para não ter que explicar ele mesmo.

— A primeira vez em que a vi — continuou Daniel — não foi muito diferente de qualquer uma das outras vezes em que a vi desde então. O mundo era mais jovem, mas você era a mesma. Foi...

— Amor à primeira vista. — Essa parte ela sabia.

Ele assentiu.

— Como sempre. A única diferença foi que, no começo, você era inalcançável para mim. Eu estava sendo punido, e me apaixonara por você no pior momento possível. As coisas andavam violentas no Céu. Por ser quem... eu sou... Deveria ter ficado longe de você. Era uma distração. Meu foco deveria estar em ganhar a guerra. É a mesma guerra que ainda está acontecendo. — Ele suspirou. — E, se ainda não notou, continuo muito distraído.

— Então você era um anjo de muito prestígio — murmurou Luce.

— Sim. — A expressão de Daniel era triste, parando de falar e então, quando retomara o assunto, parecia ter dificuldade para achar as palavras. — Foi uma queda de um dos postos mais altos.

É óbvio. Daniel teria que ser importante no Céu para ter causado uma confusão tão grande. Para seu amor por uma garota mortal ser tão errado.

— Você desistiu de tudo? Por mim?

Ele encostou a testa na dela.

— Não mudaria nada.

— Mas eu não era ninguém — disse Luce. Ela se sentia pesada, como se estivesse afundando. E levando-o junto. — Teve que desistir de tanta coisa! — Ela se sentia enjoada. — E agora está amaldiçoado para sempre.

Desligando o carro, Daniel abriu-lhe um sorriso triste.

— Talvez não seja para sempre.

— O que quer dizer?

— Venha — disse ele, saindo do carro e dando a volta até sua porta. — Vamos dar um passeio.

Eles foram até o fim da rua, que não era um beco sem saída, afinal, e sim um caminho até uma escadaria de pedras bastante íngreme, levando até a água. O ar era fresco e úmido pelo proximidade do mar. À esquerda dos degraus, uma trilha levava para outro lugar. Daniel pegou a mão dela e se moveu até a beirada do penhasco.

— Aonde estamos indo? — perguntou Luce.

Daniel sorriu para ela, endireitando os ombros, e abriu as asas.

Lentamente, elas se estenderam para cima e para longe de seus ombros, desdobrando-se com uma quase inaudível série de estalos e ruídos suaves. Totalmente flexionadas, elas emitiam um som leve e agradável, como o de um cobertor sendo estendido sobre a cama.

Pela primeira vez, Luce notou as costas da camisa de Daniel. Havia dois pequenos e praticamente invisíveis *rasgos*, que agora se abriam deixando as asas passarem. Será que todas as roupas de Daniel tinham essas alterações angelicais? Ou ele tinha itens específicos e especiais que usava quando planejava voar?

Fosse qual fosse a resposta, as asas de Daniel sempre deixavam Luce sem palavras.

Elas eram enormes, erguendo-se até três vezes a altura de Daniel, e se curvavam para o alto e para os lados como grandes velas brancas. Sua largura ampla absorvia a luz das estrelas produzindo um reflexo ainda mais intenso e conferindo às asas um brilho iridescente. Perto de seu corpo elas escureciam, adquirindo uma forte cor terrosa onde encostavam nos músculos de seus ombros. Mas, ao longo das bordas cônicas, elas ficavam mais finas e cintilavam, parecendo quase translúcidas nas pontas.

Luce as encarou, arrebatada, tentando memorizar o contorno de cada pena gloriosa, tentando guardar tudo aquilo dentro dela para quando ele tivesse ido embora. Daniel brilhava tanto que o sol podia ter roubado dele sua luz. O sorriso em seus olhos violeta revelava a ela como era boa a sensação de deixar suas asas se abrirem. Tão bom quanto era para Luce estar aninhada dentro delas.

— Voe comigo — sussurrou ele.

— O quê?

— Não vou vê-la por algum tempo. Tenho que dar a você algo para se lembrar de mim.

Luce o beijou antes que ele pudesse dizer qualquer outra coisa. Entrelaçando os dedos em volta do pescoço de Daniel, segurando-o com a maior força possível, esperou dar a ele algo para se lembrar dela também.

Com as costas pressionadas contra o peito dele, e a cabeça apoiada em seu ombro, Daniel tracejou uma linha de beijos pelo seu pescoço. Ela prendeu a respiração, esperando. Então ele flexionou as pernas e graciosamente pulou da beirada do penhasco.

Estavam voando.

Para longe da saliência rochosa da costa, sobre as ondas prateadas lá embaixo, atravessando o céu como se em direção à lua. O abraço de Daniel a protegia de cada rajada de vento, de cada jato de brisa fria do oceano. A noite estava totalmente quieta. Como se eles fossem as duas últimas pessoas no mundo.

— Isso é o Céu, não é? — perguntou ela.

Daniel riu:

— Quem me dera. Talvez um dia... em breve.

Quando já haviam voado longe o suficiente, e não viam mais terra em nenhum dos lados, Daniel virou levemente para o norte e passaram em arco pela cidade de Mendocino, que brilhava calorosamente no horizonte. Estavam bem acima do edifício mais alto da cidade e se moviam incrivelmente rápido. Mas Luce nunca se sentira mais segura ou mais apaixonada em toda sua vida.

E então, cedo demais, estavam descendo, gradualmente se aproximando da beirada de outro penhasco. Os sons do oceano voltaram a ficar mais altos. Uma única estrada escura saía da estrada principal. Quando os pés deles tocaram levemente num pedaço de grama espessa e gelada, Luce suspirou.

— Onde estamos? — perguntou, apesar de, obviamente, já saber.

O Colégio Shoreline. Ela podia ver um prédio grande ao longe, mas dali ele parecia completamente escuro, uma silhueta indefinida no horizonte. Daniel a segurou com firmeza junto a ele, como se ainda estivessem voando. Ela esticou a cabeça para cima para examinar sua expressão. Os olhos dele estavam marejados.

— Quem me amaldiçoou ainda está observando, Luce. Fazem isso há milênios, e não querem que fiquemos juntos. Serão capazes de fazer qualquer coisa para nos impedir. Por isso não é seguro que eu fique aqui.

Ela assentiu, com os olhos ardendo.

— Mas por que *eu* estou aqui?

— Porque vou fazer tudo em meu poder para manter você a salvo, e esse é o melhor lugar para fazer isso agora. Eu amo você, Luce. Mais do que tudo. Voltarei assim que puder.

Ela queria protestar, mas se controlou. Ele havia aberto mão de tudo por ela. Quando Daniel a soltou de seu abraço, abriu a palma da mão e uma pequena forma vermelha dentro dela começou a crescer. Sua mala de viagem. Ele a tirara do porta-malas do carro sem que ela percebesse, e carregou-a até ali dentro de sua mão. Em apenas alguns segundos, ela havia enchido e crescido inteiramente, de volta ao tamanho original. Se não estivesse com o coração tão apertado por saber o que significava Daniel devolvendo a mala para ela, Luce teria amado o truque.

Uma única luz se acendeu dentro do prédio e uma silhueta apareceu na porta de entrada.

— Não vai ser por muito tempo. Assim que for mais seguro, venho buscar você.

Sua mão morna apertou o pulso de Luce e, antes de se dar conta, ela estava em seus braços, atraída para os lábios dele. Luce deixou todo o resto desmoronar, permitindo que o coração tomasse conta. Talvez não se lembrasse de suas vidas anteriores, mas, quando Daniel a beijava, se sentia mais próxima do passado. E do futuro.

A figura na porta estava andando na direção dela, uma mulher num vestido branco curto.

O beijo que Luce dividira com Daniel, doce demais para ser tão breve, a deixara sem fôlego como acontecia sempre que se beijavam.

— Não vá — sussurrou ela, de olhos fechados. Tudo estava acontecendo rápido demais. Ela não podia desistir de Daniel. Ainda não. Suspeitava que nunca poderia.

Luce sentiu a lufada de ar que significava que ele já havia decolado. Seu coração foi atrás de Daniel quando ela abriu os olhos e viu o último movimento das asas desaparecendo dentro de uma nuvem e penetrando na noite escura.

DOIS

DEZESSETE DIAS

Tump.

Luce estremeceu e esfregou o rosto. Seu nariz doía.

Tump. Tump.

Agora eram suas maçãs do rosto. As pálpebras se abriram lentamente e quase imediatamente ela franziu a testa de surpresa. Uma loira atarracada de boca severa e grandes sobrancelhas estava inclinada sobre ela. O cabelo estava preso desajeitadamente no topo da cabeça. Ela usava calças de ioga e uma regata com estampa de camuflagem esgarçada que combinava com seus olhos castanho-esverdeados. Estava segurando uma bolinha de pingue-pongue entre os dedos, pronta para atirar.

Ainda sob os lençóis, Luce recuou e protegeu o rosto. Seu coração já estava doendo de saudades de Daniel. Não precisava de ainda mais dor. Então olhou para baixo, tentando pegar seus pertences, e se lembrou da cama na qual tinha desabado na noite anterior.

A mulher de branco que havia aparecido quando Daniel partira apresentara-se como Francesca, uma das professoras da Shoreline. Ainda que estivesse assustada, Luce pôde notar que Francesca era uma bela mulher. Tinha trinta e poucos anos, cabelos loiros na altura dos ombros, maçãs do rosto arredondadas, e traços suaves e amplos.

Anjo, Luce concluiu quase imediatamente.

Francesca não fez nenhuma pergunta no caminho até o quarto de Luce. Devia estar esperando aquela chegada tarde da noite, e deve ter percebido o quanto Luce estava cansada.

Agora essa estranha que havia trazido Luce de volta à consciência parecia pronta para atirar mais uma bola.

— Ótimo — disse ela num tom de voz rude. — Está acordada.

— Quem é você? — perguntou Luce, sonolenta.

— Quem é *você*, seria mais apropriado. Tirando ser uma estranha agachada que encontrei em meu quarto. Tirando ser uma garota atrapalhando meu mantra matinal com seu falatório esquisito enquanto dorme. Meu nome é Shelby. *Enchantée*.

Não é anjo, Luce concluiu. Só uma garota da Califórnia que se acha demais.

Luce sentou-se na cama e olhou ao redor. O quarto estava meio entulhado, mas era bem decorado, com pisos de madeira clara; uma lareira que funcionava, um micro-ondas, duas grandes e largas mesas e estantes embutidas que serviam de escada para o que Luce percebia ser agora o beliche.

Ela podia ver um banheiro através de uma porta de correr de madeira. E — teve que piscar algumas vezes para ter certeza — uma vista para o mar. Nada mal para uma garota que passara o último mês admirando um velho cemitério abandonado de dentro de um quarto mais apropriado para um hospital do que uma escola. Mas, ainda assim, pelo menos aquele cemitério velho e aquele quarto significavam estar com Daniel. Ela mal havia começado a se acostumar com a Sword & Cross. E agora, mais uma vez, começava do zero.

— Francesca não falou nada sobre eu ter uma colega de quarto. — Pela expressão no rosto de Shelby, Luce percebeu imediatamente que essa não era a coisa certa a se dizer.

Então olhou rapidamente para a decoração do quarto de Shelby. Luce nunca confiara em seu próprio gosto, ou talvez nunca tivesse tido chance de experimentá-lo. Ela não havia ficado na Sword & Cross por tempo suficiente para decorar muita coisa, mas, mesmo antes disso, seu quarto na Dover tinha paredes brancas e vazias. Chique e estéril, como Callie dissera certa vez.

Esse quarto, por outro lado — tinha alguma coisa nele que era estranhamente... diferente. Variedades de vasos de plantas que ela nunca vira estavam alinhados no peitoril da janela; orações coladas no teto. Uma colcha de retalhos em cores suaves estava escorregando da cama de cima, cobrindo pela metade a visão de Luce de um calendário de astrologia colado no espelho.

— O que achou? Que iam esvaziar todos os cômodos só porque você é Lucinda Price?

— Hum, não? — Luce balançou a cabeça. — Não foi isso que eu quis dizer. Espera, como é que sabe meu nome?

— Então você *é* Lucinda Price? — Os olhos salpicados de verde da garota pareceram se fixar no velho pijama cinza de Luce. — Que sorte a minha.

Luce não sabia o que responder.

— Desculpe. — Shelby suspirou e mudou o tom, acomodando-se na beirada da cama de Luce. — Sou filha única. Leon, meu terapeuta, está tentando me fazer ser menos agressiva ao conhecer gente nova.

— Está dando certo? — Luce também era filha única, mas não era desagradável com todos os estranhos que encontrava pela frente.

— O que quis dizer foi... — Shelby se remexeu desconfortavelmente. — Não estou acostumada a dividir as coisas. Podemos — ela jogou a cabeça para trás — recomeçar?

— Isso seria legal.

— Tudo bem. — Shelby respirou fundo. — Frankie não lhe disse que teria uma colega de quarto ontem à noite porque se dissesse teria que ter notado, ou, se já tivesse notado, teria que revelar que eu não estava na cama quando você chegou. Entrei pela janela — ela apontou — por volta das três da manhã.

Pela janela, Luce podia ver uma saliência larga ligada a uma parte inclinada do telhado. Ela imaginou Shelby pulando de um telhado para outro para voltar até o quarto no meio da noite.

Shelby deu um bocejo exagerado.

— Sabe, quando se trata da galera Nefilim da Shoreline, a única coisa na qual os professores são rígidos é em *fingir* disciplina. Disciplina mesmo não existe. Apesar de que Frankie certamente jamais revelaria isso à garota nova. Principalmente se ela for Lucinda Price.

Ali estava novamente: o tom de voz de Shelby mudava quando ela falava o nome de Luce. Luce queria saber o que aquilo significava. E onde Shelby estivera até três da manhã? E como havia entrado pela janela no escuro sem derrubar nenhuma daquelas plantas? E quem era a galera Nefilim?

Luce subitamente teve vívidas lembranças de onde Ariane a havia levado quando se conheceram. A aparência durona de sua

colega de quarto na Shoreline era bem parecida com a de Ariane, e Luce se lembrou da sensação como-é-que-vou-conseguir-
-ser-amiga-dela-um-dia, a mesma que teve quando começou na Sword & Cross.

Mas, apesar de Ariane ter parecido intimidadora e talvez até um pouco perigosa, havia algo charmoso e zombeteiro nela desde o começo. A nova colega de quarto de Luce, por outro lado, parecia simplesmente irritante.

Shelby desceu da cama e foi até o banheiro escovar os dentes. Depois de remexer em sua mala atrás da sua escova, Luce a seguiu e apontou timidamente para a pasta de dentes.

— Esqueci de trazer a minha.

— Sem dúvida o deslumbre de ser uma celebridade a fez se esquecer das pequenas necessidades da vida — respondeu Shelby, mas pegou o tubo oferecendo-o a Luce.

Elas escovaram os dentes em silêncio durante cerca de dez segundos até Luce não aguentar mais e cuspir um punhado de espuma.

— Shelby?

Com a cabeça dentro da pia de porcelana, Shelby cuspiu também e respondeu:

— O quê?

Em vez de fazer uma das perguntas que haviam cruzado sua mente apenas um minuto antes, Luce se surpreendeu perguntando:

— O que eu estava falando enquanto dormia?

Essa manhã era a primeira vez, em pelo menos um mês de sonhos vívidos e complicados cheios de Daniel, na qual Luce acordava sem conseguir se lembrar de um único detalhe.

Nada. Nem um toque de asa de anjo. Nem um beijo em seus lábios.

Ela encarou o rosto agressivo de Shelby no espelho. Luce precisava que a garota a ajudasse a refrescar a memória. Ela *devia* estar sonhando com Daniel. Se não estivesse... o que isso poderia significar?

— Sei lá — respondeu Shelby finalmente. — Umas coisas enroladas e incoerentes. Da próxima vez, tente enunciar melhor. — Ela saiu do banheiro e calçou um par de chinelos cor de laranja. — Está na hora do café da manhã. Você vem ou não?

Luce apressou-se para fora do banheiro.

— O que devo vestir? — Ela ainda estava de pijama. Francesca não havia dito nada na noite anterior sobre uniforme. Mas também não havia falado sobre sua colega de quarto.

Shelby deu de ombros.

— O que acha que eu sou, colunista de moda? O que for mais rápido pra vestir. Estou com fome.

Luce vestiu um jeans skinny e um suéter preto. Teria gostado de pensar mais alguns minutos em sua produção do primeiro-dia-de-aula, mas simplesmente pegou a mochila e seguiu Shelby porta afora.

O corredor do dormitório era diferente à luz do dia. Para todos os lados havia janelas claras e imensas com vista para o oceano, ou estantes embutidas cheias de livros grossos, de capas duras e coloridas. O piso, as paredes, o teto e as íngremes escadas em curva eram feitos da mesma madeira de bordo dos móveis do quarto de Luce. Aquilo teria dado ao lugar um ar de chalé nas montanhas, mas a planta da escola era tão complicada e bizarra quanto a da Sword & Cross era chata e simples. A cada poucos passos, o corredor parecia se dividir em pequenos corredores menores, com escadas em espiral aumentando o labirinto mal-iluminado.

Depois de dois lances de escada e o que parecia ser uma porta secreta, Luce e Shelby passaram por um par de portas francesas e estavam sob a luz do sol. O sol estava incrivelmente forte, mas o ar era fresco o bastante para Luce ficar aliviada por estar usando um suéter. Tinha cheiro do oceano, mas não como em casa. Era menos salgado e mais pesado que na costa leste.

— O café é servido no terraço. — Shelby gesticulou para uma grande área verde. Esse jardim era cercado de três lados por abundantes moitas de hortênsias azuis, e o quarto lado era uma descida íngreme diretamente para o mar. Era difícil para Luce acreditar na beleza daquele lugar. Ela não conseguia imaginar como ficaria dentro do edifício tempo suficiente para assistir a uma aula inteira.

Quando se aproximavam do terraço, Luce viu outro edifício, uma estrutura comprida e retangular com telhas de madeira e vidraças contornadas de amarelo vivo. Uma grande placa esculpida à mão ficava pendurada na entrada: "REFEITÓRIO DA BAGUNÇA", dizia entre aspas, como se fosse uma ironia. Certamente era a bagunça mais bonita que Luce já vira.

O terraço estava cheio de móveis de jardim brancos e por volta de cem estudantes, os mais relaxados que Luce já vira na vida. A maioria estava sem sapatos, com os pés em cima das mesas enquanto comiam requintados pratos de café da manhã. Ovos Benedict, waffles belgas cobertos de frutas, fatias de exuberantes quiches de espinafre. Os alunos liam o jornal, tagarelavam nos celulares, jogavam críquete no gramado. Luce entendia de estudantes ricos por causa da Dover, mas os ricos da costa leste eram ranzinzas e esnobes, não bronzeados e despreocupados. Toda aquela cena parecia mais seu primeiro dia de verão do que uma terça-feira no começo de novembro. Era tudo tão agradável, que seria quase impossível não invejar a expressão de satisfação estampada no rosto de cada um deles. Quase.

Luce tentou imaginar Ariane ali, e o que ela pensaria de Shelby ou desse refeitório à beira do oceano, e como ela provavelmente não saberia o que zoar primeiro. Luce queria poder falar com Ariane agora. Seria bom poder rir.

Olhando em volta, ela acidentalmente trocou olhares com alguns estudantes. Uma garota bonita de pele marrom-clara, com um vestido de bolinhas e uma echarpe verde amarrada no cabelo preto brilhante. Um garoto de cabelo claro e ombros largos atacando uma enorme pilha de panquecas.

O instinto de Luce foi desviar assim que fez contato visual — sempre a opção mais segura na Sword & Cross. Mas... nenhum desses garotos olhou de cara feia para ela. A maior surpresa da Shoreline não foi o brilho cristalino do sol, nem o aconchegante café da manhã no terraço, ou a aura de riqueza que todos emanavam. E sim que os estudantes ali estavam sorrindo.

Bem, a maioria deles estava sorrindo. Quando Shelby e Luce chegaram numa mesa desocupada, Shelby pegou uma pequena placa e a jogou no chão. Luce se inclinou de lado para ler a palavra RESERVADA escrita bem na hora que um garoto da sua idade, num traje de garçom completo, aproximou-se delas com uma bandeja de prata.

— Hmm, essa mesa está re... — começou a dizer, mas sua voz falhou inoportunamente.

— Café puro — disse Shelby, e então perguntou a Luce abruptamente: — O que vai querer?

— Bom... a mesma coisa — respondeu Luce, desconfortável por estarem esperando que decidisse. — Talvez um pouco de leite.

— Bolsistas. Trabalham como escravos para ganhar a vida. — Shelby revirou os olhos para Luce enquanto o garçom corria para buscar os cafés. Ela apanhou o *San Francisco Chronicle* da mesa e abriu a primeira página com um bocejo.

Foi aí que Luce perdeu a paciência.

— Ei. — Ela puxou o braço de Shelby para baixo para ver seu rosto atrás do jornal. As sobrancelhas grandes de Shelby se ergueram de surpresa. — *Eu* era bolsista. — disse Luce. — Não na minha última escola, mas na antes dessa...

Shelby se soltou da mão de Luce.

— Devo ficar impressionada com essa parte do seu currículo também?

Luce estava prestes a perguntar o que Shelby havia escutado sobre ela, quando sentiu um toque quente no ombro.

Francesca, a professora que encontrara Luce na porta na véspera, estava sorrindo para ela. Era alta, com uma presença altiva, e estava arrumada sem parecer ter se esforçado. O cabelo loiro e macio de Francesca estava jogado para um lado com esmero. Seus lábios eram brilhantes e rosados. Estava usando um vestido justo preto com cinto azul e sapatos de salto peep-toe combinando. Era o tipo de roupa que faria qualquer um se sentir apagado em comparação. Luce desejou ter ao menos passado rímel. E talvez não ter optado por seus tênis cobertos de lama.

— Ah, ótimo, vocês duas já se conheceram. — Francesca sorriu. — Sabia que ficariam amigas!

Shelby ficou em silêncio, mas ajeitou seu jornal. Luce simplesmente pigarreou.

— Acho que vai se adaptar muito bem à Shoreline, Luce. Ela é feita para isso. A maioria dos nossos alunos talentosos se acostuma rapidamente. — *Talentosos?* — Naturalmente, pode me procurar se tiver perguntas. Ou simplesmente conte com Shelby.

Pela primeira vez a manhã inteira, Shelby riu. Sua risada era rude e rouca, o tipo de barulho que Luce esperaria de um velho que fumara a vida toda, não de uma adolescente fã de ioga.

Luce podia sentir seu rosto formando uma careta. A última coisa que queria era "se acostumar rapidamente" a Shoreline. Ela não pertencia a um grupo de riquinhos mimados numa colina com vista para o mar. Pertencia ao mundo de pessoas reais, pessoas com almas em vez de raquetes de tênis, que sabiam como era a vida. Pertencia a Daniel. Ainda não fazia ideia do que estava fazendo ali, a não ser se escondendo *muito* temporariamente enquanto Daniel cuidava de sua... guerra. Depois disso, ele ia levá-la de volta para casa. Ou algo assim.

— Bem, vejo vocês duas na aula. Bom apetite! — disse Francesca, olhando para trás enquanto se afastava. — Experimentem a quiche! — Ela fez um gesto com a mão, mandando o garçom trazer um prato para cada.

Quando a professora foi embora, Shelby tomou um grande gole de café e limpou a boca com as costas da mão.

— Hum, Shelby...

— Já ouviu falar de comer em paz?

Luce largou a xícara de café de volta no pires e esperou impacientemente que o garçom nervoso colocasse as quiches na mesa e desaparecesse mais uma vez. Ela meio que queria achar outra mesa. Havia um burburinho de conversas animadas à sua volta e, se ela não podia se juntar a uma delas, até sentar sozinha seria melhor que isso. Mas estava confusa com o que Francesca havia dito. Por que falar de Shelby como uma ótima colega de quarto quando a garota era antipática e insuportável? Luce mastigou um pedaço da quiche, sabendo que não ia conseguir mais comer até falar alguma coisa.

— OK, sei que sou nova aqui, e por algum motivo isso lhe irrita. Acho que você tinha um quarto individual antes, sei lá.

Shelby abaixou o jornal só um pouquinho, e ergueu uma sobrancelha gigantesca.

— Mas não sou *tão* ruim assim. E daí se tenho algumas perguntas? Perdoe-me por não chegar à escola sabendo que diabos Nefermans são...

— *Nefilim*.

— Que seja. Não ligo. Não quero que você seja minha inimiga, o que significa que parte disso — disse Luce, indicando o espaço entre as duas — está vindo de você. Então, qual é o seu problema, afinal?

O canto da boca de Shelby tremeu. Ela dobrou e baixou o jornal, e então se recostou na cadeira.

— Você *devia* ligar para os Nefilim. Vamos ser seus colegas de classe. — Ela indicou o terraço com a mão. — Olhe bem o lindo e privilegiado corpo docente da Shoreline. Você nunca mais vai ver metade desses imbecis, exceto em nossas piadinhas.

— Nossas?

— Sim, você está no "programa de honra", com os Nefilim. Mas não se preocupe; caso você não seja muito esperta — Luce bufou —, o rótulo de talentoso aqui é principalmente um disfarce, um lugar para esconder os Nefs sem levantar muitas suspeitas. Na verdade, a única pessoa que já suspeitou de alguma coisa foi Beaker Brady.

— Quem é Beaker Brady? — perguntou Luce, inclinando-se para não ter que gritar por causa do barulho das ondas que batiam lá embaixo no penhasco.

— Aquele irritante sabe-tudo a duas mesas daqui. — Shelby assentiu para um garoto gordo de xadrez que tinha acabado de derramar iogurte em um imenso livro. — Seus pais odeiam o fato de que ele nunca foi aceito numa das classes de honra. Todo semestre fazem uma campanha. Ele traz resultados do Mensa, resultados de feiras de ciências, famosos vencedores de prêmios

Nobel que já impressionou, a coisa toda. E, todo semestre, Francesca tem que inventar algum teste impossível para mantê-lo de fora. — Ela bufou. — Tipo, "Ei, Beaker, resolva esse cubo mágico em menos de trinta segundos". — Shelby deu uma mordidinha na língua. — Mas o idiota passou nesse teste também.

— Mas se é um disfarce — perguntou Luce, sentindo-se meio mal por Beaker —, é para disfarçar o quê?

— Gente como eu. Sou uma Nefilim. Somos N-E-F-I-L-I-M. Ou seja, quem tem qualquer coisa angelical no DNA. Mortais, imortais, transeternos. Tentamos não discriminar.

— O singular não deveria ser, sei lá, *nefil*?

Shelby fez uma careta.

— Sério? Você gostaria de ser chamada de *nefil*? Parece uma bolsa onde você carrega sua vergonha. Não, obrigada. É Nefilim, não importa de quantos de nós esteja falando.

Então Shelby *era* um tipo de anjo. Estranho. Ela não se parecia ou agia como um. Não era linda como Daniel, Cam ou Francesca. Não possuía o magnetismo de alguém como Roland ou Ariane. Parecia apenas rude e mal-humorada.

— Então é tipo uma escola de anjos — disse Luce. — Mas pra quê? Vocês vão pra faculdade de anjos depois disso?

— Depende de o que o mundo precisa. Muitos tiram um ano de folga e depois vão para Nefilim Corp. Você viaja, tem um caso com um estrangeiro etc. Mas isso é para tempos de, você sabe, relativa paz. Agora, bem...

— Agora o quê?

— Deixa pra lá. — Mas Shelby mal conseguia se conter. — Apenas depende de quem você é. Todos aqui têm, você sabe, graus variados de poder — continuou ela, parecendo estar lendo a mente de Luce. — Uma escala dependendo de sua árvore genealógica. Mas, no seu caso...

Essa Luce sabia.

— Só estou aqui por causa de Daniel.

Shelby largou o guardanapo no prato vazio e se levantou.

— Que bela maneira de se apresentar, Luce. A garota que só está aqui porque o namorado poderoso deu um jeitinho.

Era isso que todos ali pensavam dela? Seria essa a... verdade?

Shelby estendeu a mão e roubou o último pedaço de quiche do prato de Luce.

— Se quer um fã-clube de Lucinda Price, tenho certeza de que pode achar isso aqui. Só me deixe fora, OK?

— Do que está falando? — Luce se levantou. Talvez ela e Shelby precisassem recomeçar mais uma vez. — Não quero um fã-clube...

— Viu, *eu disse*. — Luce ouviu uma voz aguda, mas bela, dizer.

Subitamente, a garota com a echarpe verde estava parada na frente dela, sorrindo e levando outra menina com ela. Luce tentou não prestar atenção nas duas, mas Shelby já estava longe — e provavelmente não valia a pena ir atrás dela. De perto, a garota de echarpe verde parecia um tipo de Salma Hayek mais nova, com lábios carnudos e seios ainda maiores. A outra, de pele pálida, olhos castanho-esverdeados e cabelos curtos e pretos, parecia um pouco com Luce.

— Espera, então você é mesmo Lucinda Price? — perguntou a menina pálida. Ela tinha dentes muito pequenos e brancos e estava usando-os para segurar uns grampos de cabelo com enfeites de paetê enquanto torcia algumas mechas escuras em pequenos nós. — Tipo Luce-e-Daniel? Tipo a garota que veio daquela escola horrível no Alabama...

— Geórgia. — Luce meio que assentiu.

— Tanto faz. Ai meu Deus, *como é* o Cam? Eu o vi uma vez num show de death metal... Eu obviamente fiquei nervosa demais para me apresentar. Não que você se importe com Cam, obviamente... *Daniel!* — Ela deu uma risadinha excitada. — Sou Dawn, a propósito. Essa é Jasmine.

— Oi — respondeu Luce lentamente. Aquilo era novidade. — Hum...

— Não ligue pra ela, ela acabou de beber, sei lá, onze cafés — falou Jasmine, três vezes mais lentamente que Dawn. — O que ela quis dizer é que estamos felizes por conhecer você. Sempre comentamos como a sua é, tipo, a maior história de amor do mundo. De todos os tempos.

— Mesmo? — Luce estalou os dedos.

— Está brincando? — perguntou Dawn, apesar de Luce estar achando que a brincadeira estava vindo *delas*. — Toda aquela história de morrer repetidas vezes? Tá legal, isso faz com que queira ficar com Daniel ainda mais? Aposto que *sim*! E ahhh, quando aquele fogo queima você inteira... — Ela fechou os olhos, colocou uma das mãos sobre o estômago, então a subiu até o coração. — Minha mãe costumava me contar essa história quando eu era pequena.

Luce estava em choque. Olhou em volta do terraço movimentado, imaginando se alguém mais estava ouvindo aquela conversa. Falando em fogo, suas bochechas deviam estar da cor de um pimentão.

Um sinal tocou indicando o final do café da manhã, e Luce ficou feliz por ver que o restante das pessoas tinha outras coisas com que se preocupar. Tipo chegar à sala de aula.

— Qual história sua mãe costumava contar? — perguntou Luce devagar. — Sobre Daniel e eu?

— Só os pontos altos — disse Dawn, abrindo os olhos. — Parece uma onda de calor? Como na menopausa, não que você tenha como saber...

Jasmine deu um tapinha no braço de Dawn.

— Acaba mesmo de comparar a paixão milenar de Luce a menopausa?

— Desculpe. — Dawn riu. — Só estou fascinada. Parece tão romântico e incrível! Estou com invejinha... De um jeito bom!

— Está com inveja por eu morrer toda vez que fico com o cara dos meus sonhos? — Luce deu de ombros. — Na verdade, é meio frustrante.

— Diga isso pra garota cujo único beijo até hoje foi com Ira Frank, o da síndrome do intestino irritável — zombou Jasmine, indicando Dawn.

Quando Luce não riu, Dawn e Jasmine tentaram disfarçar dando risadinhas, como se estivessem com vergonha ou se sentindo meio bobas. Luce nunca estivera do outro lado daquelas risadinhas antes.

— O que exatamente sua mãe contava? — perguntou Luce.

— Ah, só o de sempre: A guerra tinha começado, jogaram a merda no ventilador e, quando foi delimitado um limite nas nuvens, Daniel ficou todo "Nada vai nos separar", e aquilo irritou *todo mundo*. Essa obviamente é a minha parte favorita da história. Então agora o amor de vocês precisa ser *eternamente punido*, pois ainda querem um ao outro *desesperadamente*, mas não podem, tipo, você sabe...

— Mas em algumas vidas eles podem — corrigiu Jasmine, depois piscou para Luce, que quase não conseguia se mexer, chocada por ouvir aquilo tudo.

— Jura? — Dawn balançou uma das mãos desconsiderando. — A questão toda é que ela explode em chamas quando... — Vendo a expressão horrorizada de Luce, Dawn se retraiu. — *Desculpe*. Não é bem o que deve estar querendo escutar.

Jasmine limpou a garganta e se inclinou para Luce.

— Minha irmã mais velha estava me contando uma história em particular do seu passado que juro que iria...

— Oooh! — Dawn passou seu braço pelo de Luce, como se saber aquilo, saber algo que Luce *não* sabia, a tornasse mais desejável como amiga. E era muito irritante. Luce estava muito envergonhada. E, tudo bem, meio animada. E completamente indecisa sobre acreditar ou não. Uma coisa era *certa*: Luce de repente era tipo... famosa. Mas de uma maneira estranha. Como se ela fosse uma daquelas peruas não identificadas ao lado de um astro de cinema numa foto de paparazzi.

— Pessoal! — Jasmine apontou exageradamente para o relógio em seu telefone. — Estamos tão superatrasadas! Melhor correr pra aula!

Luce fez uma careta, apanhando rapidamente sua mochila. Ela não fazia a mínima ideia de qual seria sua primeira aula, ou onde era, ou de como lidar com o entusiasmo de Jasmine e Dawn. Ela não via sorrisos largos e ansiosos como aqueles desde... Bem, talvez desde sempre.

— Alguma de vocês sabe como descubro onde vai ser minha primeira aula? Acho que não recebi minha grade de horários.

— Dã — disse Dawn. — É só vir com a gente. Estamos todas juntas. O tempo todo! É tão legal!

As duas garotas acompanharam Luce, uma de cada lado, e a levaram por uma excursão entre as mesas dos outros alunos terminando o café da manhã. Apesar de estarem "superatrasadas", tanto Jasmine quanto Dawn praticamente passeavam sobre a grama recém-cortada.

Luce pensou em perguntar às meninas qual era o problema de Shelby, mas não queria parecer fofoqueira. Além disso, elas pareciam legais e tudo mais, e Luce precisava de amigas novas. Ela precisava ficar repetindo para si mesma: era apenas temporário.

Temporário, mas ainda assim incrivelmente maravilhoso. As três andaram pelo caminho de hortênsias que se curvava ao redor do refeitório. Dawn estava tagarelando sobre alguma coisa, mas Luce não conseguia tirar os olhos da inacreditável beirada do penhasco, não conseguia acreditar em como o terreno descia abruptamente centenas de metros até o cintilante oceano. As ondas viajavam em direção ao pequeno pedaço de praia aos pés do penhasco quase tão casualmente quanto os alunos andavam em direção às salas de aula.

— Aqui estamos — disse Jasmine.

Uma impressionante construção de dois andares ficava isolada no fim do caminho. Havia sido construída no meio de uma área sombreada por sequoias, e seu telhado inclinado e triangular e o vasto gramado em frente estavam cobertos por um manto de folhas. Havia um belo espaço com algumas mesas de piquenique, mas a maior atração era mesmo o prédio: mais da metade parecia ser feita de vidro, todo de janelas largas e escuras e portas de correr. Era algo que poderia ter sido desenhado por Frank Lloyd Wright. Vários alunos descansavam numa imensa varanda no segundo andar, que dava para o oceano, e outros estavam subindo as escadas duplas que começavam logo na entrada.

— Bem-vinda ao Alojamento Nefi — disse Jasmine.

— *Aqui* é que vocês estudam? — Luce estava boquiaberta. Parecia mais uma colônia de férias do que o prédio de uma escola.

A seu lado, Dawn guinchou e apertou o pulso de Luce.

— Bom dia, Steven! — cumprimentou Dawn através do jardim, acenando para um homem mais velho parado na base das escadas. Ele tinha o rosto magro, óculos retangulares estilosos, e o cabelo ondulado cheio e grisalho. — Simplesmente *amo* quando ele usa o terno com colete por baixo — sussurrou ela.

— Bom dia, garotas. — O homem sorriu para elas e acenou. Ele olhou Luce por tempo suficiente para deixá-la ligeiramente nervosa, mas manteve o sorriso no rosto. — Vejo vocês daqui a pouco — continuou, e subiu as escadas.

— Steven Filmore — sussurrou Jasmine, atualizando Luce enquanto elas o seguiam escada acima. — Também conhecido como SF, também conhecido como Silver Fox. É um de nossos professores, e sim, Dawn é verdadeiramente, descontroladamente, profundamente apaixonada por ele. Mesmo ele sendo comprometido. E ela não tem vergonha.

— Mas amo Francesca também. — Dawn deu um tapinha em Jasmine, então se virou para Luce, os olhos escuros brilhando. — Desafio você a não sentir uma quedinha por eles.

— Espera. — Luce parou. — Silver Fox e Francesca são nossos professores? E os chamam pelo nome? E os dois estão *juntos*? Quem ensina o quê?

— Chamamos o período da manhã de "humanas" — disse Jasmine —, apesar de *angélicos* ser mais apropriado. Frankie e Steven ensinam juntos. É parte do esquema aqui, tipo yin e yang. Você sabe, para os alunos não serem... influenciados.

Luce mordeu o lábio. Haviam chegado ao topo das escadas e estavam no meio de um grupo de estudantes na varanda. Todos estavam começando a se movimentar em direção às portas de vidro de correr.

— Como assim, "influenciados"?

— Ambos são caídos, obviamente, mas escolheram lados diferentes. Ela é um anjo, e ele é mais tipo um demônio. — Dawn falava com indiferença, como se estivesse comentando sobre as diferenças entre os vários sabores de sorvete. Vendo os olhos de Luce se arregalarem, acrescentou: — Não é como se eles pudessem se casar ou coisa parecida, ainda que esse pudesse ser o casamento mais incrível de todos os tempos. Eles apenas meio que... vivem no pecado.

— Um demônio nos dá aula de humanas? — perguntou Luce. — E tudo bem?

Dawn e Jasmine se entreolharam e riram.

— Tudo *muito* bem — disse Dawn. — Vai gostar de Steven. Vamos lá, temos que ir.

Seguindo o fluxo dos outros alunos, Luce entrou na sala de aula. Era ampla e tinha três níveis, com carteiras que desciam na direção de algumas mesas compridas. A maior parte da luminosidade vinha de claraboias. A luz natural e o pé-direito alto faziam o espaço parecer ainda maior do que era. Uma brisa do oceano entrava pelas portas abertas e mantinha o ar agradável e fresco. Não podia ser mais diferente da Sword & Cross. Luce quase achou que poderia gostar da Shoreline, se o motivo de ela estar ali — a pessoa mais importante em sua vida — não estivesse tão longe. Ela se perguntou se Daniel estaria pensando nela. Será que sentia sua falta como ela sentia a dele?

Luce escolheu uma carteira perto das janelas, entre Jasmine e um garoto bonitinho que estava usando uma bermuda jeans, um boné dos Dodgers e uma camisa azul-marinho. Algumas garotas estavam amontoadas perto da porta para o banheiro. Uma delas tinha cabelo cacheado e óculos quadrados roxos. Quando Luce viu a garota de perfil, quase pulou da cadeira.

Penn.

Mas, quando a garota se virou para Luce, seu rosto era um pouco mais quadrado, as roupas eram um pouco mais apertadas e sua risada era um pouco mais alta. Luce quase sentiu seu coração murchando, é óbvio que não era Penn. Nunca seria — nunca mais.

Luce podia sentir os outros alunos olhando-a de soslaio — outros simplesmente a encarando. A única que não o fazia era Shelby, que assentiu para Luce.

Não era uma turma grande, apenas vinte carteiras alinhadas nos degraus, de cara para duas longas mesas de mogno na frente da sala. Dois quadros brancos ficavam atrás das mesas, duas estantes de cada lado, duas latas de lixo, duas luminárias de mesa e dois laptops, um em cada mesa. Os dois professores, Steven e Francesca, estavam juntos na frente da sala, sussurrando.

Numa atitude inesperada para Luce, eles se viraram e a encararam também, em seguida andaram até as mesas. Francesca se sentou sobre uma delas, com uma perna dobrada embaixo de si e um de seus saltos roçando o chão de madeira. Steven se inclinou contra a outra mesa, abriu um pesado fichário de couro marrom, e descansou a caneta sobre os lábios. Para um homem mais velho, era bonito, é óbvio, mas Luce quase queria que não fosse. Ele a fazia se lembrar de Cam, e em como o charme de um demônio pode ser enganoso.

Luce esperou que o resto da turma pegasse os livros que ela não tinha, para começarem a falar de algum texto no qual ela já estava atrasada, para aí poder se render ao cansaço e simplesmente ficar sonhando acordada com Daniel.

Mas nada disso aconteceu. A maioria dos estudantes ainda lançava olhares furtivos na direção dela.

— A essa altura já devem ter percebido que estamos com uma aluna nova. — A voz de Francesca era baixa e rouca, como a de uma cantora de jazz.

Steven sorriu, mostrando dentes brancos e brilhantes.

— Conte-nos, Luce, o que está achando da Shoreline até agora?

A cor deixou o rosto de Luce enquanto as carteiras dos outros alunos arranharam o chão. Todos estavam se virando para prestar atenção nela.

Ela podia sentir seu coração acelerado e as palmas das mãos úmidas. Encolheu-se na cadeira, desejando ser apenas uma garota normal em uma escola normal, em Thunderbolt, Geórgia. Às vezes, ao longo dos últimos dias, ela desejava nunca ter visto uma sombra, nunca ter se metido nos problemas que mataram seus amigos, fizeram com que se envolvesse com Cam, ou com que fosse impossível para Daniel ficar perto dela. Mas era ali que sua mente confusa e ansiosa sempre parava de viajar completamente: como ser normal e ainda assim ter Daniel? Ele estava tão longe de ser normal. Era impossível. Então ali estava ela, tentando aceitar isso.

— Acho que ainda estou me acostumando à Shoreline — A voz oscilou, traindo-a, ecoando pelo teto inclinado. — Mas até agora parece legal.

Steven riu.

— Bem, Francesca e eu pensamos em ajudá-la a se acostumar, mudando nossas apresentações usuais das terças de manhã...

Do outro lado da sala, Shelby gritou "Oba!" e Luce notou que ela tinha uma pilha de blocos de anotações em sua mesa e um grande pôster a seus pés que dizia APARIÇÕES NÃO SÃO TÃO RUINS ASSIM. Ou seja, Luce tinha acabado de livrá-la de uma apresentação. Isso tinha que conquistar alguma simpatia da colega de quarto.

— O que Steven quis dizer — acrescentou Francesca — é que vamos fazer um jogo, pra quebrar o gelo. — Ela desceu da mesa deslizando e andou em volta da sala, os saltos estalando enquanto distribuía uma folha de papel a cada estudante.

Luce esperou o coro de gemidos que aquelas palavras geralmente provocavam numa sala de aula cheia de adolescentes. Mas esses pareciam tão calmos e ajustados. Realmente iam simplesmente fazer o que lhes era pedido.

Quando baixou a folha sobre a mesa de Luce, Francesca disse:

— Isso deve dar uma ideia de quem são seus colegas de classe, e quais são nossos objetivos nessa matéria.

Luce baixou os olhos para a folha. Havia linhas pela página, dividindo-a em vinte quadrados. Cada quadrado continha uma frase. Esse era um jogo que ela conhecera há tempos, num acampamento de verão no oeste da Geórgia quando era bem pequena, e novamente em algumas de suas aulas na Dover. O objetivo era andar pela sala e associar um aluno diferente a cada frase. Primeiro, ela ficou aliviada; definitivamente existem maneiras mais embaraçosas de se quebrar o gelo. Mas, depois que leu as frases com mais atenção — esperando coisas como "Tem uma tartaruga de estimação" ou "Quer pular de paraquedas um dia" —, Luce ficou um pouco nervosa, pois havia frases como "Fala mais de 18 idiomas" e "Já visitou outros mundos".

Estava prestes a ficar dolorosamente óbvio que Luce era a única não Nefilim na classe. Ela se lembrou do garçom nervoso que servira seu café da manhã. Talvez Luce fosse ficar mais confortável entre os bolsistas; Beaker Brady mal sabia do que havia escapado.

— Se ninguém tem nenhuma dúvida — disse Steven da frente da sala —, podem começar.

— Podem sair, divirtam-se — acrescentou Francesca. — Não tenham pressa.

Luce seguiu os outros alunos em direção à varanda. Enquanto andavam até a grade, Jasmine se inclinou sobre o ombro de

Luce, apontando com a unha pintada de verde um dos quadrados.

— Tenho um parente que é querubim de sangue puro — disse. — O bom e velho Tio Carlos.

Luce assentiu, como se soubesse o que aquilo significava, e rabiscou o nome de Jasmine.

— Aah, e eu consigo levitar — disse Dawn, apontando o canto esquerdo superior da folha de Luce. — Não, tipo, o tempo todo, mas geralmente depois de beber café.

— Nossa. — Luce tentou não a encarar. Dawn não parecia estar brincando. Ela conseguia *levitar*?

Tentando não mostrar que estava se sentindo cada vez mais deslocada, Luce procurou na página por alguma coisa, qualquer coisa, sobre a qual soubesse.

Tem experiência convocando os Anunciadores.

As sombras. Daniel lhe contara o nome apropriado para elas naquela última noite na Sword & Cross. Apesar de ela nunca ter verdadeiramente "os convocado" — eles simplesmente sempre apareciam —, Luce realmente tinha alguma experiência nesse campo.

— Pode colocar o meu nesse aqui. — Ela apontou para o canto esquerdo inferior na folha de papel. Jasmine e Dawn levantaram os olhos para ela, um pouco impressionadas, mas sem duvidar, antes de voltarem a preencher o restante dos quadrados. O coração de Luce se acalmou um pouco. Talvez aquilo tudo não fosse tão ruim afinal.

Nos minutos seguintes, ela conheceu Lilith, uma ruiva orgulhosa que era gêmea de outros dois Nefilim ("Pode nos distinguir pelos nossos rabos vestigiais", explicara ela. "O meu é enrolado"). Oliver, um garoto de voz grave que visitara o outro mundo nas férias de verão do ano passado ("É tão incrivelmente superestimado que nem sei por onde começar"); e Jack, que sentia estar prestes a conseguir ler mentes e achou que não seria problema Luce preencher esse quadrado com seu nome ("Estou sentindo que você também acha, certo?" Aí fez uma arma com os dedos e estalou a língua.) Ela ainda tinha três quadrados vazios quando Shelby pegou o papel de suas mãos.

— Sei fazer essas duas coisas — disse, apontando para dois dos quadrados. — Em qual deles quer me colocar?

Fala mais de 18 idiomas ou *Vislumbrou uma vida passada.*

Shelby ergueu as sobrancelhas para Luce e assinou no quadrado que falava sobre os "18 idiomas". Luce encarou o papel pensando em suas próprias vidas passadas e em como eram frustrantemente inacessíveis para ela. Havia subestimado Shelby.

Mas sua colega de quarto já havia se afastado. No lugar de Shelby agora estava o garoto ao lado de quem sentara na sala. Ele era uns bons trinta centímetros mais alto do que Luce, com um sorriso aberto e amistoso, várias sardas no nariz e olhos azul-claros. Alguma coisa nele, até mesmo o modo como mordia a caneta, parecia... Correto. Luce percebeu que era uma palavra estranha para descrever alguém com quem nunca conversara, mas não pôde evitar.

— Ah, graças a Deus. — Ele riu, batendo na própria testa. — A única coisa que sei fazer é a que você deixou em branco.

— Sabe criar um reflexo de si mesmo ou de outros? — leu Luce lentamente.

Ele jogou a cabeça de um lado para o outro e escreveu seu nome no quadrado: Miles Fisher.

— Bastante impressionante para alguém como você, estou certo.

— Hum. É. — Luce se virou. Alguém como ela, que nem sabia o que aquilo significava.

— Espera, onde está indo? — Ele segurou a manga da blusa de Luce — Opa. Não sacou a piada de falsa modéstia? — Quando ela balançou a cabeça em negativa, Miles ficou sem graça. — Só quis dizer que, comparado a todos na turma, estou para trás. A única pessoa que já consegui refletir a não ser eu mesmo foi minha mãe. Assustou meu pai durante uns dez segundos, mas então sumiu.

— Espera aí. — Luce piscou para Miles. — Você fez um reflexo da sua mãe?

— Sem querer. Dizem que é fácil fazer com pessoas que você, tipo, ama. — Ele ficou corado de leve nas bochechas. — Agora vai achar que sou um filhinho de papai. Só quis dizer que meus poderes não são muito grandes. Já você... É a famosa Lucinda Price.

— Gostaria que todo mundo parasse de dizer isso — replicou ela. Depois, sentindo-se grosseira, suspirou e se inclinou sobre a varanda para observar o mar. Era tão difícil processar todas essas pistas que revelavam que os outros aqui sabiam mais sobre ela do que ela mesma. Não era sua intenção descontar nesse cara. — Desculpe, é só que achei que era a única me sentindo em desvantagem aqui. Qual a sua história?

— Ah, sou o que chamam de "desbotado" — disse ele, fazendo aspas no ar exageradamente. — Mamãe tem sangue de anjo, de algumas gerações atrás, mas todos os meus outros parentes são mortais. Meus poderes são de grau vergonhosamente baixo. Mas estou aqui porque meus pais doaram para a escola, bom, a varanda na qual está agora.

— Nossa.

— Na verdade não é tão impressionante. Minha família era obcecada para eu entrar na Shoreline. Devia ouvir a pressão que fazem em casa para eu sair com uma "boa garota Nefilim" pra variar. — Luce riu. Uma das primeiras risadas de verdade que dava em dias. Miles revirou os olhos, zombeteiro. — Então, vi você tomando café com Shelby hoje de manhã. Ela é sua colega de quarto?

Luce assentiu.

— Falando em boas garotas Nefilim — brincou.

— Bem, sei que ela é meio, hmm... — Miles sibilou e fez um gesto de arranhar com as mãos, fazendo Luce gargalhar de novo. — Enfim, não sou a estrela da turma aqui nem nada, mas já estou nesse lugar há um tempo e durante grande parte dele acho tudo bem bizarro. Então, se um dia quiser tomar um café da manhã normal ou algo do tipo...

Luce se pegou assentindo com a cabeça. *Normal*. Música para seus ouvidos mortais.

— Tipo... amanhã? — perguntou Miles.

— Parece ótimo.

Miles sorriu e acenou se despedindo, então Luce percebeu que todos os outros alunos já haviam voltado para a sala. Sozinha pela primeira vez naquela manhã, baixou os olhos para a folha de papel, incerta de como devia se sentir a respeito dos outros alunos da Shoreline. Sentia falta de Daniel, que poderia explicar muito desse lugar para ela se não estivesse... Onde *estava* ele, aliás? Ela nem ao menos sabia.

Ele estava longe demais.

Luce encostou um dedo nos lábios, relembrando aquele último beijo. O incrível toque de suas asas. Sentia-se tão fria sem ele, mesmo sob o sol da Califórnia. Mas estava ali por causa dele, fora aceita nessa turma de anjos ou seja lá o que fossem — apesar de sua reputação bizarra —, tudo graças a ele. De uma maneira estranha, parecia bom estar conectada a Daniel tão indissociavelmente.

Até ele vir buscá-la, era tudo a que ela podia se agarrar.

TRÊS

DEZESSEIS DIAS

— Então, pode dizer, qual é a coisa mais estranha na Shoreline até agora?

Era a manhã de quarta-feira, antes da aula, e Luce estava sentada em uma mesa de café da manhã no terraço ensolarado, dividindo um bule de chá com Miles. Ele vestia uma camiseta amarela vintage com o logotipo da Sunkist na frente, um boné de beisebol quase cobrindo os olhos azuis, chinelos e jeans gastos. Sentindo-se inspirada pelas regras de vestuário muito liberais da Shoreline, Luce havia aposentado sua roupa preta de sempre. Estava usando um vestido vermelho com um casaquinho branco, o que lhe fazia sentir como se esse fosse o primeiro dia de sol depois de um longo período de chuva.

Ela pôs uma colher de açúcar em sua xícara e riu.

— Nem sei por onde começar. Talvez seja minha companheira de quarto, que aparentemente chegou de fininho pouco antes do nascer do sol desta manhã e foi embora de novo antes que eu acordasse. Não, espere, é ter uma aula dada por um casal formado por um demônio e um anjo. Ou — ela engoliu — o jeito que o pessoal daqui olha para mim como se eu fosse uma aberração lendária. Eu já estava acostumada a ser uma aberração anônima. Mas uma aberração notória...

— Você *não* é notória. — Miles deu uma enorme mordida em seu croissant. — Vou comentar um de cada vez — disse, com a boca cheia.

Enquanto ele limpava os lábios com o guardanapo, Luce meio que admirou, meio que riu de seus erráticos modos à mesa. Não podia deixar de imaginar Miles tendo algum curso chique de etiqueta num clube de golfe quando era menino.

— Shelby é meio difícil de se lidar — disse Miles —, mas ela pode ser legal também. Quando quer. Não que eu já tenha visto esse lado dela. — Ele riu. — Mas é o que dizem. E a história "Frankie e Steven" também me causou estranheza no início, mas de alguma forma eles fazem com que dê certo. É como um ato de equilíbrio celestial. Por alguma razão, ter a presença de ambos os lados dá aos estudantes daqui mais liberdade para se desenvolver.

Lá vinha aquela palavra de novo. *Desenvolver*. Ela se lembrou que Daniel a tinha usado quando contou que não iria juntar-se a ela na Shoreline. Mas desenvolver o quê? Aquilo só poderia se aplicar a alunos Nefilim. Não Luce, que era a única inteiramente humana em sua classe de quase anjos, esperando para que *seu* anjo caísse do céu para salvá-la mais uma vez.

— Luce — disse Miles, interrompendo seus pensamentos. — A razão pela qual as pessoas a observam é porque todo mundo ouviu falar sobre você e Daniel, mas ninguém sabe a história verdadeira.

— Então, em vez de simplesmente me perguntarem...

— O quê? Se vocês dois realmente transam nas nuvens? Ou se a imensa, você sabe, "glória" dele assusta sua mortal... — Ele parou, notando o olhar horrorizado no rosto de Luce e, em seguida, engoliu em seco. — Desculpe. Quero dizer, você está certa, as pessoas deixaram tudo virar um grande mito. Todos os outros, quero dizer. Eu tento não... especular. — Miles baixou seu chá e olhou para o guardanapo. — Talvez seja algo muito pessoal para se perguntar.

Miles desviou o olhar na direção dela, mas aquilo não deixou Luce nervosa. Em vez disso, seus olhos azuis e o sorriso um pouco torto eram como uma porta aberta, um convite para conversar sobre algumas das coisas que ela não havia sido capaz de dizer a ninguém. Por mais que fosse péssimo, Luce entendia por que Daniel e o Sr. Cole a haviam proibido de procurar Callie ou seus pais. Mas Daniel e o Sr. Cole foram os responsáveis pela matrícula de Luce na Shoreline. Foram eles que disseram que ela ficaria bem ali. Então, Luce não conseguia ver nenhuma razão para manter sua história um segredo para alguém como Miles. Especialmente considerando que ele já sabia *alguma* versão da verdade.

— É uma longa história — disse ela. — Literalmente. E eu ainda não sei de tudo. Mas, basicamente, Daniel é um anjo importante. Acho que ele era uma espécie de figurão antes da queda. — Ela engoliu, sem querer encontrar os olhos de Miles. Estava nervosa. — Pelo menos era, até se apaixonar por mim.

Ela começou a despejar tudo. Desde seu primeiro dia na Sword & Cross, como Ariane e Gabbe cuidaram dela, e como Molly e Cam zombaram dela, até a sensação angustiante de ver uma fotografia de si mesma numa vida anterior. Falou sobre a morte de Penn e como isso a abalou. A surreal batalha no cemitério. Luce deixou de fora alguns dos detalhes sobre Daniel, momentos privados que tinham partilhado juntos... Mas, ao finalmente terminar, ela achou que tinha dado a Miles uma ideia quase completa do que havia acontecido — e que com sorte dissiparia parte do intrigante mito que se tornara, pelo menos para uma pessoa.

No final, ela se sentia mais leve.

— Uau. Eu nunca realmente contei isso tudo a ninguém. É muito bom dizer em voz alta. Como se fosse mais real agora que admiti a outra pessoa.

— Pode continuar se quiser — disse ele.

— Sei que só estou aqui por um curto tempo — disse ela. — E de certa forma, acho que a Shoreline vai me ajudar a me acostumar com essas pessoas, quero dizer, anjos como Daniel. E Nefilim como você. Mas ainda não consigo deixar de me sentir excluída. Como se estivesse passando por algo que não sou.

Miles estava assentindo, concordando com Luce o tempo todo enquanto ela contava sua história, mas agora ele balançava a cabeça.

— De jeito nenhum. O fato de você ser mortal torna a coisa toda ainda mais impressionante.

Luce olhou em volta do terraço. Pela primeira vez, notou uma clara linha divisória entre as mesas dos alunos Nefilim e os demais. Os Nefilim ficavam com todas as mesas do lado oeste, próximo à água. Havia poucos deles, não mais do que vinte, mas ocupavam muito mais mesas do que os outros, às vezes com apenas um garoto em cada, onde poderiam ter sentado seis, enquanto os outros alunos tinham que se espremer nas mesas restantes, do lado leste. Shelby, por exemplo, sentava-se sozinha, lutando contra o vento forte que erguia a folha que estava tentando ler. Havia um monte de cadeiras vazias, mas nenhum dos não Nefilim parecia considerar atravessar aquela linha invisível para sentar-se com os alunos "privilegiados".

Luce havia conhecido alguns dos outros alunos não privilegiados no dia anterior. Após o almoço, as aulas eram realizadas no edifício principal, uma estrutura muito menos arquitetonicamente impressionante, onde ensinavam-se as disciplinas mais tradicionais. Biologia, geometria, história europeia. Alguns dos estudantes pareciam legais, mas Luce sentia uma distância velada entre eles, tudo porque ela estava na categoria dos privilegiados, o que frustrara a possibilidade de uma conversa.

— Não me leve a mal, eu cheguei a fazer amizade com alguns desses caras. — Miles apontou para uma mesa lotada. — Escolheria Connor ou Eddie G. para um jogo de futebol em vez de qualquer um dos Nefilim na hora. Mas, falando sério, você acha que alguém ali poderia ter lidado com o que você lidou, e sobrevivido para contar a história?

Luce esfregou o pescoço e sentiu lágrimas ardendo nos olhos. O punhal da Srta. Sophia ainda estava fresco em sua memória, e ela jamais poderia pensar naquela noite sem que o coração doesse por Penn. Sua morte tinha sido tão sem sentido. Não era justo.

— Quase não sobrevivi — disse ela baixinho.

— Sim — disse Miles, estremecendo. — Dessa parte fiquei sabendo. É estranho: Francesca e Steven adoram nos ensinar sobre o presente e o futuro, mas nunca sobre o passado. Tem algo a ver com nos dar mais confiança.

— O que quer dizer?

— Pergunte-me qualquer coisa sobre a grande batalha que está por vir, e sobre o papel que um jovem Nefilim como eu terá nela. Mas sabe as coisas mais antigas das quais você estava falando? Nenhuma das aulas aqui toca neste assunto. Na verdade, falando nisso — Miles apontou para o terraço, que estava esvaziando-se —, devemos ir. Vamos repetir isso um dia desses?

— Definitivamente. — E Luce falava sério; gostava de Miles. Era tão mais fácil conversar com ele do que com qualquer outra pessoa que conhecera até agora. Era simpático e tinha o tipo de senso de humor que a deixava instantaneamente à vontade. Mas ela estava distraída por algo que ele havia dito. A batalha que estava por vir. A batalha de Daniel e Cam. Ou uma batalha com o grupo de Anciãos da Srta. Sophia? Se até mesmo os Nefilim estavam se preparando para isso, o que aquilo tudo significava para Luce?

Steven e Francesca tinham um talento para se vestirem com cores complementares, que os fazia parecer mais preparados para uma sessão de fotos do que para uma aula. No segundo dia de Luce na Shoreline, Francesca estava usando sandálias gladiadoras douradas com saltos de sete centímetros e um vestido evasê laranja. Tinha um laço folgado em volta do pescoço, que combinava quase exatamente com a gravata laranja que Steven usava com a camisa marfim e blazer azul-marinho.

Os dois eram incríveis de se observar, e Luce se sentia atraída por eles, mas não exatamente da maneira que Dawn previra no dia anterior. Olhando os professores de sua mesa entre Miles e Jasmine, Luce sentiu-se atraída por Francesca e Steven por razões mais carinhosas: eles a lembravam de seu relacionamento com Daniel.

Apesar de nunca os ter visto realmente se tocando, quando estavam juntos, o que era quase sempre, o magnetismo entre os dois praticamente entortava as paredes. É lógico que tinha algo a ver com seus poderes de anjos caídos, mas também devia estar relacionado à forma peculiar com a qual estavam conectados. Luce não podia deixar de ressentir a relação entre os dois. Eram lembranças constantes do que ela não podia ter agora.

A maioria dos alunos já estava sentada em seus lugares. Dawn e Jasmine conversavam com Luce sobre a adesão ao comitê de direção para que ela pudesse ajudá-las a planejar vários eventos sociais incríveis. Luce nunca fora uma aluna muito interessada em atividades extracurriculares; mas essas meninas tinham sido tão legais com ela, e a expressão de Jasmine parecia tão animada ao falar sobre uma viagem de barco que estavam planejando no final daquela semana, que Luce decidiu dar uma chance ao comitê. Ela estava acrescentando seu nome à lista quando Steven se aproximou, jogou o paletó sobre a mesa às suas costas, e sem uma palavra abriu bem os braços.

Como se convocado, um fragmento de sombra preta pareceu se destacar das sombras de uma das sequoias do lado de fora da janela. Ela veio do gramado, então tomou substância e entrou ricocheteando na sala através da janela aberta. Era rápida e onde ia a luz do dia diminuía, então a sala logo caiu na escuridão.

Luce engasgou por força do hábito, mas não foi a única. Na verdade, a maioria dos estudantes recuou nervosamente em suas carteiras, enquanto Steven começava a girar a sombra. Ele simplesmente estendeu as mãos e começou a torcê-las mais e mais rápido, parecendo lutar com alguma coisa. Logo, a sombra estava girando na frente dele tão rapidamente que parecia um borrão, como os raios de uma roda. Uma rajada de vento espesso e úmido saiu de seu núcleo, soprando o cabelo de Luce para trás.

Steven manipulou a sombra, os braços forçando uma confusa forma amorfa a se transformar em uma esfera preta, não maior do que uma laranja.

— Turma — disse ele friamente, quicando a bola escura que levitava poucos centímetros acima de seus dedos —, eis o assunto sobre o qual vamos aprender hoje.

Francesca adiantou-se e transferiu a sombra para suas mãos. Com os saltos altos, era quase da altura de Steven. E, Luce imaginou, era tão hábil quanto ele ao lidar com as sombras.

— Todos vocês viram os Anunciadores em algum momento — disse ela, caminhando lentamente ao longo da meia-lua de carteiras de estudante, para que cada um pudesse dar uma olhada melhor. — E alguns de vocês — disse ela, olhando para Luce — até têm alguma experiência com eles. Mas sabem realmente o que são? Sabem o que podem fazer?

Fofoqueiros, Luce pensou, lembrando o que Daniel havia dito a ela na noite da batalha. Ela ainda era nova demais na Shoreline para se sentir confortável respondendo uma pergunta, mas nenhum dos outros alunos parecia saber. Lentamente, levantou a mão.

Francesca inclinou a cabeça:

— Luce.

— Eles carregam mensagens — explicou, ficando mais segura enquanto falava, pensando na confiança de Daniel. — Mas são inofensivos.

— Mensageiros, sim. Mas inofensivos? — Francesca olhou para Steven. Seu tom não revelava se Luce estava certa ou errada, o que a fez se sentir envergonhada.

A classe inteira ficou surpresa quando Francesca andou até Steven, se apoderou de um dos lados da sombra, enquanto ele segurava o outro, dando um puxão firme.

— Chamamos isso de vislumbrar — disse ela.

A sombra se abaulou e esticou como um balão sendo estourado. Fez um som profundo enquanto sua escuridão se distorcia, revelando cores mais vivas do que qualquer coisa que Luce já vira antes. Um tom mostarda profundo, dourado brilhante, trechos marmorizados de rosa e roxo. Um mundo rodopiante brilhando mais e mais por trás da malha de sombra que se dissipava. Steven e Francesca ainda estavam puxando, andando para trás lentamente até que a sombra ficou do tamanho e da forma de uma grande tela de projeção. Então pararam.

Eles não deram nenhum aviso, nada de "O que estão prestes a ver", e depois de um momento de horror, Luce entendeu a razão. Não havia como se preparar para algo assim.

O emaranhado de cores se separou, instalando-se finalmente numa tela de formas conhecidas. Estavam olhando para uma cidade. Uma cidade antiga com paredes de pedra... em chamas. Superlotada e poluída, consumida por chamas furiosas. Pessoas encurraladas pelas chamas, suas bocas um escuro vazio de horror, levantando os braços para o céu. E em toda parte uma chuva de faíscas brilhantes e pedaços de fogo queimando, luzes mortais aterrissando em todo lugar e inflamando tudo que tocava.

Luce podia praticamente sentir o cheiro da podridão e desgraça que emanava da tela de sombra. Era horrível de se olhar, mas o mais estranho de tudo era que não havia som algum. Os outros alunos estavam tapando os ouvidos, como se estivessem tentando bloquear lamentos ou gritos que para Luce eram indistinguíveis. Não havia nada além de silêncio enquanto ela observava mais e mais pessoas morrerem.

Quando achava que seu estômago não poderia aguentar muito mais, o foco da imagem mudou, como se estivesse se afastando, e Luce pôde ver um panorama maior. Não apenas uma, mas sim duas cidades em chamas. Uma estranha ideia veio-lhe, suavemente, como uma memória que sempre tivera, mas na qual não pensava há algum tempo. Ela agora sabia o que estavam vendo: Sodoma e Gomorra, duas cidades bíblicas, duas cidades destruídas por Deus.

Então, como se fosse um interruptor de luz desligando-se, Steven e Francesca estalaram os dedos e a imagem desapareceu. Os restos da sombra quebraram-se em uma pequena nuvem escura de cinzas, que acabariam no chão da sala de aula. Em volta de Luce, todos os alunos pareciam estar prendendo a respiração.

Luce não conseguia tirar os olhos do local onde a sombra estivera. Como haviam feito aquilo? Ela estava começando a congelar de novo, os pedaços escuros se reunindo, voltando lentamente à forma de sombra familiar. Com seu serviço terminado, o Anunciador avançou lentamente ao longo do piso, então deslizou para fora da sala de aula, como a sombra projetada por uma porta se fechando.

— Devem estar se perguntando por que fizemos que passassem por isso — disse Steven, dirigindo-se à classe. Ele e Francesca trocaram um olhar preocupado enquanto olhavam ao redor da sala. Dawn estava choramingando em sua mesa.

— Como sabem — disse Francesca —, na maior parte do tempo gostamos de nos concentrar no que vocês, como Nefilim, têm poder de fazer. Como podem mudar as coisas para melhor, independentemente do que isso signifique para cada um. Gostamos de olhar para a frente, e não para trás.

— Mas o que viram hoje — completou Steven — foi mais do que apenas uma lição de história com incríveis efeitos especiais. E não foram só imagens que evocamos. O que estavam vendo eram as Sodoma e Gomorra reais, quando foram destruídas pelo grande tirano, quando ele...

— Aham! — interrompeu Francesca, balançando o dedo. — Não vamos começar a ofender ninguém aqui.

— Tudo bem. Ela está certa, como de costume. Até mesmo eu às vezes exagero. — Steven sorriu para a classe. — Mas, como ia dizendo, os Anunciadores são mais do que meras sombras. Eles podem conter informações valiosas. De certa forma, *são* sombras, mas sombras do passado, de acontecimentos de muito tempo atrás e outros não tão distantes.

— O que vocês viram hoje — completou Francesca — foi apenas a demonstração de uma habilidade de valor inestimável que alguns de vocês podem ser capazes de aproveitar. Algum dia.

— Não vão querer tentar isso agora. — Steven limpou as mãos com um lenço que tirou do bolso. — Na verdade, vamos proibir que tentem, pois podem perder o controle e terminar emaranhados nas sombras. Mas um dia, talvez, esta seja uma possibilidade.

Luce compartilhou um olhar com Miles. Ele deu um sorriso com os olhos arregalados, como se estivesse aliviado ao ouvir aquilo. Ele não parecia se sentir tão excluído, não tanto quanto Luce.

— Além disso — disse Francesca —, a maioria de vocês provavelmente vai se sentir cansada. — Luce olhou ao redor da sala para o rosto dos alunos enquanto Francesca falava. Sua voz parecia causar o efeito de uma loção de *aloe vera* numa queimadura de sol. Metade dos alunos estava com os olhos fechados, como se tivesse tomado calmantes. — Isso é muito normal. Vislumbrar sombras não é algo feito sem consequências severas. É preciso usar muita energia até para ver alguns dias atrás, quanto mais milênios. Bem, vocês mesmos podem sentir os efeitos. Pensando nisso — ela olhou para Steven —, hoje vamos deixar saírem cedo para descansar.

— Vamos retomar o assunto amanhã, para nos certificarmos de que fizeram a leitura sobre aparições — disse Steven. — Estão liberados.

Ao redor de Luce, os estudantes levantaram-se lentamente de suas mesas. Pareciam confusos, exaustos. Quando ela se levantou, os joelhos estavam um pouco vacilantes, mas de alguma forma se sentia menos agitada do que os outros pareciam estar. Ela ajeitou o casaco sobre os ombros e seguiu Miles para fora da sala de aula.

— Tema bem pesado — comentou ele, descendo as escadas dois degraus de cada vez. — Você está bem?

— Estou — respondeu Luce. E era verdade. — E você?

Miles esfregou a testa.

— Realmente parece que estávamos lá. Estou feliz por terem nos deixado sair cedo. Acho que preciso de uma soneca.

— Pode ter certeza! — acrescentou Dawn, aproximando-se por trás deles no caminho sinuoso de volta ao dormitório. — Essa era a última coisa que eu esperava numa manhã de quarta-feira. Estou tão zonza.

Era verdade: a destruição de Sodoma e Gomorra tinha sido horrível. Tão real que a pele de Luce ainda estava quente pelas chamas.

Eles pegaram o atalho para voltar ao dormitório, circundando o lado norte do refeitório, na sombra das sequoias. Era estranho ver o campus tão vazio, com todos os outros alunos da Shoreline ainda nas salas de aula do edifício principal. Um a um, os Nefilim foram direto para a cama.

Exceto Luce. Ela não estava nem um pouco cansada. Em vez disso, sentia-se estranhamente energizada. Desejou, mais uma vez, que Daniel estivesse lá. Queria muito falar com ele sobre a demonstração de Francesca e Steven — e saber por que ele não contara que havia mais sobre as sombras do que ela podia ver.

Na frente de Luce estavam as escadas que conduziam ao seu quarto do dormitório. Atrás, a floresta de sequoias. Ela foi em direção à entrada do dormitório, sem vontade de entrar, sem vontade de dormir e esquecer a experiência. A intenção de Francesca e Steven não poderia ter sido assustar a classe, e sim ensinar-lhes algo. Algo que não poderiam simplesmente explicar com palavras. Mas se os Anunciadores carregavam mensagens e ecos do passado, então qual era o objetivo do que eles tinham acabado de assistir?

Ela entrou na floresta.

Seu relógio marcava onze da manhã, mas poderia ser meia-noite, pelas sombras sob a copa escura das árvores. Os pelos se arrepiaram nas pernas nuas enquanto ela avançava mais ainda pelo bosque sombrio. Luce não queria pensar demais, pensar só iria aumentar as chances de ela perder a coragem. Estava prestes a entrar em território desconhecido. Território proibido.

Ela convocaria um Anunciador.

Já fizera contato com eles antes. A primeira vez foi quando beliscou um durante a aula, para evitar que entrasse em seu bolso. Houve a vez na biblioteca quando ela golpeou um para que ficasse longe de Penn. Pobre Penn. Luce não conseguia deixar de se perguntar qual mensagem aquele Anunciador estaria carregando. Se soubesse como manipulá-lo na época, da maneira que Francesca e Steven tinham manipulado um hoje, poderia ter evitado o que aconteceu?

Ela fechou os olhos. Viu Penn, caída contra a parede, o peito coberto de sangue. Sua amiga. *Não*. Lembrar daquela noite era doloroso demais, e nunca fazia bem a Luce. Tudo o que podia fazer agora era olhar para a frente.

Precisou lutar contra o medo que gelava seu interior. Uma forma escorregadia, preta e familiar estava à espreita ao lado da verdadeira sombra de um ramo de sequoia, apenas dez metros à sua frente.

Ela deu um passo na direção dele, e o Anunciador se encolheu. Tentando não fazer movimentos bruscos, Luce chegou mais e mais perto, torcendo para que a sombra não fugisse.

Ali.

A sombra se contorceu sob o seu ramo de árvore, mas ficou onde estava.

Com o coração acelerado, Luce tentou se acalmar. Sim, estava escuro na floresta e ninguém sabia onde ela estava, e, bem, com certeza havia uma chance de ninguém sentir sua falta por um bom tempo se algo acontecesse, mas não havia motivo para entrar em pânico. Certo? Então por que ela se sentia dominada por um medo atroz? Por que estava sentindo o mesmo tremor nas mãos que costumava sentir ao ver as sombras quando menina, antes de ter aprendido que eram basicamente inofensivas?

Era hora de fazer alguma coisa. Podia tanto ficar congelada ali para sempre, quanto se acovardar e ir de volta para o dormitório de mau humor, ou...

Seu braço se esticou, sem tremer mais, e então pegou a coisa. Arrastou-a, agarrando-a firmemente contra o peito; surpreendida pelo seu peso e por como era fria e úmida. Como uma toalha molhada. Seus braços estavam tremendo. O que fazer agora?

A imagem daquelas cidades queimando passou por sua mente. Luce se perguntou se aguentaria ver a mensagem sozinha.

Se poderia inclusive descobrir como desvendar seus segredos. Como essas coisas funcionam? Tudo que Francesca e Steven fizeram foi puxar.

Prendendo o fôlego, Luce passou os dedos ao longo das bordas indistintas da sombra, agarrou-a e deu-lhe um leve puxão. Para sua surpresa, o Anunciador era maleável, quase como massinha de modelar, e tomava a forma que suas mãos sugeriam. Fazendo careta, ela tentou moldá-la em um quadrado. Em algo como a tela que vira seus professores fazerem.

No começo foi fácil, mas a sombra parecia ficar mais dura quanto mais ela tentava esticá-la. E, cada vez que reposicionava as mãos para puxar a outra parte, o resto se recolhia numa fria e densa massa preta. Logo ela estava sem fôlego e utilizando o braço para limpar o suor da testa. Não queria desistir; mas quando a sombra começou a vibrar, Luce gritou, e largando-a no chão.

Instantaneamente, disparou para o meio das árvores. Só depois de ter se afastado Luce percebeu: não era a sombra que estava vibrando. Era o telefone celular em sua mochila.

Ela havia se acostumado a não ter um. Até aquele momento, tinha até esquecido que o Sr. Cole havia lhe devolvido seu telefone velho antes de a colocar no avião para a Califórnia. Era quase completamente inútil, apenas para que ele pudesse ter uma maneira de falar com ela, para mantê-la informada sobre as histórias que estava contando a seus pais, que ainda acreditavam que Luce estava na Sword & Cross. De modo que, quando Luce conversasse com eles, poderia mentir sem se contradizer.

Ninguém além do Sr. Cole tinha seu número. E, por razões de segurança, realmente irritantes, não havia forma de contatar Daniel. E agora o telefone tinha custado a Luce seu primeiro progresso real com uma sombra.

Ela o pegou e leu a mensagem que o Sr. Cole havia acabado de mandar:

Ligue para seus pais. Eles acham que você tirou um A- numa prova de História que acabei de dar. E que vai tentar uma vaga na equipe de natação semana que vem. Não se esqueça de agir como se estivesse tudo bem.

E uma segunda, um minuto depois:

Está tudo bem?

Rabugenta, Luce enfiou o telefone em sua mochila e começou a vagar através das espessas agulhas de pinheiro em direção à entrada da floresta, em direção a seu dormitório. A mensagem a fez pensar sobre os outros alunos na Sword & Cross. Será que Ariane ainda estava lá e, se estivesse, para quem estaria atirando aviões de papel durante as aulas? Será que Molly tinha encontrado alguém para ser seu inimigo, agora que Luce fora embora? Ou teriam as duas mudado de escola desde que Luce e Daniel foram embora? Teria Randy acreditado na história de que os pais de Luce tinham pedido sua transferência? Luce suspirou. Ela *odiava* não dizer a verdade aos pais, odiava não poder lhes dizer o quão sozinha e distante se sentia.

Mas e durante o telefonema? Cada mentira — A- numa prova de História inventada, testes falsos para uma equipe de natação — só faria com que se sentisse mais nostálgica ainda.

O Sr. Cole devia ter perdido a cabeça, mandando-a ligar para eles e mentir. Mas se contasse a seus pais a verdade — a verdade mesmo —, eles iriam pensar que *ela* é que havia perdido a cabeça. E, se não entrasse em contato com eles, saberiam que algo estava acontecendo. Iriam até a Sword & Cross, descobririam que ela não estava lá, e aí?

Podia mandar um e-mail. Mentir não seria tão difícil por e-mail. Daria a ela alguns dias antes de ter que ligar. Ela mandaria um à noite.

Luce saiu da floresta em direção ao atalho, e perdeu o fôlego. Era noite. Olhou para a exuberante mata sombreada. Quanto tempo esteve lá com a sombra? Ela olhou para o relógio. Oito e meia. Tinha perdido o almoço. E as aulas da tarde. E o jantar. Estava tão escuro na floresta que ela nem percebeu o tempo passando, mas agora se dava conta de tudo de uma só vez. Estava cansada, com frio e com fome.

Depois de três voltas erradas no labirinto que era o dormitório, Luce finalmente encontrou a porta do seu quarto. Em silêncio, esperando que Shelby estivesse fora, para onde quer que sempre parecia fugir durante a noite, Luce enfiou a chave enorme e antiga na fechadura e girou a maçaneta.

As luzes estavam apagadas, mas um fogo queimava na lareira. Shelby estava sentada de pernas cruzadas no chão, de olhos fechados, meditando. Quando Luce entrou, ela abriu um dos olhos, parecendo muito irritada com o que via.

— Desculpe — sussurrou Luce, afundando na cadeira mais próxima da porta. — Não ligue para mim. Finja que não estou aqui.

Por algum tempo, Shelby fez exatamente isso. Fechou o olho e voltou a meditar, e o quarto ficou tranquilo. Luce ligou o computador que ficava na sua mesa e olhou para a tela, tentando compor em sua mente a mensagem mais inócua possível para seus pais — e, aproveitando a ocasião, uma para Callie, que estivera enviando um fluxo constante de e-mails para Luce ao longo da semana anterior, e ela não lera nenhum.

Digitando tão lentamente quanto conseguia para que o barulho de seu teclado não fosse mais um motivo para Shelby odiá-la, Luce escreveu:

Queridos papai e mamãe, estou morrendo de saudades de vocês. Só queria dar um alô. Minha vida na Sword & Cross está legal.

Seu coração apertou com o esforço de não digitar: *Que eu saiba, ninguém mais morreu esta semana.*

Ainda estou indo bem em todas as aulas, ela se forçou a escrever em vez disso. Acho até que vou tentar entrar para o time de natação!

Luce olhou pela janela, para o céu limpo e estrelado. Precisava terminar aquilo rápido. Caso contrário, enlouqueceria.

Fico só imaginando quando esta chuva vai dar trégua... Acho que novembro é assim na Geórgia! Com amor, Luce.

Ela copiou a mensagem para um novo e-mail, destinado a Callie, mudou algumas palavras bem escolhidas, moveu o mouse para o botão *Enviar*, fechou os olhos, clicou e baixou a cabeça. Era uma filha horrível e uma amiga mentirosa. Em que estava pensando?

Aqueles eram os e-mails mais sem-graça e suspeitos já escritos. Iam apenas assustar os outros.

Seu estômago roncou. E, em seguida, novamente, ainda mais alto. Shelby limpou a garganta.

Luce girou em sua cadeira para olhar para a colega de quarto, que estava na posição cachorro olhando para baixo. Sentia as lágrimas brotando nos cantos dos olhos.

— Estou com fome, certo? Por que você não registra uma reclamação, e pede para me transferirem para outro quarto?

Shelby calmamente pulou à frente em seu tapete de ioga, pôs os braços em posição de oração e disse:

— Eu só ia falar sobre a caixa de macarrão orgânico com queijo na minha gaveta de meias. Não precisa me atacar. Minha nossa.

Onze minutos mais tarde, Luce estava sentada debaixo de um cobertor em sua cama, com um prato fumegante de macarrão grudento, os olhos secos e uma companheira de quarto que de repente tinha parado de odiá-la.

— Eu não estava chorando porque estava com fome — tentou explicar Luce, apesar de o macarrão com queijo estar muito bom, e do fato de aquele presente tão inesperado ter vindo de Shelby, que quase fez surgirem novas lágrimas. Luce queria dividir o que acontecera com alguém, e Shelby estava bem ali, na sua frente. Ela não tinha se aberto totalmente, mas partilhar seu estoque de comida tinha sido um grande passo para alguém que mal havia falado com Luce até agora. — Eu estou tendo, hum, alguns problemas familiares. É muito difícil estar longe deles.

— Ah, coitadinha — disse Shelby, mastigando sua própria tigela de macarrão. — Deixe-me adivinhar, seus pais ainda estão casados e felizes.

— Isso não é justo — respondeu Luce, sentando-se. — Você não faz ideia pelo que passei.

— E você faz alguma ideia pelo que *eu* passei? — Shelby encarou Luce de cima a baixo. — Foi o que imaginei. Olha, essa é minha história: filha única, criada por mãe solo. Problemas com o papai? Talvez. Um pé no saco de se conviver porque odeio dividir? Muito provável. Mas o que eu não suporto é que uma bonitinha apaixonada, com uma casinha feliz e um namorado perfeito, apareça no meu canto se lamentando sobre seu triste caso de amor a distância.

Luce perdeu o fôlego.

— Não é nada disso!

— Ah, não? Então o que é?

— Sou uma farsa — disse Luce. — Estou... mentindo para todos que amo.

— Mentindo para o namoradinho perfeito? — Os olhos de Shelby se estreitaram de uma maneira que fez Luce pensar que sua companheira de quarto poderia até estar interessada em conversar.

— Não — murmurou Luce. — Não estou nem falando com ele.

Shelby deitou-se na cama de Luce e esticou os pés para que eles se apoiassem na parte de baixo da outra beliche.

— Por que não?

— É uma história longa, estúpida e complicada.

— Bem, qualquer garota com meio cérebro sabe que há apenas uma coisa a fazer quando você termina com seu homem...

— Não, nós não terminamos — interrompeu Luce, ao mesmo tempo em que Shelby continuava:

— Mudar o cabelo.

— *Mudar o cabelo?*

— Um novo começo — disse Shelby. — Já tingi o meu de laranja, já cortei tudo. Nossa, uma vez eu até raspei depois que um imbecil realmente destruiu meu coração.

Havia um pequeno espelho oval com moldura de madeira preso na cômoda do quarto. De onde estava na cama, Luce podia ver seu reflexo. Ela baixou a tigela de macarrão e se levantou para se aproximar.

Havia cortado o cabelo depois do incidente com Trevor, mas era diferente. A maior parte tinha sido chamuscada, de qualquer maneira. E, quando chegou na Sword & Cross, tinha sido o cabelo de Ariane que ela cortou. No entanto, Luce pensou ter compreendido o que Shelby queria dizer com "um novo começo." Você poderia se transformar em outra pessoa, fingir que não era aquela que tinha acabado de passar por tanta dor. Mesmo que — graças a Deus — Luce não estivesse de luto por uma perda permanente de seu relacionamento com Daniel, estava de luto por todos os tipos de outras perdas. Por Penn, por sua família, pela vida que costumava ter antes que as coisas ficassem tão complicadas.

— Está realmente pensando no assunto, não está? Não me faça pegar a garrafinha de água oxigenada debaixo da pia.

Luce passou os dedos pelo cabelo curto e preto. O que Daniel acharia? Mas, se ele queria que ela fosse feliz aqui, até que pudessem estar juntos novamente, precisava deixar para trás quem ela havia sido na Sword & Cross.

Virou-se para Shelby:

— Pegue a garrafinha.

QUATRO

QUINZE DIAS

Não estava *tão* loira assim.

Luce molhou as mãos na pia e ajeitou as mechas curtas e oxigenadas. Tinha acabado de passar por um monte de aulas nessa quinta-feira, que incluiu uma inesperada palestra de duas horas de Francesca sobre segurança para reiterar as razões para não se mexer com os Anunciadores sem preparo (quase parecia que ela estava se dirigindo diretamente a Luce); provas orais em suas aulas "normais" de Biologia e Matemática no edifício principal da escola, e o que pareceram oito horas seguidas de olhares espantados dos seus colegas, tanto Nefilim quanto não Nefilim.

Mesmo que Shelby tivesse agido normalmente sobre o novo visual de Luce, na privacidade do quarto na noite anterior, ela não era dada a elogios efusivos como Ariane ou a demonstrar apoio e confiança como acontecera com Penn. Saindo para o mundo naquela manhã, Luce estava terrivelmente nervosa. Miles foi o primeiro a vê-la e fez um sinal de positivo. Mas ele era sempre tão legal que nunca a deixaria perceber se tivesse achado seu cabelo horrível.

Naturalmente, Dawn e Jasmine haviam aparecido logo depois da aula de Humanas, ansiosas para tocar o cabelo dela e perguntando a Luce qual tinha sido sua inspiração.

— Muito Gwen Stefani — comentou Jasmine, assentindo.

— Não, é a Madge, não é? — perguntou Dawn. — Como na época de "Vogue". — Antes que Luce pudesse responder, Dawn gesticulou apontando para Luce e em seguida para ela mesma. — Mas acho que não somos mais gêmeas.

— Gêmeas? — Luce e em seguida para a cabeça.

Jasmine olhou para Luce de soslaio.

— Vamos, não diga que nunca percebeu? Vocês duas se parecem... bem, se *pareciam* tanto. Poderiam praticamente ter se passado por irmãs.

Agora, sozinha diante do espelho do banheiro do prédio principal, Luce olhou para seu reflexo e pensou em Dawn e seus grandes olhos. As duas tinham uma coloração semelhante: pele pálida, lábios vermelhos, cabelo escuro. Mas Dawn era menor do que ela. Usava cores vivas quase sempre. E era muito mais animada do que Luce jamais seria algum dia. Tirando alguns aspectos superficiais, Luce e Dawn não poderiam ser mais diferentes.

A porta do banheiro se abriu e uma menina de cabelos castanhos com cara de comportada usando jeans e suéter amarelo entrou. Luce a reconheceu da classe de História Europeia. Amy alguma coisa. Ela se inclinou sobre a pia ao lado de Luce e começou a mexer nas sobrancelhas.

— Por que fez isso com seu cabelo? — perguntou, olhando para Luce.

Luce parou, surpresa. Uma coisa era falar sobre o assunto com seus mais ou menos amigos da Shoreline, mas nunca sequer havia falado com essa garota antes.

A resposta de Shelby, *um novo começo*, surgiu em sua mente, mas a quem ela estava enganando? Tudo que a garrafa de água oxigenada que usara na noite passada fizera foi deixar Luce tão falsa do lado de fora quanto já se sentia por dentro. Callie e seus pais dificilmente a reconheceriam agora que esse não era o objetivo, de maneira alguma.

E Daniel. O que Daniel acharia? Luce, de repente, sentiu-se tão obviamente falsa, que mesmo um desconhecido poderia ver através dela.

— Eu não sei. — Ela passou pela menina e para fora do banheiro. — Não sei por que fiz isso.

Clarear o cabelo não apagaria as memórias sombrias das últimas semanas. Se ela realmente queria um novo começo, teria que construir um. Mas como? Havia tão pouco que ela efetivamente controlasse no momento. Toda sua vida estava nas mãos do Sr. Cole e de Daniel. E ambos estavam muito distantes.

Era assustador o quanto e quão rápido ela contava com Daniel agora, e isso era ainda mais assustador do que não saber quando ia vê-lo de novo. Em comparação com os dias cheios de felicidade que estava esperando passar com ele na Califórnia, neste momento estava mais solitária do que nunca.

Ela se arrastou por todo o campus, percebendo lentamente que a única vez que sentiu ter qualquer independência desde que chegara na Shoreline tinha sido...

Sozinha, na mata, com a sombra.

Após a demonstração em sala de aula do dia anterior, Luce estava esperando que Francesca e Steven fizessem mais. Teve esperanças de que talvez hoje os alunos tivessem a oportunidade de experimentar com as sombras por conta própria. Teve inclusive uma breve fantasia de ser capaz de fazer o que havia feito na floresta na frente de todos os Nefilim.

Nada disso tinha acontecido. Na verdade, a aula hoje parecera um grande retrocesso. Uma palestra chata sobre a etiqueta e segurança envolvendo Anunciadores, e por que os alunos nunca deviam, em circunstância alguma, tentar fazer o que haviam visto no dia anterior por conta própria.

Foi frustrante e uma regressão. Então, agora, em vez de voltar para o dormitório, Luce se viu correndo por trás do refeitório, pela trilha até a beira do penhasco para subir as escadas de madeira do edifício. O escritório de Francesca ficava no anexo do segundo andar e ela havia dito à classe que qualquer um deveria se sentir livre para visitá-la a qualquer momento.

O edifício era muito diferente sem os outros estudantes para aquecê-lo. Escuro, frio, dava a impressão de ser quase abandonado. Cada barulho feito por Luce parecia um estrondo, ecoando nas vigas de madeira. Ela podia ver uma luz vinda do andar de cima e sentia o cheiro forte de café. Ainda não sabia se ia contar para Francesca sobre o que tinha sido capaz de fazer na floresta. Poderia parecer insignificante para alguém tão hábil quanto Francesca. Ou poderia parecer uma violação das instruções da aula de hoje.

Parte de Luce só queria analisar a professora, ver se ela seria alguém com quem Luce poderia contar quando, em dias como aquele, começasse a sentir que iria desmoronar.

Ela alcançou o topo das escadas e se viu no começo de um corredor longo e amplo. À sua esquerda, além do corrimão de madeira, olhou para a sala de aula escura e vazia no segundo andar. À sua direita havia uma fileira de pesadas portas de madeira com vitrais no alto. Andando silenciosamente, Luce percebeu que não sabia qual escritório era o de Francesca. Apenas uma das portas estava entreaberta, a terceira da direita, com um raio de luz passando pela linda cena no vitral. Ela pensou ter ouvido uma voz masculina lá dentro. Estava prestes a bater quando o tom agudo de uma mulher a fez congelar.

— Foi um erro até mesmo tentar — sibilou Francesca.

— Nós arriscamos. Não tivemos sorte.

Steven.

— Não tivemos sorte? — zombou Francesca. — Aquilo foi uma irresponsabilidade. Do ponto de vista meramente estatístico, as chances de um Anunciador trazer notícias ruins eram grandes demais. Você viu como aqueles garotos ficaram. Eles não estavam prontos!

Uma pausa. Luce avançou um pouco mais ao longo do tapete persa do corredor.

— Mas ela estava.

— Não vou sacrificar o progresso de uma classe inteira só porque um, uma...

— Não seja míope, Francesca. Nós criamos um ótimo programa. Sei disso tanto quanto você. Os resultados dos nossos alunos superam os de qualquer outro programa Nefilim do mundo. Você fez tudo isso. Tem o direito de sentir orgulho. Mas as coisas são diferentes agora.

— Steven tem razão, Francesca — falou uma terceira voz. Masculina. Luce achou que soava familiar. Mas quem era? — Não faz diferença se jogarmos seu calendário acadêmico pela janela. A trégua entre nossos lados é o único prazo que importa agora.

Francesca suspirou e disse:

— Você realmente acha...

A voz desconhecida continuou:

— Se conheço Daniel, ele vai chegar na hora certa. Provavelmente já está contando os minutos.

— Há mais uma coisa — disse Steven.

Uma pausa, então o que parecia uma gaveta se abrindo, e em seguida alguém arfou. Luce teria feito qualquer coisa para estar do outro lado da parede — e ver o que eles estavam vendo.

— Onde você conseguiu isso? — Perguntou a outra voz masculina. — Está negociando?

— É lógico que não! — Francesca parecia insultada. — Steven achou na floresta durante uma das suas rondas uma noite dessas.

— É autêntica, não é? — perguntou Steven.

Um suspiro.

— Já se passou muito tempo para que ele pudesse dizer com certeza — respondeu o desconhecido. — Não via uma seta estelar há tempos. Daniel vai saber. Vou levar para ele.

— É só isso? O que sugere que façamos nesse meio-tempo? — perguntou Francesca.

— Olha, essa não é minha praia. — A familiaridade daquela voz incomodava Luce, como uma alergia. — E realmente não é meu estilo...

— Por favor — suplicou Francesca.

O escritório ficou em silêncio. O coração de Luce estava martelando.

— Tudo bem. Se eu fosse vocês, aceleraria as coisas por aqui. Aumentem a supervisão e façam tudo que puder para deixar *todos* prontos. O Fim dos Tempos não é para ser divertido.

Fim dos tempos. Isso foi o que, segundo Ariane, aconteceria se Cam e seu exército ganhassem naquela noite, na Sword & Cross. Mas não haviam vencido. A não ser que outra batalha já tivesse surgido. Mas, se fosse isso, para o que os Nefilim teriam que se preparar?

O som das pernas da pesada cadeira arranhando o chão fez Luce recuar. Ela sabia que não devia ser apanhada escutando esse tipo de conversa escondida. Independentemente do seu significado.

Pela primeira vez, Luce ficou contente que a arquitetura da Shoreline oferecesse tantos recantos misteriosos. Ela se abaixou sob uma moldura de madeira decorativa entre duas estantes e apertou-se no recuo da parede.

Um único conjunto de passos saiu do escritório, e a porta se fechou com firmeza. Luce prendeu a respiração e esperou que a pessoa descesse as escadas.

A princípio, pôde ver apenas seus pés. Botas de couro marrom europeias. Em seguida, jeans escuros apareceram enquanto ele dava a volta no corrimão para o segundo andar. Uma camisa de botões listrada de azul e branco. E, finalmente, a juba facilmente reconhecível de dreadlocks.

Roland Sparks tinha aparecido na Shoreline.

Luce saltou de seu esconderijo. Ela poderia parecer nervosa, mas comportada na frente de Francesca e Steven, que eram lindos, poderosos, maduros e assustadores... além de seus professores. Mas Roland não a intimidava — não muito, no fim das contas —, não mais. Além disso, ele era a coisa mais próxima de Daniel que ela via em dias.

Ela desceu rapidamente as escadas, sendo o mais silenciosa que pôde, então irrompeu pela porta da entrada afora. Roland estava andando devagar em direção ao oceano, como se não tivesse nenhum problema no mundo.

— Roland — gritou ela, correndo pelo último lance de escadas até o chão. Ele parou onde o caminho acabava e o penhasco se transformava em rochas escarpadas e íngremes.

Estava quieto, olhando para a água. Luce ficou surpresa ao sentir um frio na barriga quando, muito lentamente, ele começou a se virar.

— Ora, ora. — Ele sorriu. — Lucinda Price descobriu a água oxigenada.

— Ah. — Ela segurou o próprio cabelo. Como devia parecer estúpida aos olhos dele.

— Não, não — interrompeu ele, caminhando em sua direção, afofando o cabelo dela com os dedos. — Combina com você. Um visual forte para tempos difíceis.

— O que está fazendo aqui?

— Me matriculando. — Ele deu de ombros. — Acabei de pegar meus horários de aula, encontrei os professores. Parece um lugar bem maneiro.

Uma mochila de tecido estava jogada sobre um de seus ombros com algo prateado, longo e estreito saindo de dentro. Seguindo o olhar de Luce, Roland mudou a bolsa para o outro ombro e fechou a aba superior com um nó.

— Roland — a voz dela falhou. — Você deixou a Sword & Cross? Por quê? O que está fazendo aqui?

— Só precisava de uma mudança de ritmo — respondeu ele misteriosamente.

Luce ia perguntar sobre os outros: Ariane, Gabbe. Até mesmo Molly. Queria saber se alguém havia percebido ou se importado que ela tivesse ido embora. Mas, quando abriu a boca, o que saiu foi muito diferente do que esperava.

— Do que estava falando lá em cima, com Francesca e Steven?

A expressão de Roland mudou de repente, cristalizando-se em algo mais sábio, menos despreocupado.

— Isso depende. Quanto você ouviu?

— Daniel. Eu ouvi você dizer que ele... Não precisa mentir para mim, Roland. Quanto tempo ele vai levar para voltar? Porque não acho que posso...

— Venha dar uma volta comigo, Luce.

Por mais estranho que teria sido Roland Sparks colocando o braço sobre seus ombros na época da Sword & Cross, foi confortante quando ele fez isso aquele dia na Shoreline. Nunca tinham sido realmente amigos, mas ele era uma lembrança do seu passado, um vínculo que Luce não poderia ignorar no momento.

Eles caminharam ao longo da beira do penhasco, em torno do terraço do café da manhã, e pelo oeste onde ficavam os dormitórios, passando por um jardim de rosas que Luce nunca vira antes. Estava tarde e a água à direita estava cheia de cores, refletindo nuvens cor-de-rosa, laranja e violeta que deslizavam na frente do sol.

Roland a levou até um banco de frente para a água, longe de todos os prédios do campus. Olhando para baixo, ela pôde ver escadas pesadas esculpidas na rocha, começando logo abaixo de onde estavam sentados, levando até a praia.

— O que você sabe que não está me contando? — perguntou Luce quando o silêncio começou a incomodá-la.

— Que a temperatura da água é de dez graus — respondeu Roland.

— Não foi o que eu quis dizer — disse ela, olhando-o bem nos olhos. — Ele mandou você para cá para cuidar de mim?

Roland coçou a cabeça.

— Olhe. Daniel está fazendo as coisas dele. — Rolland fez uma mímica de voo no ar. — Enquanto isso — Luce achou que ele tinha inclinado a cabeça em direção à floresta, atrás do dormitório —, você tem que cuidar das suas próprias coisas.

— O quê? Não, eu não tenho "coisas". Só estou aqui porque...

— Besteira. — Ele riu. — Todos nós temos nossos segredos, Luce. Os meus me trouxeram à Shoreline. Os seus a têm levado para aqueles bosques.

Ela começou a desmenti-lo, mas Roland ignorou, com uma expressão cada vez mais enigmática em seus olhos.

— Não vou colocar você em problemas. Na verdade, estou torcendo por você. — Seus olhos desviaram-se dela para o mar. — Agora, de volta à água. Está gelada. Já mergulhou aqui? Sei que gosta de nadar.

Luce se deu conta de que estava na Shoreline há três dias, com o mar à vista, as ondas sempre audíveis, o ar marinho cobrindo tudo, mas que ainda não tinha posto os pés na praia. E não era como na Sword & Cross, onde quase tudo era proibido. Ela não sabia por que ainda nem tinha pensado nisso.

Balançou a cabeça.

— A única coisa que dá para fazer numa praia fria assim é acender uma fogueira. — Roland olhou para ela. — Já fez algum amigo aqui?

Luce deu de ombros.

— Alguns.

— Traga-os para cá esta noite, depois do anoitecer. — Ele apontou para uma estreita península de areia, ao pé da escada de pedra. — Bem ali.

Ela olhou para Roland de lado:

— O que exatamente você tem em mente?

Roland deu um sorriso diabólico.

— Não se preocupe, vai ser cem por cento inocente. Mas sabe como é... Sou novo na cidade, e quero que saibam que cheguei.

※

— Cara. Se você chutar o meu calcanhar mais uma vez, vou ter que quebrar seu tornozelo sem pensar duas vezes.

— Talvez se você não estivesse monopolizando *toda* a luz da lanterna, Shel, nós também poderíamos ver para onde estamos indo.

Luce tentou abafar o riso enquanto seguia Miles e Shelby, que brigavam, pelo campus escuro. Eram quase onze da noite e a Shoreline estava escura e silenciosa, exceto pelo piar de uma coruja. Uma lua minguante alaranjada estava baixa no céu, envolta por um véu de neblina. Os três só tinham conseguido arranjar uma lanterna (a de Shelby), portanto apenas um deles tinha uma visão clara do caminho até a água (Shelby). Para os outros dois, o chão, que parecia tão luxuoso e bem-cuidado durante o dia, estava cheio de armadilhas agora, com galhos caídos, samambaias de raízes grossas, e os calcanhares de Shelby.

Quando Roland pediu para ela trazer alguns amigos hoje, Luce tinha sentido seu estômago afundar. Não havia monitores na Shoreline, nem nenhuma aterrorizante câmera de segurança gravava cada movimento dos alunos, de modo que não era a possibilidade de ser pega que a deixava nervosa. Na verdade, esgueirar-se do dormitório havia sido relativamente fácil. Era encontrar companhia o desafio maior.

Dawn e Jasmine pareciam as candidatas mais prováveis para uma festa na praia, mas, quando Luce passou pelo quarto delas no quinto andar, o corredor estava escuro e ninguém abriu a porta quando bateu. De volta ao seu próprio quarto, Shelby estava enroscada em algum tipo de pose de ioga tântrica que fez Luce ficar dolorida só de olhar. Luce não queria quebrar a concentração feroz de sua companheira de quarto, convidando-a para uma festa qualquer, mas, em seguida, uma batida forte na porta fizera Shelby cair de sua pose de qualquer maneira.

Era Miles, perguntando se Luce queria tomar um sorvete.

Luce olhou de Miles para Shelby e sorriu:

— Tenho uma ideia melhor.

Dez minutos depois, enrolado em casacos com capuz e um boné dos Dodgers para trás (Miles), vestindo meias de lã com dedinhos para que pudesse ser usada com chinelos (Shelby), e com uma sensação ruim sobre misturar Roland e os alunos da Shoreline (Luce), os três andaram em direção à beira do penhasco.

— Então, quem é esse cara mesmo? — perguntou Miles, apontando para uma falha no caminho pedregoso, pouco antes de Luce quase despencar.

— Ele é só... um cara da minha última escola. — Luce procurou uma descrição melhor enquanto os três começaram a descer as escadas de pedra. Roland não era exatamente seu amigo. E, embora os alunos da Shoreline parecessem ter a mente aberta, ela não tinha certeza se deveria dizer para que lado Roland tinha caído na guerra dos anjos. — Era amigo de Daniel — disse finalmente. — Provavelmente vai ser uma festa mínima. Acho que ele não conhece ninguém aqui além de mim.

Eles sentiram o cheiro antes que pudessem vê-la: a fumaça perfumada de uma fogueira de bom tamanho. Então, quando estavam quase no pé da íngreme escada, fizeram uma curva nas rochas e congelaram quando as faíscas de um fogo laranja e selvagem finalmente vieram à tona.

Devia haver uma centena de pessoas reunidas na praia.

O vento estava enlouquecido, como um animal selvagem, mas não era páreo para a animação dos convidados. Numa extremidade da multidão, mais próximo ao local onde estava Luce, um grupo de hippies, com barbas longas e espessas e camisas feias formavam um círculo de tambores improvisado. A batida constante dava a um grupo de garotos nas proximidades um ritmo sempre diferente para dançarem. Na outra ponta da festa estava a fogueira em si, e, quando Luce ficava na ponta dos pés, conseguia reconhecer um monte de garotos da Shoreline amontoados em volta da fogueira, tentando espantar o frio. Todo mundo estava segurando um espeto de madeira perto das chamas, disputando o melhor lugar para assar cachorros-quentes e marshmallows. Era impossível saber como todos descobriram sobre a festa, mas obviamente todos estavam se divertindo.

E, no meio de tudo, estava Roland. Ele havia tirado a camisa social e as ostensivas botas de couro e estava vestido como todo mundo ali, em um moletom de capuz e jeans velhos. Estava de pé sobre um rochedo, fazendo barulho, gestos exagerados, contando uma história que Luce não conseguia ouvir. Dawn e Jasmine estavam entre os ouvintes atentos, com as faces iluminadas pelo fogo parecendo belas e vivas.

— Esta é a sua ideia de festa pequena? — perguntou Miles.

Luce estava observando Roland, imaginando qual história ele estaria contando. Algo sobre seu jeito fez com que Luce fosse levada de volta para o quarto de Cam, para sua primeira e única festa de verdade na Sword & Cross, e isso fez com que sentisse falta de Ariane. E, obviamente, de Penn, que estava nervosa quando chegou na festa, mas acabou se divertindo mais do que todo mundo. E de Daniel, que mal falava com Luce na época. As coisas eram tão diferentes agora.

— Bem, não sei quanto a vocês — disse Shelby, tirando os chinelos e sacudindo a areia das meias —, mas eu vou pegar uma bebida, depois um cachorro-quente, então talvez tente arrumar uma aula com um desses caras dos tambores.

— Eu também — completou Miles. — Exceto pela parte do cara dos tambores, óbvio.

— Luce. — Roland acenou de onde estava sobre a rocha. — Você veio.

Miles e Shelby já estavam muito à frente dela, indo em direção à barraca de cachorros-quentes, por isso Luce caminhou sobre a duna de areia fria e úmida até Roland e os outros.

— Não estava brincando quando disse que queria que soubessem que você tinha chegado. Isto é realmente algo, Roland.

Roland assentiu graciosamente.

— Algo, hein? Bom ou ruim?

Parecia uma pergunta capciosa, e Luce não sabia mais o que tinha a intenção de dizer. Ela pensou na conversa acalorada que ouvira no gabinete do professor. Como a voz de Francesca tinha soado dura. O limite entre o que parecia bom ou ruim era incrivelmente nebuloso. Roland e Steven eram anjos caídos que tinham passado para o outro lado. Demônios, certo? Ela sabia mesmo o que aquilo significava? Mas, então, havia Cam e... o que Roland queria dizer com essa pergunta afinal? Ela franziu o cenho. Talvez Roland estivesse perguntando apenas se Luce estava se divertindo.

Uma miríade de gente diferente girava em torno dela, mas Luce podia sentir as ondas escuras intermináveis nas proximidades. O ar perto da água era forte e frio, mas a fogueira esquentava sua pele. Tantas coisas pareciam estar em contradição agora, todas atingindo-a ao mesmo tempo.

— Quem são todas essas pessoas, Roland?

— Vamos ver. — Roland apontou para os hippies com os tambores. — Moradores locais. — À sua direita, ele apontou para um grupo grande de rapazes tentando impressionar um grupo muito menor de meninas dançando muito mal. — Aqueles caras são fuzileiros navais ancorados em Fort Bragg. Do jeito que estão animados, espero que estejam de licença o fim de semana todo. — Quando Jasmine e Dawn juntaram-se a ele, Roland colocou um braço em volta de cada um de seus ombros. — Acho que você já conhece essas duas.

— Você não nos disse que era tão amiga do diretor social celeste, Luce — disse Jasmine.

— Sério. — Dawn se inclinou para fingir um sussurro para Luce. — Só o meu diário sabe quantas vezes eu quis ir a uma festa de Roland Sparks. E meu diário nunca vai contar.

— Ah, mas talvez vá — brincou Roland.

— Ninguém se diverte nesta festa? — Shelby apareceu por trás de Luce com Miles a seu lado. Ela estava segurando dois cachorros-quentes em uma das mãos e estendeu a outra para Roland. — Shelby Sterris. Quem é você?

— Shelby Sterris — repetiu Roland. — Sou Roland Sparks. Já morou no leste de Los Angeles? Já não nos conhecemos antes?

— Não.

— Ela tem memória fotográfica — explicou Miles, estendendo para Luce um cachorro-quente vegetariano. Não era o seu favorito, mas tinha sido um gesto legal ainda assim. — Sou Miles. Festa divertida, aliás.

— Muito legal — concordou Dawn, balançando com Roland ao ritmo da batida.

— E Steven e Francesca? — Luce teve que praticamente gritar para Shelby. — Não vão ouvir que estamos aqui embaixo? — Uma coisa era fugir discretamente. Outra era explodir uma bomba sonora na frente dos professores.

Jasmine olhou para trás, em direção ao campus.

— Vão ouvir, com certeza, mas eles nos dão muita colher de chá na Shoreline, pelo menos para os Nefilim. Desde que fiquemos no campus, sob a sua vigilância, podemos fazer o que bem quisermos.

— Isso inclui um concurso de dança? — Roland sorriu ironicamente, tirando um galho comprido e grosso de trás dele. — Miles, você segura a outra ponta para mim?

Segundos depois, o ramo estava no alto, a batida mudou, e parecia que todos na festa deixaram o que estavam fazendo para formar uma longa e animada fila.

— Luce — chamou Miles. — Não vai ficar parada aí, vai?

Ela estudou a multidão, sentindo-se dura e presa em seu lugar na areia. Mas Dawn e Jasmine estavam abrindo espaço entre as duas para ela na fila. Já pronta para a competição — provavelmente nascera assim —, Shelby estava alongando as costas. Até mesmo os marinheiros iam participar.

— Tudo bem. — Luce riu e entrou na fila.

Quando o jogo começou, a fila avançou rapidamente; por três rodadas, Luce passou facilmente por baixo do galho. Na quarta vez, passou com um pouco de esforço, tendo que inclinar o queixo para trás o suficiente para ver as estrelas, e recebeu uma salva de palmas pela manobra. Logo ela estava torcendo pelos outros também, só um pouco espantada por se ver pulando para cima e para baixo quando Shelby conseguiu passar. Havia algo de surpreendente quando a pessoa se endireitava após passar, e a festa inteira parecia se alimentar dessa sensação. A cada êxito Luce sentia uma onda inesperada de adrenalina.

Divertir-se geralmente não era uma coisa tão simples. Por muito tempo, o riso tinha sido geralmente acompanhado de perto pela culpa, um sentimento persistente de que ela não deveria estar se divertindo por um motivo qualquer. Mas, de alguma, forma esta noite ela se sentia mais leve. Sem perceber, havia sido capaz de se livrar da escuridão.

Quando Luce venceu a quinta rodada, a fila estava significativamente menor. Metade das pessoas da festa fora eliminada, e todos estavam agrupados em volta de Miles ou de Roland, observando os últimos que continuavam no jogo. No final da fila, Luce estava animada e meio tonta, o aperto forte que sentiu no braço quase a fez perder o equilíbrio.

Ela começou a gritar, em seguida sentiu dedos cobrindo sua boca.

— Shhh.

Daniel estava puxando-a para fora da fila e da festa. Sua mão forte e quente deslizava pelo pescoço dela, os lábios roçando sua face. Por apenas um momento, encostar na pele dele, ver o intenso brilho violeta dos seus olhos e a vontade que não passava de abraçá-lo e nunca mais soltar... tudo dele deixou Luce deliciosamente tonta.

— O que está fazendo aqui? — sussurrou ela. Na verdade, queria dizer *Graças a Deus está aqui* e *Tem sido tão difícil ficar longe* daquilo você ou então, o que ela realmente queria dizer, que era: *Eu te amo.* Mas havia também *Você me abandonou* e *Pensei que isso não era seguro* e *Que história é essa de trégua?*, tudo ecoando dentro de seu cérebro.

— Eu precisava ver você — disse ele. Quando Daniel a levou para trás de uma grande rocha na praia, havia um sorriso cúmplice em seu rosto. O tipo de sorriso que era contagioso, e surgiu nos lábios de Luce também. O tipo de sorriso que reconhecia não apenas que estavam quebrando a regra de Daniel, mas que também estavam adorando fazer isso.

— Quando cheguei perto o suficiente para ver essa festa, notei que todos estavam dançando — explicou Daniel. — E fiquei com um pouco de ciúme.

— Ciúme? — perguntou Luce. Estavam sozinhos agora. Ela jogou os braços em volta de seus ombros largos e olhou profundamente em seus olhos violeta. — Por que você ficaria com ciúme?

— Porque — começou ele, acariciando as costas dela — você não vai dançar com mais ninguém. Por toda a eternidade.

Daniel segurou a mão direita dela, colocou sua mão esquerda em torno do ombro dela, e começou uma lenta dança na areia. Ainda podiam ouvir a música da festa, mas deste lado da rocha mais parecia um concerto particular. Luce fechou os olhos e derreteu no peito dele, encontrando o lugar onde sua cabeça encaixava em seu ombro, como uma peça de quebra-cabeça.

— Não, isso não está certo — disse Daniel após um momento. Ele apontou para os pés. Luce notou que ele estava descalço. — Tire os sapatos — disse —, e vou lhe mostrar como os anjos dançam.

Luce tirou as sapatilhas pretas e as deixou de lado na praia. A areia entre os dedos dos pés era suave e fresca. Quando Daniel a puxou para perto, seus dedos toparam nos dele e ela quase perdeu o equilíbrio, mas os braços dele a seguraram. Quando Luce olhou para baixo, seus pés estavam sobre os de Daniel. E, quando ela olhou para cima, teve a visão pela qual ansiava dia e noite. Daniel desenrolava suas asas brancas e brilhantes.

Elas encheram seu campo de visão, se estendendo seis metros para o céu. Amplas e lindas, brilhando na noite, devem ter sido as asas mais gloriosas de todo o paraíso. Debaixo dos próprios pés, Luce sentiu Daniel elevando-os um pouco acima do chão. Suas asas batiam de leve, quase como um piscar de olhos, segurando os dois a centímetros da areia.

— Pronta? — perguntou ele.

Pronta para quê, ela não sabia. Não importava.

Começaram a se mover para trás, suavemente como patinadores no gelo. Daniel deslizava sobre a água, segurando Luce nos braços. Ela ofegou quando a espuma da primeira onda roçou em seus dedos. Daniel riu e levantou-os um pouco mais. Mergulhou-a para trás. Girou-os em círculos. Estavam dançando. *Sobre o oceano.*

A lua era como um holofote, iluminando apenas os dois. Luce ria de pura alegria, tanto que Daniel começou a rir também. Ela nunca havia se sentido tão leve.

— Obrigada — sussurrou.

Sua resposta foi um beijo. Ele a beijou suavemente no início. Na testa, depois no nariz e, finalmente, encontrou o caminho dos lábios dela.

Ela correspondeu com intensidade, ansiosa, e um pouco desesperada, entregando-se de corpo inteiro. Foi assim que ela voltou para Daniel, como ela reencontra aquele amor que já partilhavam por tanto tempo. Por um momento, o mundo inteiro se calou até que Luce ficasse sem ar. Ela não tinha notado que estavam de volta à praia.

A mão dele segurava sua nuca, encostando no gorro de esqui que ela puxara sobre os ouvidos. O gorro que escondia o cabelo loiro. Daniel arrancou-o e a brisa do oceano atingiu sua cabeça.

— O que você fez no cabelo?

Sua voz era suave mas, de alguma forma, soava como uma acusação. Talvez fosse porque a música terminara, e a dança e o beijo também, e agora eles eram apenas duas pessoas paradas numa praia. As asas de Daniel estavam arqueadas para trás dos ombros, ainda visíveis, mas fora de alcance.

— Quem liga para meu cabelo? — Tudo com que ela se importava era estar em seus braços. Não era com isso que ele devia se preocupar também?

Luce pegou de volta o gorro de esqui. Sua cabeça loura parecia muito exposta, como uma bandeira de alerta vermelho brilhante avisando a Daniel que ela poderia estar com problemas. Assim que começou a se virar, Daniel colocou os braços ao redor dela.

— Ei — disse, puxando-a para perto novamente. — Sinto muito.

Ela suspirou, se aproximou dele, e deixou seu toque dominá-la. Inclinou a cabeça para encontrar os olhos dele.

— É seguro agora? — perguntou, querendo que Daniel falasse sobre a trégua. Poderiam finalmente ficar juntos? Mas o olhar cansado lhe deu a resposta antes que ele abrisse a boca.

— Eu não deveria estar aqui, mas me preocupo com você. — Ele segurou-a com o braço esticado. — E julgando pela sua aparência, estou certo em me preocupar. — Ele tocou uma mecha do cabelo dela. — Não entendo por que fez isso, Luce. Não é você.

Ela soltou sua mão. Sempre a incomodava quando as pessoas diziam isso.

— Bem, fui eu quem o pintou, Daniel. Então, tecnicamente, *sou* eu. Talvez não o "eu" que você quer que eu seja...

— Isso não é justo. Não quero que você seja alguém que não é.

— E o que isso significa, Daniel? Porque, se souber a resposta, não hesite em me dar uma dica. — Sua voz ficou mais alta na medida em que a frustração superava a paixão, que agora escorria por entre seus dedos. — Estou sozinha, tentando descobrir o motivo. Tentando entender o que estou fazendo aqui com todos esses... quando não sou sequer....

— Quando não é o quê?

Como foram, tão rapidamente, de dançando no ar para isso?

— Não sei. Só estou tentando viver um dia depois do outro. Fazer amigos, sabe? Ontem entrei para um clube, e estamos planejando uma viagem de barco para algum lugar. Coisas assim. — O que ela queria realmente era contar a ele sobre as sombras. E principalmente o que havia feito na floresta. Mas Daniel tinha estreitado os olhos como se ela já tivesse feito algo errado.

— Não vai fazer viagem de barco nenhuma.

— O quê?

— Vai ficar aqui no campus até eu dizer o contrário. — Ele bufou, sentindo a raiva crescer. — Odeio ter que lhe impor essas regras, Luce, mas... Estou fazendo tanta coisa para mantê-la segura. Não vou deixar nada acontecer com você.

— Literalmente. — Luce trincou os dentes. — Nada vai acontecer, bom ou ruim ou qualquer outra coisa. Parece que quando você não está por perto não quer que eu faça mais nada.

— Isso não é verdade. — Ele ergueu o dedo para ela. Luce nunca o vira perder a paciência com tanta rapidez. Então, Daniel olhou para o céu e Luce seguiu seu olhar. Uma sombra passou acima de suas cabeças, como um fogo de artifício preto, deixando um rastro de fumaça mortal. Daniel pareceu ser capaz de compreendê-lo imediatamente. — Tenho que ir — disse ele.

— Que surpresa. — Ela se virou. — Aparece do nada, arranja uma briga, então dá o fora. Assim deve ser o amor verdadeiro.

Daniel agarrou seus ombros e sacudiu-os até que ela ergueu os olhos.

— *É amor verdadeiro* — ralhou ele, com tal desespero que Luce não conseguia dizer se a reação a acalmava ou aumentava a dor em seu coração. — Você sabe que é. — Seus olhos violeta faiscavam, não de raiva, mas por um desejo intenso. O tipo de olhar que fazia você amar tanto uma pessoa que sentia sua falta mesmo ela estando bem na sua frente.

Daniel abaixou a cabeça para beijar o rosto de Luce, mas ela estava quase chorando e, constrangida, se virou. Ela ouviu seu suspiro, e depois o bater de asas.

Não.

Quando Luce girou a cabeça, procurando ao redor, Daniel já estava no céu, a meio caminho entre o mar e a lua. Suas asas brilhavam sob o luar. Um momento depois, era difícil distingui-lo de qualquer outro astro no céu.

CINCO

CATORZE DIAS

Durante a noite, uma camada de névoa se movia lenta como um exército, pairando sobre a cidade de Fort Bragg. Ela não se dissipou com o nascer do sol, e sua tristeza infiltrou-se em tudo e em todos. Assim, durante toda a sexta-feira na escola, Luce sentiu como se estivesse sendo arrastada por uma onda de preguiça. Os professores estavam sem foco, sem compromisso, e demoravam a avançar em suas aulas. Os alunos estavam tomados pela letargia, lutando para permanecerem acordados apesar daquele dia longo, úmido e preguiçoso.

Quando as aulas terminaram, o tédio tomou conta de Luce por completo. Ela não sabia o que estava fazendo numa escola que não era realmente a dela, nesta vida temporária que apenas destacava a ausência de uma vida real e perene. Tudo o que ela queria fazer era rastejar para debaixo das cobertas, dormir e esquecer tudo — não apenas o clima ou sua primeira e longa semana na Shoreline, mas esquecer também a discussão com Daniel e o emaranhado de dúvidas e ansiedades que habitavam sua mente.

Fora impossível dormir na noite anterior. Nas horas mais escuras da manhã, Luce cambaleou sozinha de volta para o quarto. Revirou-se na cama, sem nunca realmente adormecer. Daniel afastando-a já não era surpresa, mas isso não significava que tinha ficado mais fácil. E aquela *ordem*, aquele insulto machista para ficar dentro do terreno da escola? Onde estávamos, no século XIX? Passou por sua cabeça que talvez Daniel *tivesse* falado com ela dessa maneira, há séculos, mas — como Jane Eyre ou Elizabeth Bennet — ela tinha certeza de que nenhuma das Luce anteriores teria aceitado aquilo bem. E ela certamente não aceitaria agora.

Ainda estava com raiva e irritada após a aula, atravessando a neblina em direção ao dormitório. Seus olhos estavam embaçados e ela era praticamente uma sonâmbula quando agarrou a maçaneta. Tropeçando para dentro do quarto escuro e vazio, quase não viu que alguém tinha deixado um envelope sob a porta.

Era cor de creme, frágil e quadrado, e quando ela o virou viu seu nome na frente em pequenas letras maiúsculas. Ela o rasgou para abri-lo, querendo que fosse um pedido de desculpas. Luce sabia que lhe devia um também.

A carta dentro do envelope estava datilografada num papel também creme e dobrado em três partes.

```
Cara Luce,
    Há algo que estive esperando muito tempo para
lhe dizer. Encontre-me na cidade, perto de Noyo
```

Point, por volta das seis da tarde? O ônibus número 5, que passa pela Autoestrada 1, para a meio quilômetro ao sul da Shoreline. Use esse passe de ônibus. Estarei esperando em North Cliff. Mal posso esperar para vê-la.

Com amor, Daniel

Agitando o envelope, Luce sentiu uma pequena tira de papel dentro dele. Tirou um bilhete de ônibus fino azul e branco com o número 5 impresso na frente e um mapa de Fort Bragg desenhado atrás. Só havia isso. Mais nada.

Luce não conseguia entender. Não havia menção à discussão na praia. Nenhuma indicação de que Daniel sequer entendia como era estranho praticamente desaparecer no ar uma noite, e depois esperar que ela fosse a seu encontro por capricho na outra.

Nenhum pedido de desculpas.

Estranho. Daniel podia aparecer em qualquer lugar, a qualquer momento. Ele geralmente era indiferente às logísticas da vida real pelas quais seres humanos normais tinham que passar.

A carta parecia fria e dura em suas mãos. Seu lado mais rebelde estava tentado a fingir que nunca a recebera. Estava cansada de discutir, cansada de Daniel nunca lhe contar detalhes. Mas seu maldito eu apaixonado perguntou se não estava sendo dura demais com ele. Afinal, o relacionamento deles valia o esforço. Ela tentou se lembrar da expressão nos olhos de Daniel quando ele fitara seu rosto e do tom de sua voz quando contou a história sobre a vida que ela tivera durante a corrida do ouro na Califórnia. Como ele a vira através da janela apaixonando-se por ela pela, sei lá, milésima vez.

Essa foi a imagem que levou consigo quando deixou o dormitório minutos depois, para se esgueirar até os portões da Shoreline, em direção à parada de ônibus onde Daniel havia pedido para ela esperar. Enquanto estava lá sob o céu cinzento e úmido, lembrar daqueles olhos violeta fez seu coração pular. Luce observou os carros sem cor materializarem-se na névoa, fazerem suas curvas na Autoestrada 1 e desaparecerem novamente.

Quando olhou para trás na direção do formidável campus da Shoreline a distância, ela se lembrou das palavras de Jasmine na festa: *Desde que fiquemos no campus, sob a vigilância deles, podemos muito bem fazer o que quisermos.* Luce estava deixando a Shoreline, mas qual era o problema? Não era mesmo uma estudante de lá e, de qualquer maneira ver Daniel novamente valia o risco de ser pega.

Pouco depois de meia hora, o ônibus número 5 parou no ponto.

O ônibus era velho, apagado e frágil, assim como o motorista que abriu a porta para deixar Luce entrar. Ela escolheu um banco vazio perto da entrada. O ônibus cheirava a teias de aranha, ou a um sótão pouco utilizado. Ela teve que agarrar o assento do banco barato enquanto o ônibus percorria as curvas a 80km/h, como se a apenas alguns centímetros além da estrada o precipício não caísse mil metros em linha reta para dentro do oceano.

Chovia no momento em que chegaram à cidade, uma garoa constante e tímida que logo se transformaria em uma chuva de verdade. A maior parte do comércio na rua principal já estava fechada, e a cidade parecia molhada e meio desolada. Não era exatamente a cena que tinha em mente para conversar e fazer as pazes.

Ao descer do ônibus, Luce tirou o gorro de esqui da mochila, colocando-o sobre a cabeça. Ela podia sentir a chuva fria no nariz e nas pontas dos dedos. Avistou uma placa torta de metal verde e seguiu a seta na direção de Noyo Point.

O lugar era uma ampla península de terra, não verde e exuberante como o terreno no campus da Shoreline, mas uma mistura de grama irregular e crostas de areia escura e molhada. As árvores eram menos frondosas ali, as folhas arrancadas pelo vento intermitente do oceano. Havia um banco solitário num trecho de lama em todo o caminho na orla, a cerca de cem metros da estrada. Devia ser ali que Daniel queria encontrá-la. Mas Luce podia ver, de onde estava, que ele ainda não havia chegado. Olhou para o relógio. Estava cinco minutos atrasada.

Daniel nunca se atrasava.

A chuva parecia se acumular nas pontas de seu cabelo, em vez de ensopá-lo como geralmente acontecia. Nem mesmo a Mãe Natureza sabia o que fazer com uma Luce loira. Ela não queria esperar por Daniel num lugar aberto. Havia uma série de lojas na rua principal. Luce ficou ali, parada sobre um longo pórtico de madeira debaixo de um toldo de metal enferrujado. FRED'S FISH era o que lia-se nas letras azuis desbotadas do letreiro da loja fechada.

Fort Bragg não era singela como Mendocino, a cidade onde ela e Daniel haviam parado antes de voarem até o litoral. Era mais industrial, uma vila de pescadores à moda antiga, com docas apodrecidas instaladas numa enseada curva, onde a terra descia em direção à água. Enquanto esperava, um barco cheio de pescadores estava chegando em terra firme. Ela assistiu à fila de homens magros e calejados subindo os degraus rochosos do cais com suas galochas encharcadas.

Quando chegaram ao nível da rua, andaram sozinhos ou em pequenos grupos silenciosos, passando pelo banco vazio e triste e pelas árvores inclinadas, pelas lojas fechadas e até por um estacionamento de cascalho na margem sul de Noyo Point. Subiram em caminhões velhos e caindo aos pedaços, ligaram os motores e foram embora, o mar de rostos sombrios sumindo até um deles se destacar — e ele não saíra de barco nenhum. Na verdade, parecia ter surgido de repente, no meio da neblina. Luce voltou para perto da peixaria e tentou recuperar o fôlego.

Cam.

Ele estava caminhando para oeste ao longo da estrada de terra bem na frente dela, ladeado por dois pescadores vestidos de preto que pareciam não notar a presença dele. Estava vestido com jeans preto justo e uma jaqueta de couro também preta. Brilhando na chuva, seu cabelo escuro estava mais curto do que quando o vira pela última vez, brilhando na chuva. Uma parte da tatuagem de sol preta estava visível no pescoço. Contra o pano de fundo incolor do céu, seus olhos eram intensamente verdes, como nunca.

Da última vez que o vira, Cam estava parado na frente de um exército sombrio de demônios horríveis, tão insensível e cruel e simplesmente... mau. Tinha feito seu sangue gelar. Luce tinha um estoque de palavrões e acusações pronto para atirar contra ele, mas seria melhor ainda se pudesse evitá-lo completamente.

Tarde demais. O olhar de Cam a encontrou, deixando-a congelada. Não por ter despertado nela qualquer encanto falso pelo qual ela quase fora conquistada na Sword & Cross, mas porque ele parecia genuinamente alarmado em vê-la. Desviou, indo contra o fluxo dos poucos pescadores que restavam, e em um instante ele estava a seu lado.

— O que está fazendo aqui?

Cam parecia mais do que alarmado, concluiu Luce, quase parecia ter medo. Seus ombros estavam rígidos e os olhos não se fixavam em nada por mais de um segundo. Ele não tinha dito nada sobre o cabelo dela, quase como se não houvesse notado. Luce estava certa de que Cam não deveria saber que ela estava ali na Califórnia. Mantê-la longe de caras como ele foi todo o objetivo de sua mudança. Agora ela tinha estragado tudo.

— Estou apenas... — Ela olhou para o caminho de cascalho branco atrás de Cam, cortando a grama na beira do precipício. — Estou só dando uma volta.

— Não está, não.

— Me deixe em paz. — Ela tentou passar por ele. — Não tenho nada para dizer a você.

— O que seria ótimo, considerando que não devemos nos falar. Mas você não deveria sair da escola.

De repente, ela se sentiu nervosa, como se Cam soubesse de algo que ela desconhecia.

— Como sabe que estou estudando aqui?

Cam suspirou.

— Eu sei de tudo, certo?

— Então está aqui para lutar com Daniel?

Os olhos verdes de Cam se estreitaram.

— Por que eu... Espere, está dizendo que *você* está aqui para vê-lo?

— Não pareça tão chocado. Nós *somos* namorados. — Era como se Cam ainda não tivesse superado o fato de ela ter escolhido Daniel e não ele.

Cam coçou a testa, preocupado. Quando finalmente falou, suas palavras foram apressadas:

— Ele mandou chamá-la, Luce?

Ela estremeceu sob a pressão de seu olhar.

— Eu recebi uma carta.

— Deixe-me vê-la.

Agora Luce se enrijeceu, examinando a expressão peculiar de Cam para tentar entender o que ele sabia. Parecia tão inquieto quanto ela. Ficou parada.

— Você foi enganada. Grigori não chamaria você agora.

— Você não sabe o que ele faria por mim. — Luce se virou, desejando que Cam nunca a tivesse visto, desejando que ele ficasse longe. Sentiu uma necessidade infantil de se gabar, contar a Cam que Daniel a visitara na noite anterior. Mas não teria muitos motivos mais para se gabar. Não havia muita glória nos detalhes de sua discussão.

— Eu sei que ele morreria se você morresse, Luce. Se quiser viver mais um dia, é melhor me mostrar a carta.

— Seria capaz de me matar por um pedaço de papel?

— Não, mas quem lhe enviou a carta provavelmente pretende fazer isso.

— O quê? — Sentindo a carta quase queimando em seu bolso, Luce resistiu ao impulso de largar logo a folha nas mãos dele. Cam não sabia do que estava falando. Não podia. Mas, quanto mais ele a olhava, mais Luce começava a se questionar sobre a carta esquisita que estava segurando. Aquela passagem de ônibus, as instruções. *Havia* mesmo parecido estranhamente técnica e formal. Nem um pouco do feitio de Daniel. Ela tirou-a do bolso, com os dedos trêmulos.

Cam arrancou-a dela, fazendo caretas enquanto lia. Ele murmurou alguma coisa, enquanto seus olhos examinaram a floresta do outro lado da estrada. Luce olhou em volta também, mas não conseguia ver nada de suspeito entre os poucos pescadores remanescentes carregando o caminhão enferrujado com suas coisas.

— Vamos embora — disse finalmente, agarrando-a pelo cotovelo. — Já passou da hora de você voltar para a escola.

Ela se afastou.

— Não vou a lugar nenhum com você. Eu odeio você. O que está fazendo aqui, aliás?

Ele andou em torno dela num círculo.

— Estou caçando.

Ela o olhou de cima a baixo, tentando não deixar transparecer que ele ainda a deixava nervosa. Aquele Cam esguio, com visual de roqueiro e, ainda por cima, *desarmado*.

— Sério? — Ela inclinou a cabeça. — Caçando o quê?

Cam olhou para além dela, em direção à floresta escurecida. Ele assentiu uma vez e disse:

— Ela.

Luce esticou o pescoço para ver quem ou do que Cam estava falando, mas, antes que pudesse ver qualquer coisa, ele a empurrou bruscamente. Houve uma estranha rajada de vento, e algo prateado passou perto de seu rosto.

— Para baixo! — gritou Cam, pressionando os ombros de Luce. Ela caiu no chão da varanda, sentindo o peso de Cam em cima dela, e a poeira das pranchas de madeira.

— Me largue! — gritou ela. Enquanto se contorcia de nojo, um medo frio a apertava por dentro. Quem estava lá devia ser muito cruel. Caso contrário, ela não estaria em uma situação onde *Cam* estivesse protegendo-a.

Um momento depois, Cam começou a correr pelo estacionamento vazio. Corria em direção a uma menina. Era uma menina muito bonita, mais ou menos da idade de Luce, vestida com um longo casaco marrom. Ela tinha feições delicadas e cabelo loiro-claro preso num rabo de cavalo alto, mas havia algo estranho em seus olhos. Eles tinham uma expressão vaga que, mesmo a distância, deixava Luce apavorada.

E mais: a menina estava armada. Segurava um arco de prata e estava engatilhando uma flecha às pressas.

Cam pulou para a frente, se movendo em linha reta na direção da menina, cujo bizarro arco prateado brilhava mesmo em meio ao nevoeiro. Como se não fosse deste mundo.

Forçando os olhos para longe da garota ameaçadora com a flecha, Luce ajoelhou-se e examinou o estacionamento para ver se alguém mais parecia estar tão assustado quanto ela. Mas o lugar estava vazio e estranhamente quieto.

Seu peito estava apertado, ela mal podia respirar. A garota se movia quase como uma máquina, sem hesitar. E Cam estava desarmado. A menina estava puxando a corda do arco e ele estava bem na mira.

Mas ela demorou uma fração de segundo a mais. Cam pulou sobre ela, derrubando-a. Brutalmente arrancou o arco de suas mãos, prendendo o cotovelo contra seu rosto até ela largar. A garota berrou — um som alto e infantil — e se contorceu no chão enquanto Cam mirava o arco nela. Ela ergueu as mãos abertas, suplicando.

Então Cam atirou uma flecha no centro do coração dela.

Do outro lado do estacionamento, Luce gritou. Apesar de querer sair correndo para bem longe, ela se surpreendeu ficando parada e se aproximando. Havia alguma coisa errada. Luce esperava encontrar a garota deitada ali, sangrando, mas ela não se mexia nem chorava.

Porque não estava mais ali.

Ela — assim como a flecha que Cam atirara — tinha desaparecido.

Cam examinou o estacionamento, recolhendo as flechas que a atiradora havia largado como se aquela fosse a tarefa mais urgente que ele já tivesse feito. Luce se agachou onde a menina havia caído. Passou os dedos sobre o cascalho, estupefata e ainda mais assustada do que estivera um minuto antes. Não havia nem sinal de alguém ter estado ali.

Cam voltou para o lado de Luce com três flechas numa das mãos e o arco de prata na outra. Instintivamente, Luce estendeu a mão para tocar numa; nunca tinha visto nada como aquilo. Por algum motivo, elas despertavam nela uma estranha onda de fascinação que percorria seu corpo. Arrepiavam sua pele. Sua mente se distraiu.

Cam afastou as flechas.

— Não. São mortais.

Não pareciam mortais. Na verdade, as flechas nem sequer tinham ponta. Eram apenas varetas prateadas que terminavam numa extremidade plana. E, ainda assim, uma delas havia feito aquela menina desaparecer.

Luce estava confusa.

— O que acabou de acontecer, Cam? — Era difícil falar. — Quem era ela?

— Uma Pária. — Cam não estava olhando para ela. Estava concentrado no arco de prata em suas mãos.

— Uma o quê?

— O pior tipo de anjo. Eles ficaram ao lado de Satanás durante a revolta, mas não pisavam no submundo.

— Por que não?

— Você sabe. Como aquelas meninas que querem ser convidadas para uma festa, mas não planejam aparecer. — Ele fez uma careta. — Assim que a batalha terminou, eles tentaram voltar para o céu, mas já era tarde demais. Só se tem uma chance com essas nuvens. — Ele olhou para Luce. — Para a maioria de nós, de qualquer maneira.

— Então, se eles não estão com o céu... — Ela ainda estava se acostumando a falar sobre essas coisas sem ser uma metáfora. — Estão... com o inferno?

— Não mesmo. Mas eu me lembro de quando vieram rastejando de volta. — Cam deu uma risada sinistra. — Geralmente, nós aceitamos qualquer um que queira entrar, mas mesmo Satanás tem limites. Ele os expulsou permanentemente, e lhes tirou a visão, para completar.

— Mas essa menina enxergava — sussurrou Luce, recordando a forma como seu arco havia conseguido seguir cada movimento de Cam. A única razão pela qual ela não tinha atingido seu alvo, era porque ele havia se movido muito rápido. E ainda assim Luce sabia que havia *algo* de errado naquela menina.

— Não, não enxergava. Ela apenas usava os outros sentidos para seguir seu caminho pelo mundo. Ela pode *ver*, de certa maneira. Tem suas limitações e suas vantagens.

Os olhos dele nunca se afastavam da linha das árvores. Luce congelou ao pensar na ideia de mais Párias aninhados na floresta. Mais arcos e flechas de prata.

— Bem, o que aconteceu com ela? Para onde ela foi?

Cam olhou para ela, surpreso.

— Ela está morta, Luce. *Poof*. Sumiu.

Morta? Luce olhou para o pedaço de chão onde aquilo tinha acontecido, agora tão vazio quanto o resto do lugar. Ela baixou a cabeça, tonta.

— Eu... Pensei que não se podia matar anjos.

— Só por falta de uma boa arma. — Ele deixou as flechas à mostra para Luce uma última vez antes de envolvê-las em um pano que puxou do bolso e enfiá-las dentro de sua jaqueta de couro. — Essas coisas são difíceis de encontrar. Ah, pare de tremer, eu não vou matar *você*. — Cam se virou e começou a testar as portas dos carros no estacionamento, sorrindo quando avistou a janela aberta do lado do motorista de um caminhão cinza e amarelo. Ele pôs o braço lá dentro e abriu a porta. — Agradeça por não ter que voltar a pé para a escola. Vamos lá, entre.

Quando Cam abriu a porta do lado do passageiro, o queixo de Luce caiu. Ela olhou pela janela aberta e assistiu-o ligando a ignição.

— Você acha que vou entrar num carro roubado com você logo depois de vê-lo matar alguém?

— Se eu não tivesse matado — ele passou a mão por baixo do volante —, ela teria matado você, OK? Quem você acha que lhe mandou essa carta? Você foi atraída para fora da escola para ser assassinada. Ficou fácil de entender agora?

Luce se encostou no capô do caminhão, sem saber o que fazer. Ela lembrou-se da conversa que tivera com Daniel, Ariane e Gabbe bem antes de deixar a Sword & Cross. Eles disseram que a Srta. Sophia e os outros de sua seita poderiam ir atrás dela.

— Mas ela não parecia... Os Párias são parte dos Anciãos?

Nesse momento, Cam já tinha ligado o motor. Ele rapidamente saltou contornou o caminhão, e empurrou Luce até o banco do passageiro.

— Vamos nessa, anda logo. Isto é pior que domar um gato. — Finalmente, ele conseguiu que ela sentasse e afivelou o cinto de segurança. — Infelizmente, Luce, você tem mais de um inimigo. É por isso que vou levar você de volta à escola, onde é seguro. Agora. Mesmo.

Ela não achava muito inteligente ficar sozinha num carro com Cam, mas não tinha certeza se ficar ali por conta própria seria melhor.

— Espere um minuto — disse ela quando ele fez a curva na direção da Shoreline. — Se esses Párias não fazem parte do céu ou do inferno, de que lado estão?

— Os Párias são um doentio tom de cinza. Caso não tenha notado, há coisas piores do que eu por aí.

Luce cruzou as mãos no colo, ansiosa para voltar a seu quarto no dormitório, onde podia se sentir segura, ou pelo menos fingir. Por que deveria acreditar em Cam? Ela havia caído em suas mentiras muitas vezes antes.

— Não há nada pior do que você. O que você quer... O que tentou fazer na Sword & Cross foi horrível e errado. — Ela balançou a cabeça. — Está apenas tentando me enganar de novo.

— Não estou. — Seu tom de voz parecia menos combativo do que ela teria esperado. Ele parecia pensativo, até mesmo taciturno. A essa altura ele já havia estacionado na longa e arqueada entrada da garagem da Shoreline. — Eu nunca quis machucá-la, Luce, nunca.

— Foi por isso que convocou todas aquelas sombras para a batalha, quando eu estava no cemitério?

— O bem e o mal não são tão preto no branco como você pensa. — Da janela ele viu os edifícios da Shoreline, que parecia escura e desabitada. — Você é do sul, certo? Desta vez, de qualquer maneira. Então deve compreender que os vencedores têm a liberdade de reescrever a história. Semântica, Luce. O que você acha do mal... bem, para o meu pessoal, é um simples problema de conotação.

— Daniel não pensa assim. — Luce desejava que tivesse dito que *ela* não pensava assim, mas na verdade ainda não sabia o suficiente sobre a questão. Ainda sentia como se não estivesse muito convencida das explicações de Daniel sobre fé.

Cam estacionou o caminhão em um trecho de grama atrás de seu dormitório, saiu e deu a volta para abrir a porta do passageiro.

— Daniel e eu somos dois lados da mesma moeda. — Ele ofereceu a mão para ajudá-la a descer, mas ela o ignorou. — Deve ser doloroso para você ouvir isso.

Ela queria dizer que não poderia ser verdade, que não havia semelhanças entre Cam e Daniel, não importava o quanto Cam tentasse distorcer as coisas. Mas, na semana que passara na Shoreline, Luce havia visto e ouvido coisas que iam contra o que costumava acreditar. Ela pensou em Francesca e Steven. Eles nasceram de um mesmo lugar: certa vez, antes da guerra e da Queda, havia apenas um lado. Cam não fora o único a afirmar que a divisão entre anjos e demônios não era totalmente preto no branco.

A luz estava acesa em sua janela. Luce imaginou Shelby sobre o tapete laranja, de pernas cruzadas na posição de lótus, meditando. Como Luce poderia entrar e fingir que não havia visto um anjo morrer? Ou que tudo o que tinha acontecido esta semana não a tinha deixado cheia de dúvidas?

— Vamos manter os acontecimentos desta noite entre nós, pode ser? — perguntou Cam. — E, daqui para a frente, faça a todos nós um favor e permaneça no campus, onde não vai se meter em confusão.

Ela passou por ele, se afastando do feixe dos faróis do caminhão roubado e misturou-se às sombras das paredes de seu dormitório.

Cam voltou para o caminhão, acelerando o motor de maneira agressiva. Mas, antes que ela se afastasse, ele abriu a janela e gritou para Luce:

— De nada.

Luce se virou.

— Pelo quê?

Ele sorriu e pisou fundo.

— Por salvar sua vida.

SEIS

TREZE DIAS

— Chegou! — cantarolou uma voz do lado de fora da porta de Luce, na manhã seguinte. Alguém estava batendo. — Finalmente chegou!

A batida ficou mais insistente. Luce não sabia que horas eram, mas com certeza era cedo demais para todas as risadas que podia ouvir do outro lado da porta.

— *Suas* amigas — falou Shelby do beliche superior.

Luce gemeu e deslizou para fora da cama. Olhou para Shelby, que estava deitada de barriga para baixo, já completamente vestida, com jeans e um colete vermelho estofado, fazendo as palavras cruzadas de sábado.

— Você não dorme? — murmurou Luce, mexendo em seu armário para encontrar o roupão xadrez roxo que sua mãe havia costurado para o seu décimo terceiro aniversário. Ainda cabia nela... mais ou menos.

Ela pressionou o rosto contra o olho mágico e viu os rostos convexos e sorridentes de Dawn e Jasmine. Elas estavam equipadas com lenços brilhantes e protetores de orelha felpudos. Jasmine levantou um suporte de copo com quatro cafés, enquanto Dawn, que tinha um grande saco de papel marrom na mão, bateu novamente.

— Vai enxotá-las ou devo chamar a segurança do campus? — perguntou Shelby.

Ignorando-a, Luce abriu a porta e as duas meninas atropelaram-na quarto adentro, falando a mil por hora.

— Finalmente. — Jasmine riu, entregando a Luce um copo de café antes de desabar na cama desfeita. — Temos um monte de coisas para discutir.

Dawn e Jasmine nunca estiveram lá antes, mas Luce estava gostando do jeito que agiam como se estivessem em casa. Lembravam-na de Penn, que havia "pegado emprestado" a chave reserva do quarto de Luce para que pudesse entrar sempre que houvesse necessidade.

Luce olhou para o café e engoliu em seco. De jeito nenhum poderia ficar emocionada ali, agora, na frente dessas três.

Dawn estava no banheiro, mexendo no armário ao lado da pia.

— Como integrante do comitê de planejamento, acho que você deve participar do discurso de boas-vindas de hoje — disse ela, olhando para Luce sem acreditar. — Como você ainda não está vestida? O iate sai em, tipo, uma hora.

Luce coçou a testa.

— Desculpe, mas do que você está falando?

— Argh — gemeu Dawn dramaticamente. — Amy Branshaw? Minha parceira de laboratório? Que tem um pai com um iate gigantesco? Nada disso soa familiar?

Tudo começou a voltar. Sábado. A viagem de iate até a costa. Jasmine e Dawn tinham levado essa ideia nem remotamente educacional para o comitê da Shoreline — ou seja, Francesca — e de alguma forma conseguiram que fosse aprovada. Luce havia concordado em ajudar, mas não tinha feito nada. Tudo em que conseguia pensar agora era no rosto de Daniel, que imediatamente rejeitara a ideia de Luce se divertir sem ele.

Agora Dawn estava vasculhando o armário de Luce. Ela pegou um vestido de malha de manga comprida roxo, jogou-o em cima de Luce e enxotou-a para o banheiro.

— Não se esqueça de colocar leggings por baixo. Está frio lá fora.

No caminho, Luce tirou seu celular do carregador. Ontem à noite, depois de Cam deixá-la na escola, estava se sentido tão assustada e sozinha que quebrou a regra número um do Sr. Cole e mandou uma mensagem para Callie. Se o Sr. Cole soubesse o quanto ela precisava de um amigo... ele provavelmente ficaria furioso com ela de qualquer maneira. Tarde demais agora.

Ela abriu a pasta de mensagens e lembrou que seus dedos estavam tremendo enquanto escrevia a mensagem mentirosa:

Finalmente consegui um telefone celular! A recepção é ruim, mas vou te ligar quando puder. Tudo está ótimo aqui, mas sinto sua falta! Escrevo em breve!

Nenhuma resposta de Callie. Será que estava doente? Ocupada? Fora da cidade?

Ignorando Luce, por ela tê-la ignorado?

Luce se olhou no espelho. Ela se sentia horrível e a aparência não estava muito melhor. Mas concordou em ajudar Dawn e Jasmine, então colocou o vestido e torceu o cabelo loiro para trás, prendendo-o com alguns grampos.

Quando Luce saiu do banheiro, Shelby estava se servindo do café da manhã que as meninas haviam trazido no saco de papel. Parecia muito bom — folheados de cereja, bolinhos de maçã, muffins, rolinhos de canela e sucos de três diferentes sabores. Jasmine entregou-lhe um imenso muffin e um pote de cream cheese.

— Alimento para o cérebro.

— O que é isso tudo? — Miles enfiou a cabeça pela porta entreaberta. Luce não podia ver seus olhos sob o boné de beisebol, mas o cabelo castanho escapava pelas laterais e suas enormes covinhas apareceram quando ele sorriu. Dawn imediatamente teve um acesso de riso, por nenhuma outra razão além de Miles ser bonitinho, e de Dawn ser Dawn.

Mas Miles pareceu não notar. Ele estava quase mais alegre e descontraído num grupo de meninas do que a própria Luce. Talvez tivesse um monte de irmãs ou algo assim. Ele não era como alguns dos outros alunos da Shoreline, cujo ar relaxado parecia ser só uma fachada. Miles era verdadeiro, real.

— Não tem nenhum amigo do seu próprio sexo? — perguntou Shelby, fingindo estar mais irritada do que realmente estava. Agora que conhecia sua companheira de quarto um pouco melhor, Luce estava começando a achar o humor ácido de Shelby quase divertido.

— Tenho. — Miles entrou na sala, totalmente inabalável. — Mas meus amigos homens não costumam aparecer com café da manhã. — Ele pegou um enorme rolinho de canela do saco e deu uma mordida. — Você está bonita, Luce — disse com a boca cheia.

Luce corou e parou de rir, e Dawn e Shelby tossiram dizendo:

— Climão!

Ao primeiro som do alto-falante no corredor, Luce saltou. Os outros olharam para ela como se estivesse delirando, mas Luce ainda estava acostumada com os pronunciamentos rigorosos da Sword & Cross. Em vez disso, a voz envolvente de Francesca inundou a sala:

— Bom dia, Shoreline. Se estiverem se juntando a nós na viagem de iatismo hoje, o ônibus até a marina sai em dez minutos. Vamos nos encontrar na entrada sul para a contagem de alunos. E não esqueçam de se agasalhar!

Miles pegou outro folheado para comer no caminho. Shelby colocou um par de galochas de bolinhas. Jasmine ajeitou seus protetores de orelha cor-de-rosa e encolheu os ombros para Luce.

— Nunca adianta planejar! Vamos ter que correr para as boas-vindas.

— Sente-se com a gente no ônibus — instruiu Dawn. — Vamos pensar em tudo no caminho para Noyo Point.

Noyo Point. Luce teve de forçar-se para engolir um pedaço do muffin de aveia. A expressão da menina Pária morta, mesmo quando ainda estava viva, a terrível carona com Cam — a lembrança deixou a pele de Luce arrepiada. Não ajudou Cam ter esfregado na cara dela que salvara sua vida. Logo depois de dizer a ela para não sair do campus novamente.

Uma coisa tão estranha de se dizer. Quase como se ele e Daniel concordassem.

Enrolando, Luce se sentou na beirada da cama.

— Então todos nós vamos?

Ela nunca havia quebrado uma promessa a Daniel antes. Mesmo que jamais tivesse prometido *não* entrar no iate, a restrição era tão dura e absurda que seu instinto foi quebrá-la na hora. Mas, se ela tivesse jogado de acordo com as regras de Daniel, talvez não precisasse ver alguém sendo morto. Por outro lado, aquilo provavelmente era apenas sua mente pregando peças de novo. Aquela carta a tinha atraído deliberadamente para fora do campus. Uma viagem escolar de barco era algo totalmente diferente. Não era como se os Párias fossem pilotar o barco.

— Obivamente. — Miles pegou a mão de Luce, colocando-a de pé e trazendo-a em direção à porta. — Por que não iríamos?

Este era um momento de escolha: Luce poderia ficar em segurança no campus como Daniel (e Cam) lhe pediram. Como uma prisioneira. Ou poderia sair por aquela porta e provar a si mesma que a vida era sua e de mais ninguém.

※

Meia hora mais tarde, Luce estava olhando, juntamente com metade do corpo estudantil da Shoreline, um luxuoso iate Austal branco brilhante de 40 metros.

O ar na Shoreline estava fresco, mas sobre a água na marina junto ao cais ainda havia uma fina camada de nevoeiro da véspera. Quando Francesca desceu do ônibus, murmurou:

— Já basta. — E levantou as palmas das mãos no ar.

Muito casualmente, como se estivesse empurrando as cortinas de uma janela, ela literalmente partiu o nevoeiro com os dedos, abrindo um pedaço de céu claro bem acima do barco reluzente.

Foi tão sutil que nenhum dos estudantes não Nefilim ou professores poderia perceber que havia sido qualquer outra coisa a não ser a natureza fazendo seu trabalho. Mas Luce ficou boquiaberta, sem ter certeza se realmente vira aquilo até Dawn começar a bater palmas baixinho.

— Impressionante, como de costume.

Francesca deu um pequeno sorriso.

— Sim, assim está melhor, não?

Luce estava começando a perceber todos os pequenos detalhes que poderiam ter sido obra de um anjo. A viagem de ônibus fretado havia sido muito mais suave do que a no ônibus público no dia anterior. As fachadas das lojas pareciam revigoradas, como se toda a cidade tivesse recebido uma nova camada de tinta.

Os alunos faziam fila para subir no iate, que era deslumbrante, da maneira como sempre são as coisas muito caras. Seu perfil elegante se curvava como uma concha, e cada um dos três níveis tinha sua própria ampla plataforma branca. De onde entraram, na proa, Luce podia ver através de janelas enormes três cabines mobiliadas com luxo. Sob o sol ainda baixo e morno na marina, as preocupações de Luce sobre Cam e os Párias pareciam ridículas. Ela ficou surpresa ao senti-las desaparecer.

Luce acompanhou Miles até a cabine no segundo andar do iate. As paredes eram de um tom discreto de cinza, com banquetas altas em preto e branco ao longo das paredes curvas. Uma meia dúzia de alunos já havia se atirado nos bancos estofados e estava escolhendo entre a enorme variedade de alimentos que cobriam as mesas do café.

No bar, Miles abriu uma lata de Coca-Cola, dividiu-a entre dois copos de plástico e entregou uma delas a Luce.

— Então o demônio disse ao anjo: processar a *mim*? Aonde acha que vai ter de ir para encontrar um advogado? — Ele a cutucou. — Entendeu? Porque advogados supostamente são todos...

Uma piada. Sua mente estava em outro lugar e ela esqueceu o fato de que Miles estava contando uma piada. Ela se forçou a gargalhar alto, até mesmo batendo no balcão do bar. Miles parecia aliviado, embora um pouco desconfiado da reação exagerada dela.

— Uau — disse Luce, sentindo-se frívola enquanto diminuía o riso falso. — Essa foi boa.

À sua esquerda, Lilith, a ruiva alta que Luce conheceu no primeiro dia de aula, parou antes de morder o tartare de atum a caminho de sua boca.

— Que tipo de piada preconceituosa e ridícula foi essa? — Ela fez cara feia principalmente para Luce, dos lábios brilhantes saiu um som que mais lembrava um rosnado. — Realmente acha isso engraçado? Você já visitou o submundo alguma vez, pelo menos? Não é nenhum motivo de riso. Esperamos essas coisas de Miles, mas pensei que você tinha um gosto melhor.

Luce foi pega de surpresa.

— Eu não sabia que era uma questão de gosto — respondeu.

— Nesse caso, definitivamente concordo com Miles.

— Shhhh. — As mãos bem-cuidadas de Francesca subitamente estavam nos ombros de Luce e Lilith. — Não importa do que se trata, lembrem-se: estão num navio com setenta e três alunos não Nefilim. A palavra do dia é *discrição*.

Essa ainda era uma das mais estranhas partes sobre a Shoreline, na opinião de Luce. Eles passavam o tempo todo com os alunos normais da escola, fingindo que não estavam fazendo o que quer que estivessem realmente fazendo dentro da sala dos Nefilim. Luce ainda queria falar com Francesca sobre os Anunciadores, para mencionar o que havia feito no início da semana na floresta.

Francesca deslizou para longe e Shelby apareceu ao lado de Luce e Miles.

— Exatamente quão discreta você acha que eu preciso ser enquanto enfio setenta e três cabeças não Nefilim nos banheiros da cabine?

— Você é má. — Luce riu, e depois olhou-a novamente quando Shelby estendeu prato de antepasto. — Olha quem está dividindo — disse Luce. — E você se considera uma filha única.

Shelby puxou o prato de volta para si depois de Luce servir-se de uma azeitona.

— Hmm, bem, não se acostume com isso nem nada.

Quando o motor acelerou sob seus pés, o barco inteiro cheio de estudantes aplaudiu. Luce preferia momentos como este na Shoreline, quando realmente não sabia quem era Nefilim e quem não era. Um grupo de meninas enfrentava o frio lá fora, rindo enquanto seus cabelos agitavam-se com o vento. Alguns dos rapazes de sua aula de História estavam preparando um jogo de pôquer num canto da cabine principal. Aquela era a mesa onde Luce teria esperado encontrar Roland, mas ele não estava lá.

Perto do bar, Jasmine estava tirando fotos de tudo, enquanto Dawn acenava para Luce, gesticulando uma caneta e papel no ar indicando que ainda precisavam escrever seu discurso. Luce se dirigia a elas quando, pelo canto do olho, avistou Steven através das janelas.

Ele estava sozinho, encostado no corrimão com um longo casaco preto e um chapéu sobre os cabelos grisalhos. Ainda a deixava nervosa pensar nele como um demônio, especialmente porque ela gostava bastante dele, ou pelo menos, do que sabia dele. Seu relacionamento com Francesca a confundia ainda mais. Eles eram uma unidade: fizeram com que se lembrasse do que Cam havia dito na noite anterior sobre ele e Daniel não serem tão diferentes assim. A comparação ainda estava importunando-a quando abriu a porta de vidro fumê e saiu para o convés.

Tudo o que podia ver no lado oeste do iate era o infinito azul do oceano e do céu claro. A água estava calma, mas um vento forte corria em torno do barco. Luce teve que segurar no corrimão, apertando os olhos por causa do sol brilhante, protegendo-os com a mão enquanto se aproximava de Steven. Ela não viu Francesca por perto.

— Olá, Luce. — Ele sorriu e tirou o chapéu quando ela alcançou o corrimão. Seu rosto estava bem bronzeado para o mês de novembro. — Como está tudo?

— Essa é uma ótima pergunta — respondeu ela.

— Sentiu-se sobrecarregada esta semana? Nossa demonstração com o Anunciador não a abalou demais? Você sabe — ele baixou a voz —, nós nunca ensinamos aquilo antes.

— Eu, abalada? Não. Adorei a aula — disse Luce rapidamente. — Quero dizer, foi difícil de assistir, mas também foi fascinante. Tive vontade de conversar sobre isso com alguém... — Sob o olhar de Steven, Luce se lembrou da conversa que os dois professores tiveram com Roland. Como havia sido Steven, e não Francesca, o mais aberto à inclusão de Anunciadores nas aulas. — Quero aprender tudo sobre eles.

— Tudo sobre eles? — Steven inclinou a cabeça, pegando sol em sua pele já bronzeada. — Isso pode demorar um pouco. Existem trilhões de Anunciadores, um para quase todos os momentos da história. É um campo interminável. A maioria de nós nem sequer saberia por onde começar.

— É por isso que não ensinou sobre eles antes?

— É polêmico — disse Steven. — Existem anjos que não acreditam que os Anunciadores têm qualquer valor. Ou que as coisas ruins que muitas vezes trazem superam as boas. Chamam seus defensores, como eu, de "ratos de museu", obcecados demais com o passado para prestar atenção nos pecados do presente.

— Mas isso é como dizer... que o passado não tem qualquer valor.

Se fosse verdade, significaria que todas as vidas anteriores de Luce não significavam nada, que sua história com Daniel também fora inútil. Então tudo o que tinha para continuar era o que ela sabia de Daniel nesta vida. E aquilo era realmente suficiente?

Não. Não era.

Ela precisava acreditar que havia mais por trás do que sentia por Daniel: uma história valiosa, trancada no tempo, que somava algo maior do que algumas noites de beijos e felicidade e outras de discussões. Porque, se o passado não tinha valor, aquilo era realmente tudo o que tinham.

— A julgar pelo olhar no seu rosto — disse Steven —, parece que eu tenho mais uma pessoa do meu lado.

— Espero que não esteja enchendo a cabeça de Luce com uma das suas porcarias diabólicas. — Francesca tinha surgido por trás deles. Suas mãos estavam na cintura e parecia carrancuda. Até ela começar a rir, Luce não fazia ideia de que estava brincando.

— Estávamos conversando sobre as sombras, quero dizer, os Anunciadores — justificou-se Luce. — Steven me contou que acha que existem trilhões deles.

— Steven também acha que não precisa chamar um encanador quando o vaso sanitário entope. — Francesca sorriu calorosamente, mas havia algo na voz dela que fez Luce se sentir envergonhada, como se tivesse sido ousada demais. — Você quer testemunhar mais cenas horríveis, como aquela que vimos em sala de aula no outro dia?

— Não, não foi isso que eu quis dizer...

— Há uma razão para que seja melhor deixar certas coisas nas mãos dos especialistas. — Francesca olhou para Steven. — Temo que, assim como um vaso sanitário quebrado, o uso dos Anunciadores como uma janela para o passado seja uma dessas coisas.

— Nós obviamente entendemos por que você, em particular, poderia se interessar por eles — disse Steven, chamando a atenção de Luce na hora.

Então Steven sabia. Suas vidas passadas.

— Mas *você* tem que entender — acrescentou Francesca — que vislumbrar sombras é altamente arriscado sem a formação adequada. Se está interessada, existem universidades, até mesmo rigorosos programas acadêmicos, sobre os quais eu ficaria feliz em conversar com você *mais para a frente*. Mas, por ora, Luce, deve perdoar o nosso erro por mostrar aquilo prematuramente a uma classe do ensino médio, e esquecer.

Luce sentiu-se estranha e exposta. Ambos estavam olhando para ela.

Inclinando-se um pouco sobre o corrimão, ela pôde ver alguns de seus amigos no convés principal abaixo deles. Miles tinha um par de binóculos pressionado nos olhos e estava tentando apontar algo para Shelby, que o ignorou atrás de seus gigantes Ray-Bans. Na popa, Dawn e Jasmine estavam sentadas em uma borda com Amy Branshaw. Elas estavam debruçadas sobre uma pasta de documentos, fazendo anotações apressadamente.

— Tenho que ajudar com o discurso de boas-vindas — disse Luce, afastando-se de Francesca e Steven. Ela podia sentir o olhar de ambos grudado nela por todo o caminho até a escada em caracol. Luce chegou ao convés principal, se abaixou sob uma fileira de velas arriadas, e espremeu-se por um grupo de estudantes não Nefilim parados em um círculo entediado em torno do Sr. Kramer, o professor magrelo de biologia, que estava falando sobre como era frágil o ecossistema sob os pés deles.

— Aí está você! — Jasmine puxou Luce. — Um plano está finalmente tomando forma.

— Legal. Como posso ajudar?

— Ao meio-dia, vamos tocar aquela campainha. — Dawn apontou para um enorme sino de bronze pendurado num feixe branco por uma roldana perto da proa do navio. — Então vou dar boas-vindas a todos, Amy vai falar sobre como essa viagem aconteceu e Jas vai falar sobre os próximos eventos sociais do semestre. Tudo que precisamos é de alguém para falar alguma coisa sobre o meio ambiente. — As três garotas olharam para Luce.

— Esse iate é híbrido ou algo assim? — perguntou Luce.

Amy deu de ombros e balançou a cabeça.

O rosto de Dawn se iluminou com uma ideia.

— Você pode dizer algo sobre como, por estarmos aqui, perto da natureza, somos mais ecológicos, porque quem vive perto da natureza a respeita mais?

— Sabe escrever poemas? — perguntou Jasmine. — Poderia tentar fazer algo, tipo, divertido?

Sentindo-se culpada por ter ignorado totalmente as responsabilidades, Luce foi obrigada a concordar.

— Poesia ambiental — disse, pensando que a única coisa na qual era pior do que poesia e biologia marinha era em falar em público. — É, posso fazer isso.

— OK, ufa! — Dawn suspirou aliviada. — Então, essa é a minha ideia. — Ela pulou de pé na borda onde estava sentada e começou a contar nos dedos uma lista de coisas.

Luce sabia que devia estar prestando atenção aos pedidos de Dawn (*Não seria fantástico se ficássemos em fila da mais baixa até a mais alta?*), especialmente considerando que, em um tempo muito curto, ela precisaria dizer alguma coisa inteligente sobre o meio ambiente — que virasse na frente de cem colegas. Mas sua mente ainda estava obscurecida por aquela conversa bizarra com Francesca e Steven.

Deixe os Anunciadores para os especialistas. Se Steven estivesse certo, e realmente houvesse um Anunciador para cada momento da história, bem, isso era como dizer a ela para deixar todo o passado para os especialistas. Luce não estava tentando reivindicar conhecimentos sobre Sodoma e Gomorra; era apenas no seu passado, seu e de Daniel, em que estava interessada. E, se alguém ia ser especialista naquilo, Luce imaginou que deveria ser ela.

Mas o próprio Steven dissera: havia um trilhão de sombras lá fora. Seria quase impossível localizar até mesmo as que tinham alguma coisa a ver com ela e Daniel, muito menos saber o que fazer com elas, se encontrasse as certas.

Ela olhou para o convés do segundo andar. Podia ver apenas o topo das cabeças de Francesca e de Steven. Se Luce deixasse sua imaginação correr livremente, poderia imaginar uma discussão acirrada entre os dois. Sobre Luce. E sobre os Anunciadores. Provavelmente concordando em não falar sobre eles com a aluna novamente.

Luce tinha bastante certeza de que, em se tratando de suas vidas passadas, ela estaria por conta própria.

Espere um minuto.

O primeiro dia de aula. Durante o jogo de apresentação. Shelby havia dito...

Luce levantou-se, esquecendo completamente de que estava no meio de uma reunião, e já estava atravessando o convés quando ouviu um grito agudo atrás dela.

Quando virou na direção do som, Luce viu um lampejo de algo preto mergulhando fora da proa da embarcação.

Um segundo depois, havia sumido.

E ela ouviu um esguicho.

— Ah, meu Deus! *Dawn!* — Tanto Jasmine quanto Amy estavam inclinadas ao longo da proa, olhando para baixo na direção da água. Gritando.

— Vou pegar o barco salva-vidas! — exclamou Amy, correndo para dentro da cabine.

Luce pulou na borda ao lado de Jasmine e ficou sem ar com o que viu. Dawn tinha caído no mar e estava se debatendo na água. No início, a confusão de cabelos escuros e braços era tudo o que se via, mas então Dawn olhou para cima e Luce viu o terror em seu rosto pálido.

Um horrível segundo depois, uma grande onda cobriu o pequeno corpo de Dawn. O barco ainda estava em movimento, indo para ainda mais longe dela. As meninas tremeram, esperando que ela ressurgisse.

— O que aconteceu? — exigiu saber Steven, surgindo de repente ao lado delas. Francesca estava soltando um salva-vidas de espuma redondo de seus laços.

Os lábios de Jasmine tremeram.

— Ela estava tentando tocar a campainha para chamar a atenção de todos para o discurso. Ela m-m-mal se inclinou para fora, não sei como perdeu o equilíbrio.

Luce lançou outro doloroso olhar sobre a proa do navio. A queda na água gelada fora, provavelmente, de trinta metros. Ainda não havia sinal de Dawn.

— Onde ela está? — Luce chorou. — Ela sabe nadar?

Sem esperar por uma resposta, ela tirou a boia das mãos de Francesca, passou um braço pelo meio dela, e subiu ao topo da proa.

— Luce... pare!

Ela ouviu o grito às suas costas, mas já era tarde demais. Luce mergulhou na água, prendendo a respiração, pensando em Daniel enquanto afundava, no último mergulho dos dois no lago.

Luce sentiu primeiro o frio em suas costelas, um aperto firme em seus pulmões, com o choque de temperatura. Ela esperou até que parasse de afundar, e em seguida voltou para a superfície. As ondas derramavam-se sobre a cabeça dela, inundando de sal a boca e o nariz, mas ainda assim segurou o colete com força. Foi complicado nadar com aquilo, mas se ela encontrasse Dawn — *quando* encontrasse Dawn —, as duas precisariam dele para se manter à tona enquanto aguardavam o bote salva-vidas.

Ela tinha a vaga sensação de que pessoas se agitavam a bordo do iate, gritando e correndo ao redor do convés, chamando por ela. Mas, se Luce quisesse ajudar Dawn, precisava ignorar tudo aquilo.

Luce pensou ter visto o ponto preto da cabeça de Dawn na água gelada. Ela seguiu em frente, contra as ondas, em direção a ela. Seu pé tocou em alguma coisa — a mão da amiga? —, mas depois não se repetiu e ela não tinha certeza se havia sido Dawn.

Luce não podia submergir enquanto segurava o colete salva-vidas, e teve um mau pressentimento de que Dawn estava mais no fundo. Ela sabia que não devia soltar o colete. Mas não podia salvar Dawn se não o fizesse.

Atirando-o de lado, Luce encheu os pulmões de ar e mergulhou no fundo, nadando com força até que o calor da superfície da água desaparecesse e ela estivesse quase congelante. Ela não conseguia ver nada, apenas tateava aleatoriamente, esperando alcançar Dawn antes que fosse tarde demais.

Foi o cabelo de Dawn que Luce sentiu primeiro, o roçar suave das curtas e escuras ondas. Tateando mais para baixo com a mão, sentiu o rosto da amiga, então seu pescoço, depois seu ombro. Dawn tinha afundado tanto em tão pouco tempo. Luce deslizou os braços sob as axilas de Dawn, e depois usou toda a força para puxá-la para cima, batendo as pernas freneticamente em direção à superfície.

Elas estavam muito debaixo d'água, e a luz do dia parecia um brilho distante.

Dawn era mais pesada do que parecia, como se um grande peso estivesse amarrado nela, puxando as duas para baixo.

Finalmente, Luce chegou à superfície. Dawn tentou falar, cuspindo água e tossindo. Seus olhos estavam vermelhos e o cabelo estava emaranhado na testa. Com um braço em volta do peito de Dawn, Luce remou delicadamente, levando as duas até o colete salva-vidas.

— Luce — sussurrou Dawn. Nas ondas agitadas, Luce não conseguia ouvi-la, mas podia ler seus lábios. — O que está acontecendo?

— Eu não sei. — Luce balançou a cabeça, esforçando-se para mantê-las sobre a superfície.

— Nadem até o bote salva-vidas! — A orientação veio de trás. Mas nadar para qualquer lugar era impossível. Elas mal conseguiam manter a cabeça acima da água.

A tripulação estava baixando um bote salva-vidas inflável, com Steven dentro dele. Assim que o barco tocou o oceano, ele começou a remar rapidamente na direção das duas. Luce fechou os olhos e pela primeira vez deixou que o alívio a inundasse com a próxima onda. Se ela pudesse apenas aguentar mais um pouco, ficariam bem.

— Peguem minha mão! — gritou Steven para as meninas. As pernas de Luce pesavam como se tivesse nadado durante uma hora. Ela empurrou Dawn na direção dele de modo que a amiga pudesse ser a primeira a subir.

Steven estava só de calças e camisa social branca, que agora estava molhada e agarrada ao peito. Seus braços musculosos pareceram enormes quando ele alcançou Dawn. O rosto estava vermelho do esforço, e ele grunhiu ao puxá-la. Quando Dawn foi estendida sobre a amurada do bote, longe o suficiente para que não caísse de volta, Steven virou-se e rapidamente puxou os braços de Luce.

Ela sentia-se leve, praticamente flutuando para fora da água com sua ajuda. Foi apenas quando sentiu seu corpo deslizando para dentro do barco que percebeu o quanto estava encharcada e congelando.

Exceto onde os dedos de Steven haviam tocado.

Ali, as gotas de água sobre a pele estavam fervendo.

Ela sentou-se, movendo-se para ajudar Steven a puxar a trêmula Dawn totalmente para dentro da balsa. Exausta, Dawn mal podia se arrastar. Luce e Steven tiveram que levá-la cada um por um braço com esforço. Ela estava quase totalmente dentro do barco, quando Luce sentiu um puxão forte levar Dawn de volta à água.

Os olhos escuros de Dawn se arregalaram e ela gritou quando caiu para trás. Luce não estava preparada: Dawn escorregou de seu braço, e Luce se chocou contra a lateral da balsa.

— Segura! — Steven pegou a cintura de Dawn bem a tempo. Ele ficou de pé, quase virando o bote. Enquanto se esforçava para tirar Dawn da água, Luce viu um lampejo dourado surgindo das costas dele.

As *asas*.

A maneira como elas se projetaram instantaneamente, no momento em que Steven precisou de mais força, fez com que parecesse acontecer quase contra sua vontade. Elas brilhavam, as cores de joias caras que Luce só viva por trás de vitrines em lojas de departamento. Não eram em absoluto como as asas de Daniel. As de Daniel eram quentes e acolhedoras, magníficas e sensuais; as de Steven eram fortes e intimidantes, irregulares e terríveis.

Steven grunhiu, os músculos dos braços retesados quando as asas bateram apenas uma vez, dando-lhe impulso suficiente para cima para tirar Dawn da água.

O bater das asas agitava vento suficiente para empurrar Luce contra o outro lado da balsa. Assim que Dawn estava segura, os pés de Steven tocaram novamente o chão do barco. As asas imediatamente se retraíram, deixando dois pequenos rasgos na parte traseira de sua camisa, a única prova de que o que Luce havia visto tinha sido real. O rosto de Steven estava pálido e as mãos tremiam.

Os três desabaram no interior da balsa. Dawn não percebera nada, e Luce se perguntou se alguém do barco tinha visto aquilo. Steven olhou para Luce como se ela tivesse acabado de vê-lo nu. Ela queria lhe dizer que tinha sido impressionante ver suas asas; até agora ela não sabia que até mesmo o lado sombrio dos anjos caídos podia ser tão deslumbrante.

Luce estendeu a mão para Dawn, em parte com a expectativa de ver sangue em algum lugar de sua pele. Realmente parecera que *alguma coisa* tinha a segurado, mas não havia nenhum sinal de ferimento.

— Você está bem? — sussurrou Luce finalmente.

Dawn balançou a cabeça e gotículas de água que voaram de seu cabelo.

— Eu sei nadar, Luce. Sou uma boa nadadora. Alguma coisa me agarrou... Alguma coisa...

— Ainda está lá embaixo — completou Steven, pegando o remo e levando-os de volta para o iate.

— Qual foi a sensação? — Luce perguntou. — Um tubarão ou...

Dawn estremeceu.

— Mãos.

— *Mãos?*
— Luce! — exclamou Steven.

Ela se virou para o professor: ele parecia um ser diferente daquele com quem Luce falara minutos mais cedo no convés. Havia uma seriedade em seus olhos que ela nunca vira antes.

— O que você fez hoje foi... — Ele se interrompeu. Seu rosto molhado parecia selvagem.

Luce prendeu a respiração, esperando. Irresponsável. Estúpido. Perigoso.

— Muito corajoso — disse ele finalmente, o rosto relaxando até a expressão habitual.

Luce suspirou, tendo dificuldade até mesmo para encontrar a voz e agradecer. Ela não conseguia tirar os olhos das pernas trêmulas de Dawn. E das finas marcas vermelhas inchadas em torno de seus tornozelos. Marcas que pareciam ter sido deixadas por dedos.

— Tenho certeza de que estão com medo — continuou Steven calmamente. — Mas não há razão para causar uma comoção por toda a escola. Deixe-me ter uma conversa com Francesca. Até que eu volte a falar com vocês, nem uma palavra sobre isso para ninguém. Dawn?

A menina assentiu, parecendo aterrorizada.

— Luce?

Seu rosto ficou tenso. Ela não tinha certeza se devia manter esse segredo. Dawn quase morrera.

— Luce. — Steven segurou o ombro dela, tirou os óculos de armação quadrada e seus olhos escuros encararam os olhos castanhos de Luce. À medida que o bote salva-vidas era erguido até o deque principal, onde todos esperavam, ele sussurrara, um bafo quente na orelha dela. — Nem uma palavra. A ninguém. É para seu próprio bem.

SETE

DOZE DIAS

— Não entendo por que você está sendo tão estranha — disse Shelby a Luce na manhã seguinte. — Só está aqui há, sei lá, seis dias, e é a maior heroína da Shoreline. Talvez vá fazer jus a sua reputação, afinal.

O céu da manhã de domingo estava salpicado de nuvens fofas. Luce e Shelby caminhavam ao longo da pequena praia da escola, dividindo uma laranja e uma garrafa térmica de chá. Um vento forte trouxe o cheiro terroso das antigas sequoias do bosque. A maré estava alta e violenta, levantando longos cachos de algas pretas emboladas, águas-vivas e troncos em decomposição pelo caminho das meninas.

— Não foi nada — resmungou Luce, o que não era exatamente verdade. Saltar naquela água gelada atrás de Dawn certamente havia sido *alguma coisa*. Mas Steven... A gravidade da sua voz, a força com que apertou seu braço, aquilo havia deixado Luce apavorada demais até para falar do resgate de Dawn.

Ela olhou a espuma salgada que sobrava no rastro de uma onda. Estava tentando não olhar além, para a parte mais profunda e escura da água — e não ter que pensar nas *mãos* que puxaram Dawn para as profundezas geladas do oceano. *Para seu próprio bem*. Steven provavelmente queria se referir à proteção de todos os alunos. Caso contrário, se ele estava se referindo só a Luce...

— Dawn está bem — continuou. — Isso é tudo que importa.

— Hmm, *sim*, mas por sua causa, Baywatch.

— Não comece a me chamar de Baywatch.

— Você prefere pensar em si mesma como um tipo de salvadora, por acaso? — Shelby tinha a maneira mais sem graça de zombar dos outros. — Frankie disse que algum pervertido misterioso esteve à espreita no terreno da escola pelas últimas duas noites. Devia dar a ele o que mere...

— O quê? — Luce quase cuspiu seu chá. — Quem é?

— Repito: pervertido *misterioso*. Ele não sabe. — Shelby sentou-se numa pedra plana e desgastada pelo tempo, atirando com habilidade algumas pedras no oceano. — É só um cara qualquer. Ouvi Frankie falar para Kramer sobre ele no barco ontem à tarde, depois de toda aquela comoção.

Luce sentou ao lado de Shelby e começou a procurar por pedras na areia.

Alguém estava rondando a Shoreline. E se fosse Daniel?

Seria típico dele. Tão teimoso em manter sua própria promessa de não a ver, mas não conseguindo ficar afastado. Pensar nele a fez desejá-lo mais ainda. Ela podia sentir as lágrimas chegando, o que nem fazia sentido. Era mais provável que o pervertido misterioso nem fosse Daniel. Podia ser Cam. Podia ser qualquer um. Podia ser um Pária.

— Francesca pareceu preocupada? — perguntou a Shelby.

— Você não ficaria?

— Espere um minuto. Foi por isso que você não saiu de fininho na noite passada? — Foi a primeira noite em que Luce não havia sido acordada por Shelby entrando pela janela.

— Não. — O braço de Shelby era torneado de tanta ioga. Sua próxima pedra saltou seis vezes em um arco largo, quase voltando todo o caminho para elas, como um bumerangue.

— Aonde você vai toda noite, afinal?

Shelby enfiou as mãos nos bolsos de seu colete de esqui vermelho. Ela estava olhando para as ondas cinzentas com tanta intensidade que ficou evidente que ou havia visto alguma coisa lá, ou estava evitando a pergunta. Luce seguiu o olhar da amiga, quase aliviada ao não ver nada na água além das ondas brancas e cinzentas se estendendo até o horizonte.

— Shelby.

— O quê? Eu não vou a lugar nenhum.

Luce começou a se levantar, irritada com a relutância de Shelby em contar-lhe qualquer coisa. Luce estava tirando a areia úmida das pernas quando a mão de Shelby a puxou de volta para a pedra.

— Certo, eu *costumava* ir ver o meu namorado idiota. — Shelby suspirou com força, lançando uma pedra sem atenção na água, quase atingindo uma enorme gaivota que mergulhava atrás de um peixe. — Antes que ele se tornasse meu *ex*-namorado idiota.

— Ah, Shel, sinto muito. — Luce mordeu o lábio. — Eu nem sabia que você tinha um namorado.

— Tive que começar a mantê-lo afastado. Ele se empolgou demais com o fato de eu ter uma nova companheira de quarto. Ficava insistindo para deixá-lo vir aqui de madrugada para conhecer você. Eu não sei *que* tipo de garota que ele pensa que sou. Sem ofensa, mas para mim três é demais.

— Quem é ele? — perguntou Luce. — Ele estuda aqui?

— Phillip Aves. É um veterano na escola principal.

Luce não o reconheceu imediatamente.

— Um garoto pálido, com cabelo descolorido? — disse Shelby.

— Como se fosse uma versão mais pálida do David Bowie, sabe? Não dá pra não notar. — Sua boca se contorceu. — Infelizmente.

— Por que você não me contou que terminaram?

— Prefiro baixar as músicas do Vampire Weekend que canto em silêncio quando você não está por perto. É melhor para os meus chacras. Além disso — ela apontou o dedo gorducho para Luce —, você é quem está ranzinza e estranha hoje. Daniel está te tratando mal?

Luce apoiou-se sobre os cotovelos.

— Para isso, nós teríamos que nos ver, o que aparentemente não estamos autorizados a fazer.

Se Luce fechasse os olhos, poderia deixar o som das ondas levarem-na de volta para a noite de seu primeiro beijo com Daniel. Nesta vida. O emaranhado úmido de seus corpos em Savannah. A pressão faminta das mãos dele puxando-a para perto. Tudo parecia possível na época. Ela abriu os olhos. Tudo isso estava tão distante agora.

— Então, seu ex-namorado idiota...

— Não. — Shelby fez um gesto indicando os lábios. — Não quero falar sobre o babaca mais do que acho que você quer falar sobre Daniel. Próximo assunto.

Era justo. Mas não era exatamente verdade que Luce não quisesse falar sobre Daniel. Na verdade, achava que se *começasse* a falar sobre Daniel poderia não ser capaz de calar a boca. Ela já soava como um disco quebrado em sua própria mente

— relembrando sem parar o total de — nossa — quatro experiências físicas que tivera com ele nessa vida. (Ela escolheu começar a contar apenas quando ele parou de fingir que Luce não existia.) Imagine a rapidez com que entediaria Shelby, que provavelmente tivera toneladas de namorados e muita experiência. Comparada à quase nenhuma de Luce.

Um beijo que ela mal conseguia se lembrar com um rapaz que explodira em chamas logo depois. Alguns momentos íntimos com Daniel. Isto resumia praticamente toda a sua vida amorosa. Luce sem dúvida não era nenhuma expert nesse assunto.

Novamente, ela sentiu a injustiça da situação: Daniel tinha todas essas incríveis memórias dos dois juntos para recorrer quando as coisas ficavam difíceis. Ela não tinha nada.

Aí Luce olhou para sua companheira de quarto.

— Shelby?

Shelby estava com o capuz acolchoado vermelho puxado sobre a cabeça e cutucava a areia molhada com um graveto..

— Já disse que não quero falar sobre ele.

— Tudo bem. Eu estava pensando... Se lembra de quando você mencionou que sabia vislumbrar suas vidas passadas?

Era isso que ela estava prestes a perguntar a Shelby quando Dawn caiu no mar.

— Eu nunca disse isso. — O graveto afundou mais na areia. O rosto de Shelby estava corado e o cabelo loiro e espesso estava arrepiado, escapando do rabo de cavalo.

— Falou, sim. — Luce inclinou a cabeça. — Você escreveu isso no meu papel. Naquele dia, quando estávamos respondendo o jogo de apresentação, lembra? Você o arrancou das minhas mãos e disse que falava mais de dezoito línguas e que vislumbrava vidas passadas e que eu podia lhe encaixar em...

— Eu me lembro do que disse. Mas você me entendeu mal.
— Certo — disse Luce lentamente. — Bem...
— Só porque eu já vislumbrei uma vida passada antes não significa que saiba como fazê-lo, e também não significa que foi a *minha* vida.
— Então, não era sua?
— Lógico que não, reencarnação é para gente esquisita.

Luce franziu o cenho e cravou suas mãos na areia molhada, querendo se enterrar nela.

— *Alô*, isso foi uma piada. — Shelby cutucou Luce de brincadeira. — Direcionada especialmente para a garota que teve que passar pela puberdade mil vezes. — Ela fez uma careta. — Uma vez é suficiente para mim, muito obrigada.

Então, Luce era Aquela Garota. A que fora obrigada a passar pela puberdade mil vezes. Ela nunca havia pensado dessa forma. Era quase engraçado, mas para quem estava de fora, passar por infindáveis puberdades parecia a pior parte de seu carma. Mas era muito mais complicado que isso. Luce ia dizer que passaria por mais mil espinhas e flutuações hormonais se pudesse olhar para suas vidas passadas e entender mais sobre si mesma. Então olhou para Shelby de novo.

— Se não foi a sua, então de quem foi a vida passada que você viu?
— Por que está sendo tão intrometida? Credo.

Luce podia sentir a pressão sanguínea subindo.

— Shelby, meu Deus do céu, dá um tempo!
— Tudo bem — disse Shelby finalmente, mandando Luce relaxar. — Eu estava em uma festa em Corona. As coisas estavam num nível tipo gente seminua e tal, mas enfim, essa não é a questão. Então eu me lembro de sair para tomar um pouco de ar. Estava chovendo, e não conseguia ver para onde estava indo.

Virei a esquina em um beco e tinha um cara ali, meio caído. Ele estava inclinado sobre uma esfera de escuridão. Eu nunca vira nada como aquilo; tinha a forma de um globo, mas tipo, brilhava e flutuava acima de suas mãos. Ele estava chorando.

— O que era?

— Eu não sabia na época, mas agora sei que era um Anunciador.

Luce estava hipnotizada.

— E você viu um pouco da vida passada que ele estava vislumbrando? Como foi?

Shelby fitou os olhos de Luce e engoliu em seco.

— Foi horrível, Luce.

— Sinto muito — desculpou-se Luce. — Eu só estava perguntando porque...

Parecia difícil admitir o que se passava pela sua cabeça. Francesca definitivamente não iria gostar. Mas Luce precisava de respostas, e precisava de ajuda. E Shelby podia ajudar.

— Preciso vislumbrar algumas das minhas vidas passadas — explicou Luce. — Ou ao menos tentar. Coisas estranhas têm acontecido recentemente, coisas que eu deveria simplesmente aceitar por não entender muito bem o que está acontecendo. Mas eu *poderia* entender melhor, muito melhor, se pudesse ver de onde venho. Onde estive. Isso faz algum sentido?

Shelby assentiu.

— Preciso saber o que tive com Daniel no passado para que possa me sentir mais segura sobre o que tenho com ele agora. — Luce suspirou. — Aquele cara, no beco... Você viu o que ele fez com o Anunciador?

Shelby deu de ombros.

— Ele apenas meio que o moldou. Eu nem sabia o que era na época, e não sei como o encontrou. É por isso que a demonstração de Francesca e Steven me assustou tanto. Vi aquilo acontecendo uma vez, e venho tentando esquecer desde então. Eu não tinha ideia de que o que estava vendo era um Anunciador.

— Se eu pudesse achar um, acha que poderia moldá-lo?

— Não posso prometer — disse Shelby —, mas posso tentar. Você sabe como encontrá-los?

— Na verdade, não, mas quão difícil pode ser? Eles estiveram me assombrando por toda a minha vida.

Shelby colocou a mão sobre a de Luce na rocha.

— Eu quero ajudar você, Luce, mas é estranho. Estou com medo. E se você vir algo que, sabe, não deveria?

— Quando você rompeu com o seu ex...

— Pensei que já tinha dito que não...

— Apenas ouça: você não ficou feliz por ter descoberto seja lá o que tenha feito você terminar com ele, antes tarde do que nunca? Quero dizer, e se vocês tivessem ficado noivos ou algo assim e só depois...

— Eca! — Shelby ergueu a mão para fazer Luce parar. — Entendi. Agora, vamos lá, vamos achar uma sombra pra gente.

※

Luce conduziu Shelby de volta para a praia e as duas subiram as escadas íngremes de pedra, cheia de verbenas vermelhas e amarelas que foram pisoteadas e grudaram-se à areia molhada. Elas atravessaram o terreno de puro verde, tentando não interromper um grupo de alunos não Nefilim jogando frisbee. Passaram abaixo da janela do próprio quarto no terceiro andar e deram a volta no edifício. Nos limites da floresta de sequoias, Luce apontou para um espaço entre as árvores e disse:

— Foi ali que encontrei um da última vez.

Shelby marchou para dentro da floresta na frente de Luce, empurrando as longas folhas das árvores de bordo e parando embaixo de uma gigantesca samambaia.

Estava escuro sob as sequoias e Luce ficou feliz por estar com Shelby. Ela pensou no outro dia, na rapidez com que o tempo tinha passado, enquanto estava lidando com aquela sombra, sem conseguir nada. De repente, ela se sentiu oprimida.

— *Se* conseguirmos encontrar e capturar um Anunciador, e *se* conseguirmos ter um vislumbre — disse —, quais chances você acha que existem de que ele vá dizer alguma coisa sobre Daniel e eu? E se ele mostrar outra terrível cena bíblica como a que vimos na sala de aula?

Shelby balançou a cabeça.

— Sobre Daniel, eu não sei. Mas *se* pudermos atrair e vislumbrar um Anunciador, então ele *terá* algo a ver com você. A teoria é que eles vêm especificamente para quem os chama, embora você nem sempre vá querer saber o que eles têm a dizer. Tipo quando você recebe spam misturado com seus e-mails importantes, mas ainda assim são dirigidos a você.

— Como eles podem vir... especificamente para quem os chama? Então Francesca e Steven estiveram na destruição de Sodoma e Gomorra?

— Bem, sim. Eles *estão mesmo* por aí há milênios. Há rumores de que o currículo de ambos é bastante impressionante. — Shelby olhou surpresa para Luce. — Se liga. De que outra forma acha que eles conseguiram esses empregos na Shoreline? Esta é uma escola muito conceituada.

Algo escuro e escorregadio se movimentou sobre elas: o pesado manto de um Anunciador se alongava lentamente misturando-se às sombras compridas do galho de uma sequoia.

— Ali. — Luce apontou, sem perder tempo. Ela subiu num galho baixo que se estendia por trás de Shelby e teve de se equilibrar sobre um pé e se esticar para a esquerda e ainda assim conseguiu apenas roçar o Anunciador com a ponta dos dedos.
— Não consigo alcançá-lo.
Shelby pegou uma pinha e atirou-a no centro da sombra pendurada do galho.
— Não! — sussurrou Luce. — Vai irritá-lo.
— Você está *me* irritando, sendo tão cuidadosa. Apenas estenda a mão.
Com uma careta, Luce fez o que lhe foi pedido.
Ela viu a pinha ricochetear num dos lados expostos da sombra, depois percebeu, apavorada, o farfalhar suave e tão familiar enchendo seus ouvidos. Um lado da sombra estava escorregando, muito lentamente, para fora do galho. Escorregou e caiu no braço trêmulo e esticado de Luce. Ela beliscou bordas da sombra com os dedos.
Luce pulou do galho onde estava e aproximou-se de Shelby, a coisa fria e úmida nas mãos.
— Aqui — disse Shelby. — Vou pegar metade e você a outra metade, como vimos na sala de aula. Eca, é gelatinoso. OK... Não precisa apertar, ele não vai a lugar algum. Deixe-o apenas relaxar e tomar forma.
Pareceu se passar um longo tempo antes que a sombra fizesse qualquer coisa. Luce sentia-se praticamente brincando de copo quando era criança. Sentia uma energia inexplicável na ponta dos dedos. A sensação de movimento era contínua e ligeira antes que pudesse ver qualquer diferença na forma do Anunciador.
Em seguida, houve uma *lufada*: ele estava se dobrando lentamente em sua própria escuridão. Logo a coisa toda havia toma-

do o tamanho e a forma de uma caixa grande. E pairou pouco acima de seus dedos.

— Está vendo isso? — ofegou Shelby. Sua voz era quase inaudível sobre o chiado da sombra. — Olha, ali no meio.

Como havia acontecido durante a aula, um véu escuro parecia se desprender do Anunciador, revelando uma impressionante explosão de cores. Luce protegeu os olhos, observando a luz brilhante voltar a se recolher para a tela de sombra, numa nebulosa imagem fora de foco. Então, finalmente, ganhou formas distintas em cores suaves.

Elas estavam olhando para uma sala de estar. A parte de trás de uma cadeira xadrez azul com o apoio para pés levantado e um dos cantos inferiores desgastado. Uma televisão velha, forrada com madeira, reprisava *Mork & Mindy* com o volume no mínimo. Um Jack Russell gordo estava aninhado em cima de uma manta de retalhos redonda.

Luce assistiu a uma porta de vaivém se abrir para o que parecia ser uma cozinha. Uma mulher, mais velha do que a avó de Luce quando morreu, atravessou-a. Usava um vestido estampado branco e cor-de-rosa, tênis brancos pesados e óculos grossos num barbante pendurados em seu pescoço. Estava carregando uma bandeja de frutas cortadas.

— Quem são essas pessoas? — perguntou Luce em voz alta.

Quando a velha colocou a bandeja sobre a mesa de café, a mão marcada de alguém se estendeu da cadeira e escolheu um pedaço de banana.

Luce se inclinou para ver mais claramente, e o foco da imagem mudou com ela. Parecia um panorama em 3-D. Ela nem havia notado o velho sentado na cadeira.

Ele era frágil, com algumas mechas finas de cabelos brancos e manchas de idade em toda a testa. Sua boca se movia, mas

Luce não conseguia ouvir nada. Uma fileira de fotos emolduradas enfeitava o topo da lareira.

O farfalhar nos ouvidos de Luce ficou mais alto, tão alto que a fez estremecer. Sem que ela fizesse mais do que se perguntar sobre as fotos, a imagem do Anunciador se aproximou. Aquilo deixou Luce um pouco tonta, e uma fotografia ficou em close dentro do quadrado.

A moldura fina era banhada a ouro e a folha de vidro estava manchada. No interior, uma margem fina contornava a pequena e amarelada fotografia em preto e branco. Dois rostos estavam na fotografia: o dela e o de Daniel.

Sem respirar, ela estudou próprio rosto, que parecia um pouco mais jovem do que agora. O cabelo, na altura dos ombros, estava preso com grampos. Uma blusa branca com gola Peter Pan. Uma ampla saia evasê batia na altura das canelas. As mãos vestiam luvas brancas e seguravam as de Daniel. Ele olhava diretamente para ela, sorrindo.

O Anunciador começou a vibrar e, em seguida a tremer; e depois a imagem que havia ali dentro começou a piscar até desaparecer.

— Não! — exclamou Luce, pronta para mergulhar lá dentro. Seus ombros tocaram na borda do Anunciador, mas foi o mais perto que conseguiu chegar. Uma rajada de ar frio a empurrou para trás, deixando uma sensação úmida em sua pele. Então Luce sentiu a mão de Shelby apertar seu pulso.

— Não ouse — advertiu Shelby.

Tarde demais.

A tela ficou preta e o Anunciador caiu de suas mãos no chão da floresta, espatifando-se em pedaços como vidro preto. Luce reprimiu um gemido. Seu peito arfava. Sentia como se uma parte dela houvesse morrido.

Caindo no chão, ela ajoelhou e pressionou a testa no solo, rolando para o lado em seguida. Estava mais frio e lamacento do que quando começaram. O relógio em seu pulso marcava mais de duas horas, mas elas haviam chegado de manhã à floresta. Olhando para oeste, em direção à borda da floresta, Luce podia ver a luz incidindo de maneira diferente sobre o dormitório. Os Anunciadores engoliam o tempo.

Shelby se deitou ao lado dela.

— Você está bem?

— Estou tão confusa. Aquelas pessoas... — Luce pressionou a testa. — Não tenho ideia de quem são.

Shelby limpou a garganta e pareceu desconfortável.

— Você não acha que, bem, talvez você possa ter conhecido eles? Tipo, há muito tempo. Tipo, talvez fossem seus...

Luce esperou que ela terminasse.

— Meus o quê?

— Realmente não ocorreu a você que aqueles possam ser seus pais de outra vida? E que é assim que eles estão agora?

O queixo de Luce caiu.

— Não. Espera... Você quer dizer que eu tive pais totalmente diferentes em cada uma das minhas vidas passadas? Pensei que Harry e Doreen... Achei que tinham sido eles o tempo todo.

De repente ela se lembrou de algo que Daniel havia dito, sobre sua mãe fazendo repolho cozido ruim naquela outra vida. Na época, ela não se preocupara com isso, mas agora fez mais sentido. Doreen era uma cozinheira maravilhosa. Todo mundo no leste da Geórgia sabia disso.

O que significava que Shelby devia estar certa. Luce provavelmente tinha um país inteiro cheio de famílias passadas, das quais não conseguia sequer lembrar.

— Sou tão estúpida — choramingou. Por que não prestara mais atenção em como eram aquele homem e aquela mulher? Por que não sentira a menor conexão com eles? Parecia que Luce tinha vivido por toda uma vida e só agora descoberto que era adotada. Quantas vezes havia sido entregue a diferentes pais? — Essa é... Isso é...

— Muito confuso — completou Shelby. — Eu sei. Pelo lado positivo, você provavelmente poderá salvar uma nota em terapia se puder enxergar suas outras famílias e descobrir os problemas que você teve com centenas de mães antes desta.

Luce escondeu o rosto com as mãos.

— Isto é, se precisar de terapia de família. — Shelby suspirou. — Desculpe, quem está falando sobre si mesma de novo? — Ela levantou a mão direita e, em seguida, lentamente baixou-a. — Você sabe, Shasta não é tão longe daqui.

— O que é Shasta?

— A cidade de Mount Shasta. Fica a apenas algumas horas naquela direção. — Shelby apontou o polegar na direção ao norte.

— Mas os Anunciadores só mostram o passado. Qual seria o sentido em ir lá agora? Eles provavelmente...

Shelby balançou a cabeça.

— "Passado" é um termo amplo. Anunciadores mostram desde passado distante até eventos que aconteceram segundos atrás, e todo o resto entre uma coisa e outra. Eu vi um laptop sobre a mesa no canto, então há uma boa chance... você sabe...

— Mas nós não sabemos onde eles vivem.

— Talvez você não, mas eu dei zoom em uma das correspondências e guardei o endereço. Decorei. Shasta Shire Circle 1291, apartamento 34. — Shelby deu de ombros. — Para que, se você quisesse visitá-los, pudéssemos simplesmente dirigir até lá e voltar em um dia.

— Certo. — Luce bufou. Ela queria desesperadamente ir visitá-los, mas simplesmente não parecia possível. — Com que carro?

Shelby fez uma imitação de risada maligna.

— Havia apenas uma coisa que não era idiota no meu ex-namorado idiota. — Ela procurou no bolso do moletom, puxando um longo chaveiro. — E isso era o seu doce Mercedes, parado aqui no estacionamento do colégio. Para sua sorte, esqueci de devolver chave extra.

※

Elas caíram na estrada antes que alguém pudesse impedi-las.

Luce achou um mapa no porta-luvas e traçou o percurso até Shasta com o dedo. Ela deu as direções a Shelby, que dirigiu como se estivesse fugindo do inferno, mas o Mercedes marrom quase parecia gostar daquilo.

Luce se perguntou como Shelby estava tão calma. Se Luce tivesse acabado de terminar com Daniel e "pegado emprestado" seu carro por uma tarde, seria incapaz de não ficar se lembrando de viagens que haviam feito, ou discussões que começaram no caminho do cinema, ou do que tinham feito uma vez no banco de trás com todas as janelas abertas. Certamente Shelby estava pensando em seu ex. Luce queria perguntar, mas a colega de quarto tinha deixado evidente que aquele assunto estava fora de cogitação.

— Você vai mudar seu cabelo? — Luce finalmente perguntou, lembrando-se do que Shelby havia dito sobre superar fins de namoro. — Eu posso ajudar, se quiser.

Shelby fez uma careta.

— Aquele babaca nem vale a pena. — Depois de uma longa pausa, ela acrescentou: — Mas obrigada.

A viagem consumiu o resto da tarde e Shelby passou o tempo tentando se animar, brigando com o rádio, passando por todos os canais atrás dos mais doidos que pudesse encontrar. O ar ficou mais frio, as árvores menos frondosas e a paisagem se elevava de forma constante o tempo todo. Luce focou em manter a calma, imaginando uma centena de situações a respeito daquele encontro com esses pais. Tentou evitar pensar no que Daniel diria se soubesse aonde ela estava indo.

— Ali está. — Shelby apontou quando uma enorme montanha com neve se tornou visível bem em frente da estrada. — A cidade fica naqueles montes. Devemos chegar logo após o pôr do sol.

Luce não sabia como agradecer Shelby por levá-la até lá de repente só por um capricho. Fosse lá o que fosse que tivesse causado a mudança de atitude de Shelby, Luce ficara grata; ela não teria sido capaz de fazer aquilo sozinha.

A cidade de Shasta era excêntrica e artística, com muitos idosos andando calmamente pelas avenidas largas. Shelby baixou as janelas e deixou o ar fresco do início da noite entrar. Ajudava a acalmar o estômago de Luce, que estava revirado com a perspectiva de realmente ter que falar com as pessoas que havia visto no Anunciador.

— O que devo dizer a eles? Surpresa! Sou sua filha que voltou dos mortos. — Luce praticamente gritou enquanto estavam paradas num semáforo.

— A menos que queira apavorar totalmente um doce casal de velhinhos, vamos ter que pensar melhor nisso — disse Shelby. — Por que você não finge que é vendedora, só para sentir qual é a deles?

Luce olhou para sua calça jeans, os tênis detonados, e a mochila roxa. Ela não se parecia com uma vendedora muito convincente.

— O que eu vou vender?

Shelby começou a dirigir novamente.

— Lavagens de carro ou algo parecido. Pode dizer que tem cupons na sua mochila. Eu fiz isso em um verão, de porta em porta. Quase levei um tiro. — Ela estremeceu, depois olhou para o rosto pálido de Luce. — Vamos, seus próprios pais não vão atirar em você. Ah, olha, aqui estamos!

— Shelby, podemos apenas sentar em silêncio por um instante? Acho que preciso respirar.

— Desculpe. — Shelby parou num amplo estacionamento de frente para um grupo de pequenos edifícios de um andar interligados. — Respirar é uma coisa que sei fazer.

Em meio ao nervosismo, Luce teve de admitir que era um lugar muito agradável. Uma série de prédios em semicírculo ao redor de um lago. Havia um edifício principal com uma fileira de cadeiras de rodas alinhadas do lado de fora das portas. Uma grande faixa dizia BEM-VINDO À COMUNIDADE DE APOSENTADOS SHASTA SHIRE.

Sua garganta estava tão seca que era difícil engolir. Ela não sabia se conseguiria dizer sequer duas palavras àquelas pessoas. Talvez fosse uma daquelas coisas em que você simplesmente não podia pensar muito. Talvez precisasse ir até lá, obrigar-se a bater na porta e, aí sim, descobrir como agir.

— Apartamento trinta e quatro. — Shelby apertou os olhos para um edifício quadrado de estuque coberto por telhas vermelhas. — Parece aquele lá. Se você quiser que eu...

— Espere no carro até que eu volte? Isso seria ótimo, muito obrigada. Não vou demorar muito!

Antes que Luce perdesse a calma, saiu do carro e correu até a calçada sinuosa em direção ao prédio. O ar estava quente e cheio de um perfume inebriante de rosas. Idosos bonitinhos estavam por toda parte. Divididos em equipes na quadra perto da entrada, fazendo um passeio noturno pelo meio de um jardim de flores cuidadosamente podadas ao lado da piscina. Sob a luz do entardecer, os olhos de Luce se esforçaram enquanto tentava localizar o casal em algum lugar na multidão, mas ninguém parecia familiar. Ela teria que ir direto para a casa.

Da trilha que conduzia ao bangalô, Luce via uma luz vinda da janela. Ela chegou mais perto até ter uma visão mais clara.

Era incrível: o mesmo quarto que ela vira mais cedo no Anunciador. Até mesmo o gordo cão branco dormindo no tapete. Ela podia ouvir os pratos sendo lavados na cozinha. Podia ver os tornozelos finos protegidos por meias marrons do homem que tinha sido seu pai há sabe-se lá quantos anos.

Ele não parecia ser seu pai. Ele não se parecia com seu pai, e a mulher não se parecia em nada com a mãe. Não que houvesse algo de errado com eles. Pareciam perfeitamente legais. Tipo... estranhos perfeitamente legais. Se ela batesse na porta e inventasse alguma mentira sobre lavagens de carro, eles se tornariam menos estranhos?

Não, ela concluiu. Mas essa não era a questão. Mesmo que *ela* não reconheça os pais, se esses dois realmente fossem seus pais, certamente iriam *reconhecê-la*.

Sentia-se estúpida por não ter pensado naquilo antes. Eles dariam uma olhada nela e saberiam que era sua filha. Os pais eram muito mais velhos do que a maioria dos outros velhinhos que havia visto lá fora. O choque podia ser demais para eles — foi demais para Luce, e este casal tinha cerca de 70 anos a mais do que ela.

A essa altura ela já estava colada à janela da sala, agachada atrás de um espinhoso arbusto de cactos. Os dedos estavam sujos por segurar o parapeito. Se a filha deles morrera aos 17 anos, o casal devia estar de luto por ela há cerca de 50 anos. Estariam em paz com isso agora. Certo? Luce aparecendo sem ser convidada por detrás de um cacto era a última coisa de que precisavam.

Shelby ficaria desapontada. A própria Luce estava decepcionada. Doía perceber que não conseguiria chegar mais perto deles do que aquilo. Pendurada no peitoril da janela do lado de fora da casa dos antigos pais, ela sentiu as lágrimas escorrendo pelo rosto. Nem sequer sabia seus nomes.

OITO

ONZE DIAS

Para: thegaprices@aol.com
De: lucindap44@gmail.com
Enviada: Segunda-feira, 15/11 às 09:49
Assunto: Levando

Queridos mamãe e papai,

Desculpe por não ter dado notícias. Tenho estado ocupada na escola, mas estou tendo um monte de boas experiências. Minha matéria favorita ultimamente é Humanas. Agora estou fazendo um trabalho para pontos extras que toma muito do meu tempo. Sinto falta de vocês e espero vê-los em breve. Obrigada por serem pais tão bons. Acho que não lhes digo isso o suficiente.

Com amor,
Luce

Luce clicou Enviar em seu laptop e rapidamente saiu do navegador de volta para a apresentação on-line que Francesca dava na frente da sala. Luce ainda precisava se acostumar a estar numa escola onde os alunos ganhavam computadores, com internet sem fio, bem no meio da aula. A Sword & Cross tinha um total de sete computadores para alunos, todos na biblioteca. Mesmo se você conseguisse pôr as mãos na senha criptografada para acessar a internet, todos os sites eram bloqueados, exceto alguns poucos para pesquisas acadêmicas.

O e-mail para seus pais fora um produto da culpa. Na noite anterior, Luce teve a estranha sensação de que ter dirigido até a comunidade de aposentados em Mount Shasta significava trair seus pais *verdadeiros*, aqueles por quem fora criada nesta vida. Tudo bem que, em algum momento, esses outros pais haviam sido reais, também. Mas isso ainda era um pensamento muito estranho para Luce compreender de verdade.

Shelby não demonstrara nem um décimo da chateação que poderia ter tido por ter levado Luce até lá para nada. Em vez disso, ela apenas acelerou o Mercedes e dirigiu até o In-N-Out Burger mais próximo, para que pudessem comer dois queijos quentes com molho especial, algo fora do cardápio.

— Não fique pensando nisso — disse Shelby, limpando a boca com um guardanapo. — Sabe quantas crises de pânico tive por causa da minha família disfuncional? Acredite, sou a última pessoa que vai julgá-la por isso.

Agora Luce olhava para Shelby, na sala de aula sentindo uma intensa gratidão pela menina que, uma semana antes, a aterrorizara. O cabelo loiro grosso de Shelby estava puxado para trás por uma faixa felpuda e ela tomava notas da palestra de Francesca sem parar.

Todas as telas no raio de visão de Luce estavam fixadas na apresentação de PowerPoint em letras azuis e douradas pela qual Francesca passava lentamente. Até mesmo a de Dawn. Ela parecia especialmente estilosa hoje, num vestido chemise rosa-escuro e um rabo de cavalo de lado. Seria possível que ela já tivesse se recuperado do que acontecera no barco? Ou estava encobrindo o terror que deve ter sentido — e que talvez ainda sentisse?

Olhando para o monitor de Roland, Luce enrugou o rosto. Não a surpreendia que ele tivesse estado quase invisível desde que chegara à Shoreline, mas quando aparecia na sala de aula, a deixava realmente chateada ver seu ex-colega de reformatório seguindo as regras.

Pelo menos Roland não parecia especialmente interessado na palestra sobre "Oportunidades de Carreira para Nefilim: Como suas habilidades especiais podem lhe dar asas". Na verdade, a expressão no rosto de Roland era mais desapontado do que qualquer outra coisa. A boca estava franzida em uma careta e ele ficava balançando a cabeça levemente. Também era estranho o fato de que, cada vez que Francesca fazia contato visual com os alunos, ignorava Roland perceptivelmente.

Luce abriu o bate-papo da sala de aula para ver se Roland estava conectado. Deveria ser uma ferramenta para a classe fazer perguntas uns aos outros, mas as dúvidas que Luce tinha para Roland não eram para serem discutidas em classe. Ele sabia de alguma coisa, algo mais do que mostrara no outro dia — certamente tinha a ver com Daniel. Ela também queria perguntar-lhe onde ele estivera no sábado, e se tinha ouvido falar sobre o incidente de Dawn no mar.

Mas Roland não estava on-line. A única outra pessoa na classe que estava conectada ao chat era Miles. Uma caixa de texto com seu nome apareceu na tela:

Olaaaaá!

Ele estava sentado ao lado dela. Luce podia até ouvi-lo rindo. Era fofo saber que ele se divertia com suas próprias piadas bobas. Isso era exatamente o tipo de brincadeira simples e provocadora que ela adoraria ter com Daniel. Se ele não fosse tão retraído o tempo todo. Se ele realmente estivesse por perto.

Mas não estava.

Luce escreveu de volta:

Como está o tempo na sua parte da sala?

Ficando mais ensolarado agora, digitou ele, ainda sorrindo. *Ei, onde você estava na noite passada? Eu passei pelo seu quarto para ver se queria jantar.*

Ela levantou os olhos do computador, prestando atenção em Miles. Seus profundos olhos azuis eram tão sinceros que ela teve vontade de contar tudo que acontecera. Ele tinha sido tão legal no outro dia, ouvindo-a falar sobre sua experiência na Sword & Cross, mas não dava para responder a pergunta dele por chat. Por mais que quisesse contar a ele, não sabia se deveria tocar no assunto. Até mesmo deixar Shelby por dentro de seu projeto secreto havia sido praticamente implorar por problemas com Steven e Francesca.

A expressão de Miles mudou de seu sorriso casual para uma careta estranha. Luce se sentiu terrível, e também ficou um pouco surpresa por provocar esse tipo de reação nele.

Francesca desligou o projetor. Quando cruzou os braços sobre o peito, as mangas de seda cor-de-rosa da blusa camponesa ficaram aparentes sob a jaqueta de couro. Pela primeira vez, Luce percebeu como Steven estava distante. Ele estava sentado no parapeito da janela no canto esquerdo da sala e mal dissera uma palavra na sala de aula o dia todo.

— Vamos ver se prestaram bastante atenção — disse Francesca para os alunos com um grande sorriso. — Por que não se dividem em pares e se revezam em entrevistas de mentira?

Ao som de todos os outros alunos levantando das cadeiras, Luce gemeu internamente. Ela não ouvira quase nada da palestra de Francesca e não tinha ideia do que deveria fazer para a tarefa.

Além disso, sabia que estava no programa Nefilim apenas temporariamente, mas será que os professores não poderiam lembrar de vez em quando que ela não era como o resto dos alunos na classe?

Miles tocou na tela de seu computador, indicando que havia mandado uma mensagem a ela: *Quer fazer dupla comigo?* Bem na hora, Shelby apareceu.

— Acho que devemos escolher CIA ou os Médicos Sem Fronteiras — disse Shelby. Ela fez sinal para Miles abrir mão da carteira ao lado da de Luce. Miles ficou onde estava. — De maneira nenhuma eu vou me candidatar para um emprego fictício tosco de assistente de dentista.

Luce trocou olhares com Shelby e Miles. Ambos pareciam se sentir territorialistas em relação a ela, algo que Luce não havia percebido até então. Na verdade, ela queria ser parceira de Miles, pois não o via desde sábado. Estava meio que com saudades dele. De uma maneira carinhosa. Como em um vamos-botar-a-conversa-em-dia-durante-uma-xícara-de-café, mais do que um vamos-passear-na-praia-durante-o-pôr-do-sol-e-sorria-para-mim-com-esses-incríveis-olhos-azuis. Porque ela estava com Daniel, e não pensava em outros caras. Ela definitivamente não começava a corar no meio da aula quando se lembrava de que não pensava em outros caras.

— Está tudo bem por aqui? — Steven apoiou a mão bronzeada sobre a mesa de Luce e assentiu, com os olhos castanhos esbugalhados, querendo dizer que ela podia contar se não estivesse.

Mas Luce ainda ficava nervosa perto dele, depois do que dissera para ela e Dawn no bote salva-vidas naquela ocasião. Tão nervosa que até mesmo evitara tocar no assunto novamente com Dawn.

— Está tudo ótimo — respondeu Shelby. Ela pegou Luce pelo cotovelo e empurrou-a para a varanda, onde alguns dos outros estudantes já estavam em dupla, fazendo suas entrevistas de mentira. — Luce e eu estávamos falando sobre currículos.

Francesca apareceu atrás de Steven.

— Miles — disse suavemente —, Jasmine ainda precisa de um parceiro, se quiser puxar uma mesa para o lado dela.

A algumas mesas de distância, Jasmine disse:

— Dawn e eu não conseguimos concordar sobre quem devia ser a estrela indie e quem devia ser — a voz dela caiu uma oitava —, diretora de elenco. Então, ela me trocou por Roland.

Miles parecia desapontado.

— Diretor de elenco — resmungou ele. — Finalmente encontrei a minha vocação. — Ele encaminhou-se em direção à sua parceira, e Luce o observou.

Com a situação resolvida, Francesca conduziu Steven para a frente da sala. Mas, mesmo enquanto ele andava ao lado de Francesca, Luce podia sentir que o professor a observava.

Discretamente, ela olhou para o seu telefone. Callie ainda não tinha respondido a mensagem. Isso não era típico dela, e Luce se sentiu culpada. Talvez fosse melhor para ambas se Luce simplesmente mantivesse distância. Era só por pouco tempo.

Ela seguiu Shelby para fora até um banco de madeira construído na curva da varanda. O sol brilhava no céu claro, mas a única parte do lugar que não estava ainda tomada por estudantes era sob a fria sombra de uma alta sequoia. Luce jogou uma camada de agulhas verdes para fora do banco e fechou mais o suéter pesado.

— Você foi muito legal sobre tudo na noite passada — disse ela em voz baixa. — Eu estava... pirando.

— Eu sei — riu Shelby. — Você estava toda... — Ela fez uma careta de zumbi tremendo.

— Dá um tempo. Foi difícil. Minha única chance de descobrir alguma coisa sobre meu passado, e travei totalmente.

— Vocês sulistas e sua culpa. — Shelby deu de ombros. — Você tem que relaxar um pouco. Tenho certeza de que existem muito mais pais de onde esses dois velhotes vieram. Talvez até mesmo alguns que não estejam tão perto da morte. — Antes do rosto de Luce desabar, Shelby acrescentou: — Tudo que estou dizendo é que, se você tiver vontade de procurar mais alguém da família, apenas me diga. Estou começando a me acostumar com você, Luce, é meio estranho.

— Shelby — sussurrou Luce, de repente, com os dentes cerrados. — Não se mexa. — Além do pavimento, o maior e mais ameaçador Anunciador que Luce já vira ondulava na sombra de uma enorme sequoia.

Seguindo lentamente, o olhar de Luce, Shelby olhou para o chão. O Anunciador estava usando a sombra da árvore como camuflagem. Ficava se contorcendo.

— Parece doente ou arisco, ou sei lá — Shelby se interrompeu, o lábio tremendo. — Há algo errado com ele, certo?

O olhar de Luce estava além de Shelby, na escada em caracol que descia até o chão. Abaixo dela havia um bando de suportes de madeira sem pintura que sustentavam a varanda. Se Luce conseguisse se apossar da sombra, Shelby poderia se juntar a ela sob a plataforma antes que alguém percebesse qualquer coisa. Ela poderia ajudar Luce a vislumbrar sua mensagem e conseguiriam subir a tempo de voltar para a aula.

— Você não está realmente considerando o que acho que você está considerando — disse Shelby. — Certo?

— Fique de olho aqui por um minuto — disse Luce. — Esteja pronta quando eu chamar.

Luce desceu alguns degraus, de modo que só sua cabeça era visível ao nível do pavimento, onde o resto dos alunos estava ocupado com suas entrevistas. Shelby estava de costas para Luce. Ela daria um sinal se alguém notasse que Luce saíra de lá.

Luce podia ouvir Dawn no canto, improvisando com Roland.

— Você sabe, eu *fiquei* surpresa quando fui indicada para o Globo de Ouro...

Luce olhou novamente para a escuridão que se contorcia ao longo da grama. Ocorreu-lhe a dúvida se os outros alunos a viram. Mas ela não podia se preocupar com isso. Estava perdendo tempo.

O Anunciador estava a bons dez metros de distância, mas, dali, perto da plataforma, Luce se protegia dos olhares dos outros alunos. Seria óbvio demais se caminhasse até ele. Precisaria tentar persuadi-lo — sem usar as mãos — a sair do chão e ir até ela. E não tinha ideia de como fazer isso.

Foi quando ela percebeu alguém encostado no outro lado da árvore de pau-brasil, alguém que também estava escondido da visão dos alunos na varanda.

Cam fumava um cigarro, cantarolando para si mesmo como se estivesse totalmente despreocupado. Só que estava totalmente coberto de sangue e sujeira. Seu cabelo emaranhado sobre a testa, os braços, arranhados e machucados. A camiseta estava molhada e manchada de suor, e os jeans pareciam manchados também. Ele parecia sujo e nojento, como se tivesse acabado de sair de uma batalha. Exceto que não havia ninguém por perto, nenhum corpo, nada. Apenas Cam.

Ele piscou para ela.

— O que está fazendo aqui? — sussurrou ela. — O que aconteceu? — Ela afastou a cabeça do fedor horrível que saía de suas roupas ensanguentadas.

— Ah, só salvei sua vida... Mais uma vez. Quantas vezes já foram agora? — Ele bateu a cinza do cigarro. — Hoje foi a turma da Srta. Sophia, e não posso dizer que não gostei. Monstros do inferno. Estão atrás de você também, você sabe. A notícia de que está aqui se espalhou. E que gosta de passear desacompanhada na floresta escura — comentou.

— Você matou alguém agora? — Ela ficou horrorizada, olhando para cima para ver se Shelby, ou outro aluno, podia vê-los. *Não.*

— Algum outro aluno, sim, agorinha, com minhas próprias mãos. — Cam mostrou as palmas das mãos, cobertas de algo vermelho e viscoso que Luce realmente não queria saber o que era. — Eu concordo que bosques são adoráveis, Luce, mas também estão cheios de coisas que querem você morta. Então me faça um favor...

— Não. Você não tem direito de me pedir favores. Tudo sobre você me enoja.

— Tudo bem. — Ele revirou os olhos. — Então faça isso por Grigori. *Fique no campus.* — Ele atirou o cigarro na grama, se endireitou e desdobrou as asas. — Eu nem sempre posso estar aqui para cuidar de você. E Deus sabe que Grigori também não pode.

As asas de Cam eram altas e estreitas e se erguiam firmemente para trás, elegantes e douradas, salpicadas de listras pretas. Luce desejou que lhe causassem repulsa, mas não. Como as de Steven, as assas de Cam eram irregulares, ásperas — elas também pareciam ter sobrevivido a uma vida de lutas. As listras pretas davam às asas um ar sombrio e sensual. Havia algo de magnético nelas.

Mas não. Ela *odiava* tudo sobre Cam. Odiaria para sempre.

Cam bateu as asas uma vez, levantando os pés do chão. O bater das asas produziu um som tremendamente alto, criando um redemoinho de vento que levantou as folhas do chão.

— Obrigada — disse Luce secamente, antes que o perdesse de vista. Então ele foi embora, rumo às sombras do bosque.

Cam estava protegendo-a agora? Onde estava Daniel? Shoreline não deveria ser segura?

Com a saída de Cam, o Anunciador — a razão pela qual Luce havia se esgueirado até ali em primeiro lugar — espiralou de sua sombra, como um pequeno ciclone preto.

Mais perto. Um pouquinho, mais perto.

Finalmente, a sombra flutuou no ar bem acima da cabeça de Luce.

— Shelby — sussurrou Luce. — Desça aqui.

Shelby olhou para Luce. E para o Anunciador em forma de ciclone oscilando sobre ela.

— Por que demorou tanto? — perguntou Shelby, descendo as escadas a tempo de ver o gigantesco Anunciador cair.

Direto para os braços de Luce.

Luce gritou, mas, felizmente, Shelby cobriu sua boca com a mão.

— Obrigada — disse Luce, as palavras abafadas contra os dedos de Shelby.

As meninas ainda estavam amontoadas três degraus abaixo do deque, à vista de qualquer um que passasse para o lado sombreado. Luce não podia se erguer sob o peso da sombra. Era a mais pesada que já tocara, e a mais fria. Não era preta como a maioria das outras, tinha um doentio tom de cinza-esverdeado. Parte dela ainda estava contraindo-se, iluminando-se como relâmpagos distantes.

— Não tenho um bom pressentimento sobre isso — disse Shelby.

— Vamos lá — sussurrou Luce. — Convoquei-a. Agora é sua vez de fazer o vislumbre.

— Minha vez? Quem falou que seria minha "vez"? Você me arrastou até aqui! — Shelby agitou as mãos como se a última coisa na vida que quisesse fazer fosse tocar o monstro nos braços de Luce. — Eu sei que disse que iria ajudá-la a encontrar seus parentes, mas qualquer tipo de parente que você possa ter nisso aí... Não acho que nenhuma de nós vai querer conhecer.

— Shelby, por favor — implorou Luce, gemendo sob o peso, o frio e a sordidez da sombra. — Eu não sou Nefilim. Se você não me ajudar, não consigo fazer isso.

— O que exatamente está tentando fazer? — Uma voz surgiu por trás delas, do topo das escadas. Steven estava com as mãos no corrimão e olhava para as meninas. Ele parecia maior do que na sala de aula, elevando-se acima delas, como se tivesse dobrado de tamanho. Seus profundos olhos castanhos pareciam tempestuosos; Luce podia sentir o calor saindo deles e ficou com medo. Até mesmo o Anunciador em seus braços tremeu, encolhendo-se.

As duas levaram um susto tão grande que gritaram.

Surpreendida pelo som, a sombra fugiu dos braços de Luce, movendo-se tão rápido que não havia nenhuma chance de pará-la. Não deixou nada para trás a não ser o rastro frio e seu odor fétido.

Ao longe, um sino tocou. Luce podia sentir que os outros alunos seguiam em grupos na direção do refeitório para almoçar. Na saída, Miles levantou a cabeça sobre o parapeito e olhou para Luce, mas quando conferiu a terrível expressão de Steven, arregalou os olhos e continuou andando.

— Luce — disse Steven, mais educadamente do que ela esperava. — Você se importaria de falar comigo depois da aula?

Quando ele ergueu as mãos do corrimão, a madeira debaixo delas estava queimada de preto.

※ ※

Steven abriu a porta antes mesmo de Luce bater. Sua camisa cinza estava um pouco amassada e a gravata preta estava solta no pescoço. Mas ele tinha recuperado a aparência de serenidade, o que Luce estava começando a perceber que era muito complicado para um demônio. Ele limpou os óculos em um lenço monogramado e se afastou.

— Por favor, entre.

O escritório não era grande, apenas largo o suficiente para uma grande mesa preta, e alta o bastante para três compridas estantes também pretas, cada uma repleta de centenas de livros desgastados. Mas era confortável e acolhedora — não como Luce tinha imaginado que o escritório de um demônio seria. Havia um tapete persa no centro da sala, uma ampla janela com vista para o leste, para as sequoias. Agora, ao anoitecer, a floresta tinha uma cor etérea, quase lilás.

Steven se sentou em uma das cadeiras marrons e indicou a outra para Luce. Ela examinou as peças de arte emolduradas, dispostas em cada centímetro vazio de parede. A maioria delas eram desenhos, em diferentes graus de detalhe. Luce reconheceu alguns esboços do próprio Steven e várias representações lisonjeiras de Francesca.

Luce respirou fundo, imaginando como começar.

— Desculpe por ter convocado aquele Anunciador hoje, eu...

— Você contou para alguém sobre o que aconteceu com Dawn no mar?

— Não. Você disse para não contar.

— Não contou a Shelby? Miles?

— Não contei pra ninguém.

Ele considerou a resposta por um momento.

— Por que você chamou os Anunciadores de sombras no outro dia, quando estávamos conversando no barco?

— Apenas escapou. Quando eu estava crescendo, eles sempre fizeram parte das sombras. Eles se destacavam e vinham até mim. Então é assim que eu os chamava, antes de saber o que eram. — Luce encolheu os ombros. — É meio bobo, na verdade.

— Não é bobo. — Steven se levantou e foi até a estante mais distante. Tirou um livro grosso com uma capa vermelha e empoeirada e o levou de volta para a mesa. *A República*, de Platão. Steven abriu na página exata pela qual estava procurando, virando o livro na direção de Luce.

Era uma ilustração de um grupo de homens dentro de uma caverna, acorrentados um ao lado do outro, de frente para uma parede. Um fogo ardia atrás deles. Estavam apontando para as sombras na parede, eram de um segundo grupo de homens que caminhava atrás deles. Abaixo da imagem, uma legenda dizia "O mito da caverna".

— O que é isso? — perguntou Luce. Seu conhecimento de Platão se resumia ao fato de que ele era colega de Sócrates.

— A prova do por que seu nome para os Anunciadores é na realidade muito inteligente. — Steven apontou para a ilustração. — Imagine que esses homens passem a vida vendo *apenas* as sombras nesse muro. Eles passam a entender o mundo e o que acontece nele a partir dessas sombras, sem nunca ver o que as projeta. Eles nem sequer entendem que o que estão vendo *são* sombras.

Ela olhou um pouco além do dedo de Steven para o segundo grupo de homens.

— Então eles nunca podem se virar e ver as pessoas e coisas que projetam as sombras?

— Exatamente. E por não poderem ver o que realmente está lançando as sombras, acham que aquilo que *podem* ver, essas sombras na parede, é a realidade. Eles não fazem ideia de que as sombras são meras representações e distorções de algo muito mais verdadeiro e real. — Ele deu uma pausa. — Entende por que estou lhe dizendo isso?

Luce balançou a cabeça.

— Quer que eu pare de mexer com os Anunciadores?

Steven fechou o livro com força, então atravessou para o outro lado da sala. Ela achou que o tinha decepcionado de alguma forma.

— Eu não acredito que você vá parar... de mexer com os Anunciadores, mesmo se eu pedir. Mas quero que entenda com o que está lidando da próxima vez que convocar um. Os Anunciadores são sombras do passado. Elas podem ser úteis, mas também contêm distorções muito perturbadoras, às vezes perigosas. Há muito para aprender. É necessária uma técnica limpa e segura de convocação, e então, naturalmente, uma vez que tenha aperfeiçoado seu talento, o ruído do Anunciador pode ser ignorado, e sua mensagem ser ouvida claramente através dele.

— Você quer dizer aquele ruído de vento? Existe uma maneira de ouvir *através* disso?

— Não se preocupe com isso. Ainda não. — Steven virou e afundou as mãos nos bolsos. — O que você e Shelby estavam procurando hoje?

Luce se sentiu envergonhada e nervosa. Esta reunião não estava indo nada como ela esperava. Tinha pensado que talvez fosse receber uma suspensão, e ser obrigada a coletar algum lixo.

— Nós estávamos tentando descobrir mais sobre a minha família — conseguiu dizer finalmente. Felizmente, Steven parecia não ter ideia de que ela havia visto Cam antes. — Ou minhas famílias, acho que é mais adequado.

— E só?

— Estou em apuros?

— Você não estava fazendo mais nada?

— O que mais eu poderia estar fazendo?

Passou por sua mente que Steven talvez pensasse que ela estava tentando falar com Daniel, tentando enviar-lhe uma mensagem ou algo assim. Como se ela soubesse como fazer isso.

— Invoque um agora — disse Steven, abrindo a janela. Passava do crepúsculo e o estômago de Luce dizia a ela que a maioria dos outros alunos já estaria sentada para jantar.

— Eu... eu não sei se consigo.

O olhar de Steven parecia mais terno do que antes, quase animado.

— Quando convocamos Anunciadores, estamos fazendo uma espécie de desejo. Não um desejo por algo material, mas um desejo de compreender melhor o mundo, o nosso papel nele e o que vai ser de nós.

Imediatamente, Luce pensou em Daniel, no que ela mais queria para relacionamento dos dois. Ela não sentia que tinha um grande papel no que aconteceria com eles, e queria ter um. Foi por isso que Luce tinha sido capaz de convocar os Anunciadores antes mesmo de saber como?

Nervosa, Luce se ajeitou na cadeira. Fechou os olhos. Imaginou uma sombra separando-se da longa escuridão que se estendia dos troncos das árvores lá fora, imaginava-a girando e se erguendo, preenchendo o espaço da janela aberta. E depois flutuando para perto dela.

Ela sentiu primeiro o cheiro fraco de bolor, quase como azeitonas pretas, e em seguida abriu os olhos, com uma brisa fria tocando sua bochecha. A temperatura na sala tinha caído alguns graus. Steven esfregou as mãos no escritório subitamente úmido e cheio de correntes de ar.

— Sim, isso mesmo — murmurou.

O Anunciador estava flutuando no ar do seu gabinete, fino e transparente, não maior do que uma echarpe. Deslizou diretamente para Luce, então envolveu um tentáculo enfumaçado em um peso de papel de vidro sobre a mesa. Luce ofegou. Steven estava sorrindo quando andou em direção a ela, orientando a sombra na vertical até que se tornasse uma tela preta vazia.

Em seguida, a sombra estava nas mãos dela, e Luce começou a puxar. O cuidadoso movimento parecia o de esticar uma massa de torta sem quebrá-la, algo que Luce havia visto sua mãe fazer pelo menos uma centena de vezes. A escuridão rodopiou em tons de cinza suave e, depois, uma imagem mínima em preto e branco surgiu.

Um quarto escuro com uma cama de solteiro. Luce — uma antiga Luce, claramente —, estava deitada de lado, olhando pela janela aberta. Ela devia estar com 16 anos de idade. A porta atrás da cama se abriu e um rosto, iluminado pela luz do corredor, apareceu. A mãe.

Era a mãe que Luce tinha ido ver com Shelby! Porém mais jovem, muito mais, talvez uns 50 anos, pelo menos, os óculos na ponta do nariz. Ela sorriu, como se tivesse ficado feliz por encontrar a filha dormindo, e depois fechou a porta.

Um momento depois, duas mãos agarraram a parte de baixo do caixilho da janela. Os olhos de Luce arregalaram-se quando a antiga Luce sentou na cama. Fora da janela, os dedos se esticaram, depois um par de mãos tornara-se visível. Em seguida, dois braços fortes, brilhando azulados sob a luz da lua. Então o rosto de Daniel iluminado quando entrou pela janela.

O coração de Luce estava acelerado. Ela queria mergulhar no Anunciador, como quisera ontem com Shelby. Mas então Steven estalou os dedos e a coisa toda subiu, fechando-se como uma persiana indo para o alto da janela. Em seguida, a sombra se partiu e seus pedaços caíram sobre eles.

A sombra estava em pequenos fragmentos sobre a mesa. Luce tentou pegar um deles, mas ele se desintegrou em suas mãos.

Steven sentou-se atrás da escrivaninha, sondando Luce com os olhos como se para analisar o que o vislumbre havia causado nela. De repente, aquilo pareceu muito particular, o que ela acabara de testemunhar no Anunciador; Luce não sabia se queria que Steven soubesse o quanto aquilo havia mexido com ela. Afinal, ele tecnicamente era do outro time. Nos últimos dias, ela vira mais e mais do demônio dentro do professor. Não apenas o temperamento explosivo, brotando até ele literalmente fumegar, mas também as gloriosas asas pretas e douradas. Steven era atraente e encantador, assim como Cam — e, Luce lembrou a si mesma, assim como Cam, um demônio.

— Por que está me ajudando com isso?

— Porque eu não quero que você se machuque — respondeu Steven num sussurro quase inaudível.

— Aquilo realmente aconteceu?

Steven desviou o olhar.

— É uma representação de algo, e quem sabe o quão distorcida pode ser. É uma sombra de um evento passado, não realidade. Há sempre alguma verdade no Anunciador, mas nunca é uma verdade *simples*. É isso que torna Anunciadores tão problemáticos e perigosos para aqueles sem o treinamento apropriado. — Ele olhou para o relógio. De baixo vinha o som de uma porta se abrindo e fechando. Steven se ergueu quando ouviu uma série de cliques rápidos de salto alto subindo as escadas.

Francesca.

Luce tentou ler o rosto de Steven. Ele entregou-lhe *A República*, que ela guardou na mochila. Pouco antes de o belo rosto de Francesca aparecer na porta, Steven disse a Luce:

— Da próxima vez que você e Shelby optarem por não concluir uma de suas tarefas, vou pedir-lhes para escreverem um trabalho de cinco páginas com citações. Desta vez, vou deixá-las sair dessa só com uma advertência.

— Entendido. — Luce olhou para Francesca na porta.

Ela sorriu para Luce — apesar de ser impossível dizer se se tratava de um sorriso amigável ou de um sorriso não-pense-que-me-engana. Tremendo um pouco enquanto se levantava e jogava a mochila por cima do ombro, Luce foi até a porta. Olhar para trás, na direção de Steven, e disse:

— Obrigada.

※

Shelby estava com o fogo aceso na lareira quando Luce voltou para o quarto. A caçarola estava ligada ao lado da luz noturna de Buda e o quarto todo cheirava a tomates.

— Estamos sem macarrão com queijo, mas fiz uma sopa. — Shelby pegou uma tigela bem quente, salpicou um pouco de pimenta preta fresca em cima, e entregou-a para Luce, que havia desmoronado em cima da cama. — Foi terrível?

Luce observou o vapor subindo da tigela e tentou descobrir o que dizer. Esquisito, sim. Confuso. Um pouco assustador. Potencialmente... estimulante.

Mas não havia sido terrível, não.

— Foi tudo bem.

Steven parecia confiar nela, pelo menos na medida em que ia permitir que ela continuasse chamando os Anunciadores. E os outros alunos pareciam confiar nele, até mesmo admirá-lo. Ninguém parecia preocupado com seus motivos ou suas alianças. Mas com Luce ele era tão enigmático, tão difícil de entender.

Luce havia confiado nas pessoas erradas antes. *Uma negligência, na melhor das hipóteses. Na pior, é uma boa maneira de acabar morta.* Isso foi o que a Srta. Sophia havia dito sobre confiança, na noite em que tentou assassinar Luce.

Fora Daniel quem havia aconselhado Luce a confiar em seus instintos. Mas seus próprios sentimentos pareciam os menos confiáveis de todos. Ela questionou se Daniel já sabia sobre a Shoreline quando disse aquilo a ela, se seu conselho fora uma forma de prepará-la para esta longa separação, quando ela teria cada vez menos certeza sobre tudo em sua vida. Sua família. O passado. O futuro.

Ela levantou os olhos da tigela e olhou para Shelby.

— Obrigada pela sopa.

— Não deixe Steven frustrar seus planos. — Shelby bufou. — Sem dúvida devemos continuar a trabalhar nos Anunciadores. Estou de saco cheio desses anjos e demônios e suas ilusões de poder. Uuuh, nós sabemos do que estamos falando porque somos verdadeiros anjos e você é apenas o filho bastardo de algum anjo que não se comportou.

Luce riu, mas pensou que a minilição de Steven sobre Platão e ele lhe ter dado *A República* esta noite era o oposto de uma ilusão de poder. Tudo bem que não havia como contar aquilo a Shelby agora, não quando tinha começado em seu habitual discurso sou-contra-a-Shoreline na cama abaixo da de Luce.

— Quero dizer, sei que você tem o que *quer que seja* com Daniel — continuou Shelby —, mas falando sério, o que um anjo já fez de bom por mim?

Luce deu de ombros, desculpando-se.

— Vou responder: nada. Nada além de engravidar minha mãe e então largar totalmente nós duas antes de eu nascer. Comportamento verdadeiramente celestial. — Shelby bufou. — Pra completar, ao longo de toda a vida minha mãe me disse que eu deveria ser grata. Pelo quê? Por esses poderes sem brilho e a testa enorme que herdei de meu pai? Não, obrigada. — Ela chutou o beliche superior, enfezada. — Eu daria tudo para ser apenas normal.

— Sério? — Luce havia passado a semana inteira sentindo-se inferior aos seus colegas Nefilim. Ela sabia que a grama do vizinho sempre era mais verde, mas não dava para acreditar nisso. Que vantagem Shelby poderia possivelmente ver em *não* ter seus poderes Nefilim?

— Espere — disse Luce —, o ex-namorado idiota. Ele...

Shelby desviou o olhar.

— Estávamos meditando juntos e, sei lá, de alguma forma, durante o mantra, levitei acidentalmente. Não era mesmo grande coisa, eu estava, tipo, a cinco centímetros do chão. Mas Phil não desistia. Ele começou a me chatear sobre o que mais eu sabia fazer, e ficava fazendo todas essas perguntas esquisitas.

— Como o quê?

— Eu não sei — respondeu Shelby. — Algumas coisas sobre você, na verdade. Ele queria saber se você me ensinou a levitar. Se você sabia levitar também.

— Por que eu?

— Provavelmente mais uma de suas fantasias pervertidas sobre companheiras de quarto. Enfim, você devia ter visto a expressão no rosto dele naquele dia. Como se eu fosse algum tipo de aberração de circo. Eu não tinha escolha a não ser terminar tudo.

— Que horrível. — Luce apertou a mão de Shelby. — Mas parece que o problema é dele, não seu. Sei que o resto do pessoal na Shoreline olha para os Nefilim de um jeito engraçado, mas eu estive em um monte de escolas, e estou começando a pensar que é só como a cara da maioria das pessoas é. Além disso, ninguém é "normal". Phil devia ter algo de estranho nele.

— Na verdade, havia algo em seus olhos. Eles eram azuis, mas pálidos, quase desbotados. Ele precisava usar umas lentes de contato especiais para que as pessoas não ficassem encarando. — Shelby jogou a cabeça de lado. — Além disso, sabe de uma coisa?, aquele terceiro mamilo... — Ela começou a rir; estava com o rosto vermelho quando Luce foi contagiada e estavam praticamente às lágrimas quando um leve toque na vidraça fez as duas se calarem.

— É *bom* não ser ele. — A voz de Shelby instantaneamente ficou séria quando pulou da cama e abriu a janela, derrubando na pressa um vaso de mandioca. — É para você — disse, quase entorpecida.

Luce chegou à janela num piscar de olhos, porque a essa altura já podia *senti-lo*. Apoiando as palmas das mãos no parapeito, inclinou-se para o ar fresco da noite.

Ela estava cara a cara, boca a boca, com Daniel.

Por um breve momento, Luce pensou que ele estava olhando através dela, para a sala, para Shelby, mas depois ele estava beijando-a, tocando a parte de trás de sua cabeça com as mãos macias, puxando-a para si, tirando-lhe o fôlego. O acúmulo de uma semana de calor fluía através dela, junto com um pedido de desculpas silencioso pelas palavras duras que havia dito na outra noite na praia.

— Oi — sussurrou ele.

— Oi.

Daniel estava usando calça jeans e uma camiseta branca. Ela podia ver o redemoinho no cabelo dele. Suas tremendas asas brancas peroladas batiam suavemente atrás dele, sondando a noite escura, atraindo Luce para perto. Elas pareciam bater no céu quase no mesmo ritmo do coração de Luce. Ela queria tocá-las, enterrar-se nelas como havia feito na outra noite na praia. Era uma coisa impressionante vê-lo flutuando fora de sua janela do terceiro andar.

Ele pegou a mão de Luce e puxou-a sobre o parapeito da janela, para fora e em direção aos seus braços. Mas então ele a colocou no chão em uma borda larga e nivelada com a janela que ela nunca havia notado antes.

Ela sempre sentia vontade de chorar quando estava feliz.

— Você não deveria estar aqui. Mas estou tão feliz que esteja.

— Prove — disse ele, sorrindo enquanto a puxava de volta contra o peito de modo que a cabeça dela ficava sobre o ombro dele. Daniel passou um braço ao redor da cintura dela. Um calor irradiava de suas asas. Quando ela olhou para trás, tudo o que podia ver era branco; o mundo era branco, a textura macia e brilhante com luar. E então as grandes asas de Daniel começaram a bater...

Seu estômago se apertou um pouco, e ela sabia que estava sendo erguida, não, *disparada*, em linha reta na direção do céu. A janela abaixo deles ficou menor e as estrelas no céu brilhavam com mais força. O vento atravessou todo o seu corpo, despenteando o cabelo para a frente do rosto.

Eles subiram mais alto pela noite, até a escola ser apenas uma mancha preta no chão. Até o oceano ser apenas um cobertor de prata sobre a terra. Até perfurarem uma camada de nuvem fina como penas.

Ela não estava com frio nem com medo. Sentia-se livre de tudo o que a atormentava na Terra. Livre de perigo, livre de qualquer dor que já sentira. Livre da gravidade. E tão apaixonada. Os lábios de Daniel traçavam uma linha de beijos até o seu pescoço. Ele apertou os braços em volta da cintura dela e virou-a para que o encarasse. Seus pés estavam em cima dos dele, como quando dançaram sobre o oceano na festa da fogueira. Não ventava mais, o ar em torno deles era silencioso e calmo. Os únicos sons eram as asas de Daniel batendo enquanto eles pairavam no céu, e o das batidas de seu coração.

— Momentos como esse — disse ele —, fazem tudo pelo que tivemos de passar valer a pena.

Então ele a beijou como nunca havia beijado antes. Um intenso e longo beijo que parecia reivindicar seus lábios para sempre. Suas mãos traçaram a linha do corpo dela, levemente no início e depois com mais força, deliciando-se com suas curvas. Ela se derreteu e Daniel correu os dedos ao longo e atrás das coxas de Luce, quadris, ombros. Ele assumiu o controle de cada parte dela.

Ela sentiu os músculos dele sob a camisa de algodão, seus braços firmes e o pescoço, a cavidade na parte debaixo das costas. Ela beijou seu queixo, seus lábios. Aqui, nas nuvens, com os olhos brilhantes de Daniel mais acesos do que qualquer estrela que ela já vira, era a esse lugar que Luce pertencia.

— Não podemos ficar aqui para sempre? — perguntou ela.

— Nunca vou me cansar disso. De você.

— Espero que não. — Daniel sorriu, mas cedo, cedo demais, suas asas mudaram, se estendendo. Luce sabia o que estava por vir. Uma lenta descida.

Ela beijou Daniel pela última vez e colocou os braços ao redor de seu pescoço, preparando-se para o voo, mas, em seguida, Luce não conseguiu se segurar.

E caiu.

Pareceu acontecer em câmera lenta. Ela tombando para trás, balançando os braços freneticamente, e depois a rajada de frio e de vento enquanto afundava e seu fôlego a abandonava. A última coisa que vi foram os olhos de Daniel, e o choque em seu rosto.

Mas então tudo acelerou, ela estava caindo tão rapidamente que não conseguia respirar. O mundo era um redemoinho vazio e escuro. Ela se sentia enjoada e com medo, os olhos queimando com o vento, sua visão escurecendo. Ela ia desmaiar.

E estaria tudo acabado.

Ela nunca saberia quem realmente era, nunca saberia se tudo tinha valido a pena. Nunca saberia se era digna do amor de Daniel, e ele do dela. Estava tudo acabado, era isso.

O vento estava furioso em seus ouvidos. Ela fechou os olhos e esperou pelo fim.

E então ele a pegou.

Os braços fortes a abraçavam, braços familiares, e ela foi gentilmente desacelerando, não mais caindo, e sim sendo embalada. Por Daniel. Seus olhos estavam fechados, mas Luce sabia que era ele.

Ela começou a chorar, tão aliviada por Daniel tê-la alcançado, por tê-la salvado. Ela nunca o amara mais que nesse momento, não importa quantas vidas vivera.

— Você está bem? — sussurrou Daniel, com a voz suave, seus lábios bem perto dos dela.

— Sim. — Ela podia sentir as asas dele batendo. — Você me pegou.

— Eu sempre vou lhe pegar quando você cair.

Lentamente, eles retornaram ao mundo que haviam deixado para trás. A Shoreline e o oceano batendo contra os rochedos. Quando se aproximaram do dormitório, ele apertou-a com força, deslizando para o parapeito suavemente e desembarcando com a leveza de uma pluma.

Luce plantou os pés no parapeito e olhou para Daniel. Ela o amava. Era a única coisa de que tinha certeza.

— Pronto — disse ele, parecendo sério. O sorriso endureceu, e o brilho em seus olhos pareceu desvanecer-se. — Isso deve satisfazer o seu desejo de viajar, pelo menos por um tempo.

— O que quer dizer com desejo de viajar?

— A maneira como você vive saindo do campus? — Sua voz era muito menos terna do que parecera há apenas um momento. — Você precisa parar de fazer isso quando não estou por perto para cuidar de você.

— Ah, por favor, era só uma excursão boba. Todo mundo estava lá. Francesca, Steven... — Ela parou, pensando sobre a maneira como Steven reagira ao que aconteceu com Dawn. Ela não se atreveu a comentar a viagem com Shelby. Ou contar que encontrara Cam sob a varanda.

— Você tem dificultado muito as coisas para mim — disse Daniel.

— Não tem sido fácil pra mim também.

— Eu disse que havia regras. Eu lhe disse para não deixar o campus. Mas você não escutou. Quantas vezes você me desobedeceu?

— *Desobedeci* você? — Ela riu, mas por dentro se sentia tonta e enjoada. — Você é o que, meu namorado ou meu dono?

— Você sabe o que acontece quando sai daqui? O perigo em que se coloca apenas porque está entediada?

— Olha, não tem mais volta — disse ela. — Cam já sabe que estou aqui.

— É óbvio que Cam sabe que você está aqui — disse Daniel, exasperado. — Quantas vezes tenho que dizer que Cam não é a ameaça agora? Ele não vai tentar influenciar você.

— Por que não?

— Porque ele sabe o que é certo. E você também deveria saber o que é certo e não fugir desse jeito. Existem perigos que não pode imaginar.

Ela abriu a boca, mas não sabia o que dizer. Se dissesse a Daniel que havia falado com Cam naquele dia, que o demônio havia matado vários parceiros da Srta. Sophia, iria apenas provar o que ele estava falando. A raiva inflamou-se em Luce, raiva de Daniel, de suas regras misteriosas, por tratá-la como uma criança. Ela teria dado qualquer coisa para ficar com ele, mas seus olhos endureceram num cinza inexpressivo e o tempo que passaram no céu parecia um sonho distante.

— Você sabe o inferno que enfrento para mantê-la segura?

— Como posso entender quando você não me diz nada?

Os belos traços de Daniel se distorceram numa expressão assustadora.

— Isso é culpa dela? — Ele apontou o dedo em direção a seu quarto. — Que tipo de ideias sinistras ela tem colocado na sua cabeça?

— Eu posso pensar por mim mesma, obrigada. — Luce estreitou os olhos. — Mas como você conhece Shelby?

Daniel ignorou a pergunta. Luce não podia acreditar no jeito como ele estava falando com ela, como se fosse algum tipo de animalzinho de estimação malcriado. Todo o calor que o envolvera um momento atrás, quando Daniel a beijara, abraçara, olhara... não bastava quando era tomada por esse gelo por ele falar daquele jeito com ela.

— Talvez Shelby esteja certa — disse ela. Luce não via Daniel há tanto tempo, mas o Daniel que queria ver, aquele que a amava mais que tudo, aquele que a seguiu por milênios por não poder viver sem ela, ainda estava lá em cima nas nuvens, não aqui embaixo, lhe dizendo o que fazer. Talvez, mesmo depois de todas essas vidas, ela realmente não o conhecesse. — Talvez os anjos e os humanos não devam...

Mas não conseguiu terminar.

— Luce. — Seus dedos seguraram o pulso dela, mas Luce se livrou dele. Os olhos de Daniel estavam arregalados e escuros, e o rosto estava pálido por causa do frio. Seu coração desejava agarrá-lo e ficar com ele, sentir seu corpo pressionado contra o dela, mas no fundo sabia que esse não era o tipo de briga que poderia ser resolvida com um beijo.

Ela empurrou-o para uma parte mais estreita da borda e abriu a janela, surpresa ao descobrir que o quarto já estava escuro. Ela entrou, e, quando se voltou para Daniel, notou que suas asas estavam trêmulas. Quase como se ele estivesse prestes a chorar. Luce queria voltar para ele, abraçá-lo, consolá-lo e amá-lo.

Mas não podia.

Ela fechou as cortinas e ficou sozinha em seu quarto escuro.

NOVE

DEZ DIAS

Quando Luce acordou na manhã de terça-feira, Shelby já tinha saído. Sua cama estava feita, a colcha de retalhos dobrada, e o colete vermelho com enchimentos e a bolsa não estavam na porta, onde ficavam pendurados.

Ainda de pijama, Luce colocou uma caneca de água no micro-ondas para fazer chá, em seguida sentou-se para checar seu e-mail.

Para: lucindap44@gmail.com
De: callieallieoxenfree@gmail.com
Enviado: segunda-feira, 16/11 às 01h34min
Assunto: Tentando achar que não é pessoal

Querida L.,

Recebi sua mensagem, e, primeiro de tudo, sinto sua falta também. Mas tenho uma sugestão irada: que tal nós duas colocarmos o papo em dia? Callie e suas ideias mirabolantes. Sei que está ocupada. Sei que está sob vigilância pesada e é difícil escapulir. Por outro lado, não sei de um único detalhe sobre sua vida. Com quem você almoça? De que aula você mais gosta? O que aconteceu com aquele cara? Tá vendo, eu nem sei o nome dele. Odeio isso.

Estou feliz que você tenha arrumado um telefone, mas não mande uma mensagem dizendo que vai ligar. Basta ligar. Não ouço sua voz há séculos. Não estou brava com você. Ainda.

Beijos C

Luce fechou o e-mail. Era quase impossível deixar Callie brava. Ela nunca realmente havia conseguido fazer isso antes. O fato de Callie não suspeitar que Luce estivesse mentindo apenas provava o quanto as duas haviam se distanciado. Luce foi tomada pelo peso da culpa, acomodando-se sobre seus ombros.
Depois, leu o e-mail seguinte:

Para: lucindap44@gmail.com
De: thegaprices@aol.com
Enviado: segunda-feira, 16/11 às 08:30
Assunto: Bem, querida, nós te amamos também

Pequena Luce,

Seus e-mails sempre iluminam nossos dias. Como está a equipe de natação? Está secando o cabelo, com esse frio lá fora? Eu sei que sou chata, mas sinto sua falta.

Você acha que a Sword & Cross vai lhe dar permissão para sair do campus para o Dia de Ação de Graças, semana que vem? Papai poderia ligar para o reitor? Não vamos contar com os ovos dentro da galinha ainda, mas seu pai comprou um peru vegano por precaução. Tenho enchido o congelador extra de tortas. Você ainda gosta de batata doce? Nós amamos você e pensamos em você o tempo todo.

Mamãe

A mão de Luce congelou sobre o mouse. Era uma manhã de terça-feira. Faltava uma semana e meia para o Dia de Ação de Graças. Foi a primeira vez em que tinha pensado em seu feriado favorito. Mas tão rápido como viera, Luce tentou afastá-lo. De jeito nenhum o Sr. Cole a deixaria ir para casa para Ação de Graças.

Ela estava prestes a responder quando uma caixa cor de laranja piscando na parte inferior da tela lhe chamou a atenção. Miles estava on-line. Ele estava tentando conversar com ela.

Miles (08:08): Bom dia, Srta. Luce.
Miles (08:09): Estou MORRENDO de fome. Você acorda faminta como eu?
Miles (08:15): Quer tomar café? Passo no seu quarto no caminho. 5 min.?

Luce olhou para o relógio. 08h21. Houve uma batida alta na porta. Ela ainda estava de pijama e descabelada. Abriu a porta um pouquinho.

O sol da manhã inundava o piso de madeira no corredor. Lembrou Luce de quando descia a sempre iluminada escada de madeira na casa de seus pais para o almoço, a maneira como o mundo inteiro parecia mais brilhante vista de um corredor ensolarado.

Miles não estava usando o boné dos Dodgers, então era uma das poucas vezes que dava para ver bem os seus olhos. Eles eram de um azul muito profundo, como um céu de verão às nove horas da manhã. Seu cabelo estava molhado, pingando sobre os ombros da camisa branca. Luce engoliu em seco, incapaz de evitar a imagem dele no chuveiro. Ele sorriu, mostrando uma covinha e um sorriso superbranco. Parecia tão californiano; Luce ficou surpresa ao perceber como ele estava bonito.

— Oi. — Luce escondeu o máximo que conseguia de seu pijama atrás da porta. — Acabei de ver suas mensagens. Estou a fim de tomar café da manhã, mas ainda não estou vestida.

— Posso esperar. — Miles encostou na parede do corredor. Seu estômago roncou alto. Ele tentou cruzar os braços sobre a cintura para abafar o som.

— Vou me apressar. — Luce riu, fechando a porta. Ela parou diante do armário, tentando não pensar na Ação de Graças de seus pais, ou em Callie, ou em por que tantas pessoas importantes foram se afastando dela ao mesmo tempo.

Ela puxou um suéter comprido cinza de seu armário e jogou-o sobre um jeans preto. Escovou os dentes, colocou grandes brincos de argola prateados, aplicou um pouco de hidratante nas mãos, pegou a bolsa e olhou-se no espelho.

Não parecia uma garota presa em relacionamento conflituoso, ou uma menina que não podia ir para casa ver a família no dia de Ação de Graças. No momento, parecia uma garota animada para abrir a porta e encontrar um cara que a fazia se sentir normal, feliz e até bonita.

Um cara que não era seu namorado.

Ela suspirou, abrindo a porta para Miles. O rosto dele se iluminou.

Quando chegaram lá fora, Luce percebeu que o tempo havia mudado. O ar ensolarado da manhã estava frio como havia estado no parapeito na noite passada, com Daniel. E como estivera gelado naquele momento.

Miles estendeu o enorme casaco cáqui para ela, mas Luce recusou.

— Só preciso de um café para me aquecer.

Eles se sentaram na mesma mesa onde tinham sentado na semana anterior. Imediatamente, dois alunos correram para servi-los dois. Ambos pareciam ser amigos de Miles e eram simpáticos. Luce certamente nunca recebia tratamento desse nível quando se sentava com Shelby. Enquanto os rapazes disparavam perguntas a eles, como o time de futebol de Miles tinha se saído na noite anterior, se ele tinha visto o clipe no YouTube do cara pregando uma peça na namorada, se ele tinha planos para depois da aula — Luce olhou ao redor do terraço atrás de sua companheira de quarto, mas não conseguiu encontrá-la.

Miles respondeu a todas as perguntas, mas não pareceu interessado em levar a conversa adiante. Ele apontou para Luce.

— Esta é Luce. Ela quer um copo grande do café mais quente que vocês tiverem e...

— Ovos mexidos — disse Luce, fechando o pequeno menu que o refeitório da Shoreline imprimia a cada dia.

— O mesmo para mim, rapazes, obrigado. — Miles devolveu os dois menus e se concentrou em Luce. — Quase não tenho visto você a não ser nas aulas. Como estão as coisas?

A pergunta de Miles a surpreendeu. Talvez porque já estivesse se sentindo como um ímã de culpa. Ela gostou que não havia nenhum "Onde você andou se escondendo?" ou "Você está me evitando?" anexados no final. Apenas uma pergunta: "Como estão as coisas?"

Ela sorriu para ele, mas de alguma forma o sorriso sumiu logo em seguida e já estava quase se transformando em uma careta quando respondeu:

— As coisas estão bem.

— Hmm.

Tive uma briga horrível com Daniel. Estou mentindo para meus pais. E perdendo minha melhor amiga. Parte dela queria desabafar tudo com Miles, mas sabia que não devia. Não podia. Isso faria a amizade deles avançar a um nível que não tinha certeza se seria bom. Ela nunca tivera um amigo homem muito íntimo antes, o tipo de amigo com quem você partilha tudo e em quem confia como acontece com uma amiga mulher. Será que as coisas não ficavam... complicadas?

— Miles — disse ela finalmente —, o que as pessoas fazem no dia de Ação de Graças por aqui?

— Não sei. Acho que nunca fiquei por aqui para descobrir. Gostaria de ficar, às vezes. O dia de Ação de Graças na minha casa é exagerado demais. Pelo menos uma centena de pessoas. Tipo dez pratos. E é black-tie.

— Está brincando.

Ele negou com a cabeça.

— Gostaria que fosse. Sério mesmo. Temos que contratar flanelinhas. — Depois de uma pausa, continuou: — Por que está perguntando? Espere, você precisa de um lugar para ir?

— Hmm...

— Você vai. — Ele riu de sua expressão chocada. — Por favor. Meu irmão não vai para casa da faculdade este ano e ele era minha única salvação. Posso mostrar Santa Bárbara para você. Podemos dispensar o peru e comer os melhores tacos do mundo no Super Rica. — Ele ergueu uma sobrancelha. — Vai ser muito menos horrível se você estiver comigo. Pode até ser divertido.

Enquanto Luce estava pensando sobre o convite, ela sentiu a mão de alguém em suas costas. A essa altura, já reconhecia aquele toque de uma calma capaz de curar: Francesca.

— Falei com Daniel na noite passada — disse Francesca.

Luce tentou não reagir enquanto Francesca se inclinava para mais perto. Daniel tinha ido vê-la depois de Luce expulsá-lo? A ideia a deixou com ciúmes embora ela não soubesse muito bem por quê.

— Ele está preocupado com você. — Francesca fez uma pausa, parecendo analisar o rosto de Luce. — Eu lhe contei que você está indo muito bem, considerando que ainda está se acostumando ao novo ambiente. Disse que estaria à sua disposição para qualquer coisa que precise. Por favor, entenda que você deve vir a mim com suas perguntas. — Seu olhar pareceu se afiar, ficou mais duro e feroz. *Venha a mim, em vez de Steven*, parecia estar nas entrelinhas.

E, em seguida, Francesca foi embora, tão rapidamente quanto havia aparecido, o forro de seda do casaco de lã branca roçando em sua meia-calça preta.

— Então... Ação de Graças — disse finalmente Miles, esfregando as mãos.

— OK, tá legal. — Luce engoliu o resto do café. — Vou pensar no assunto.

❧❦

Shelby não apareceu no alojamento dos Nefilim para a aula daquela manhã, uma palestra sobre a convocação de antepassados angelicais, tipo uma forma de enviar um correio de voz celestial. Por volta da hora do almoço, Luce estava começando a ficar nervosa. Mas, indo para a aula de matemática, ela finalmente avistou o familiar colete vermelho fofo e praticamente correu na direção dele.

— Ei! — Ela puxou o rabo de cavalo loiro e cheio de sua companheira de quarto. — Onde você estava?

Shelby virou-se lentamente. O olhar em seu rosto fez Luce lembrar de seu primeiro dia na Shoreline. As narinas de Shelby estavam infladas e as sobrancelhas, arqueadas.

— Você está bem? — perguntou Luce.

— Ótima. — Shelby se virou e começou a mexer no armário mais próximo, girando uma combinação, em seguida abrindo-o com força. Dentro havia um capacete de futebol americano e um monte de garrafas vazias de Gatorade. Um cartaz do Laker Girls estava colado na parte interna da porta.

— Esse armário é seu? — perguntou Luce. Ela não conhecia um único Nefilim que usasse armário, mas Shelby estava mexendo ali dentro, jogando as meias sujas de suor para trás apressadamente.

Shelby bateu a porta do armário, em seguida começou a rodar a combinação do armário ao lado.

— Está me julgando agora?

— Não. — Luce balançou a cabeça. — Shel, o que está acontecendo? Você desapareceu esta manhã, perdeu a aula...

— Estou aqui agora, não estou? — Shelby suspirou. — Frankie e Steven são muito mais tranquilos em deixar uma garota tirar uma folga do que os humanoides daqui.

— Por que precisava de uma folga? Você estava bem na noite passada, até...

Até Daniel aparecer.

Quando Daniel aparecera na janela, Shelby ficou pálida e quieta e fora direto para a cama e...

Enquanto Shelby olhava para Luce como se seu QI de repente houvesse caído pela metade, Luce tomou conhecimento de quem estava no corredor. Onde os armários de metal acabavam, as paredes cinzentas estavam cobertas por meninas: Dawn, Jasmine e Lilith. Garotas arrumadinhas de cardigã como Amy Branshaw, das aulas da tarde de Luce. Meninas de piercing e visual meio punk que pareciam um pouco com Ariane, mas que eram bem menos divertidas de se conversar. Algumas garotas que Luce nunca tinha visto antes. Meninas com livros apertados contra o peito, mascando chiclete, os olhos mirando o tapete, o teto com vigas de madeira, umas às outras. Olhando para qualquer lugar, menos diretamente para Luce e Shelby, embora fosse evidente que todas estivessem prestando atenção naquela conversa.

Um mal-estar em seu estômago começava a dizer-lhe por quê. Era a maior briga entre Nefilim e não Nefilim que Luce havia visto até agora na Shoreline. E cada menina neste corredor havia entendido antes dela: Shelby e Luce estavam prestes a brigar por um garoto.

— Ah. — Luce engoliu em seco. — Você e Daniel.

— É. Nós. Há muito tempo. — Shelby não olhava para ela.

— Certo. — Luce concentrou-se em respirar. Podia lidar com aquilo. Mas os sussurros das meninas ecoando pelas paredes fizeram sua pele se arrepiar, e ela estremeceu.

Shelby zombou:

— Sinto muito que a ideia deixe você tão enojada.

— Não é isso. — Mas Luce *sentia* nojo. Enojada com ela mesma. — Eu sempre... pensei que era a única...

Shelby colocou as mãos nos quadris.

— Você pensou que cada vez que desaparecia durante 17 anos, Daniel ficava chupando dedo? Alô, existe um Antes de Luce para Daniel. Ou um Entre-Luces ou o que seja. — Ela fez uma pausa para estreitar os olhos na direção de Luce. — É mesmo tão egocêntrica assim?

Luce não sabia o que dizer.

Shelby resmungou e virou o rosto para o resto do corredor.

— Este campo de força de estrogênio precisa se dissipar — gritou, estalando os dedos para elas. — Caiam fora. Todas vocês. Agora!

Enquanto as meninas desapareciam pelo corredor, Luce pressionou a cabeça contra o armário de metal frio. Ela queria rastejar para dentro dele e se esconder.

Shelby apoiou as costas contra a parede ao lado do rosto de Luce.

— Você sabe — disse ela, suavizando a voz —, Daniel é um namorado horrível. E um mentiroso. Ele está mentindo para você.

Luce endireitou-se e encarou Shelby, sentindo suas bochechas corarem. Luce podia estar chateada com Daniel no momento, mas ninguém falava mal de seu namorado.

— Opa. — Shelby se esquivou. — Calminha aí. Eita. — Ela deslizou pela parede e se sentou no chão. — Olha, eu não devia ter tocado no assunto. Foi uma noite idiota há muito tempo e o cara estava visivelmente infeliz sem você. Eu não a conhecia na época, então achava todo o folclore sobre vocês... extremamente chato. O que, se você precisa saber, explica o enorme preconceito que eu tinha em relação a você.

Ela bateu no chão ao seu lado, e Luce deslizou pela parede para se sentar também... — Shelby deu um sorriso hesitante. — Eu juro, Luce, nunca pensei que ia conhecer você. E definitivamente nunca esperava que fosse legal.

— Acha que sou legal? — perguntou Luce, rindo para si mesma. — Estava certa sobre eu ser egocêntrica.

— Argh, exatamente o que eu pensava. É impossível ficar com raiva de você, não é? — Shelby suspirou. — Tudo bem.

Sinto muito por ter ido atrás do seu namorado e, você sabe, ter odiado você antes de conhecê-la. Não vai acontecer de novo.

Foi estranho. A única coisa que poderia ter deixado duas amigas instantaneamente distantes estava na realidade deixando-as mais próximas. Aquilo não era culpa de Shelby. Qualquer lampejo de raiva que Luce sentira sobre o assunto era algo que precisava resolver com... Daniel. *Uma noite estúpida*, Shelby havia dito. Mas o que realmente teria acontecido?

Era pôr do sol e Luce estava descendo a escada de pedra até a praia. Estava frio lá fora, e ficou ainda mais frio quando ela chegou perto da água. Os últimos raios de luz dançavam através de finas camadas de nuvem, tingindo o oceano de laranja, rosa e azul pastel. O mar calmo espalhava-se à sua frente, parecendo traçar um caminho até o céu.

Até chegar ao largo círculo de areia, ainda escurecido pela fogueira de Roland, Luce não sabia o que estava fazendo ali. Então se encontrou rastejando por trás da pedra alta para onde Daniel a puxara para longe da festa. O lugar onde os dois haviam dançado e passado os poucos e preciosos momentos juntos brigando por algo tão bobo quanto a cor de seu cabelo.

Callie havia tido um namorado na Dover com quem terminara depois de uma briga por causa de uma torradeira. Um deles tinha emperrado o negócio com uma rosquinha grande demais, e o outro fez um escândalo. Luce não conseguia se lembrar de todos os detalhes agora, mas se lembrava de ter pensado: *Quem termina por causa de um eletrodoméstico?*

Mas não fora realmente por causa da torradeira, havia explicado Callie. A torradeira foi apenas um sintoma, algo que representava tudo o que estava errado entre eles.

Luce odiava que ela e Daniel ficassem brigando. A briga na praia, por causa de sua tintura no cabelo, lembrou-a da história de Callie. Parecia uma prévia de algo maior, uma discussão mais feia que estava a caminho.

Protegendo-se contra o vento, Luce percebeu que fora até ali para tentar reencontrar o ponto onde haviam errado na outra noite. Ela estava, como uma idiota, à procura de sinais na água, alguma pista esculpida na áspera rocha vulcânica. Estava procurando por toda parte, exceto dentro de si. Porque a única coisa dentro de Luce era o grande enigma de seu passado. Talvez as respostas ainda estivessem em algum dos Anunciadores, mas, por enquanto, permaneciam fora de alcance, para sua frustração.

Ela não queria culpar Daniel. A ingenuidade de supor que sua relação havia sido exclusiva ao longo do tempo fora dela. Mas ele nunca evidenciara que não. Então praticamente induzira-a a esse choque. Era embaraçoso, e mais um item para assinalar na longa lista de coisas que achava que merecia saber, e que Daniel não pensava ser necessário lhe contar.

Ela sentiu algo que achou ser chuva, uma sensação de garoa em seu rosto e nas pontas dos dedos. Mas era quente, e não frio. Era um pó fino, não molhado. Ela virou o rosto para o céu e a brilhante luz violeta a ofuscou. Não querendo proteger os olhos, ela encarou a luz, mesmo quando brilhava tanto que doía. As partículas viajavam lentamente em direção à água do mar, caindo em um padrão definido e delineando a forma que ela reconheceria em qualquer lugar.

Ele parecia ter ficado mais lindo. Seus pés descalços pairavam centímetros acima da água enquanto se aproximava da praia. Suas amplas asas brancas pareciam estar rodeadas por luz violeta e pulsavam quase imperceptivelmente com o vento forte. Não era justo. E fazia com que, quando o olhava, ela ficasse admirada e em êxtase, e com um pouco de medo também. Mal podia pensar em qualquer outra coisa. Cada frustração, aborrecimento ou incômodo desaparecia. Havia apenas aquela atração inegável que a levava na direção dele.

— Você fica aparecendo — sussurrou ela.

A voz de Daniel se propagava sobre a água.

— Eu disse que queria falar com você.

Luce sentiu os lábios fazendo um bico.

— Sobre Shelby?

— Sobre como você fica se colocando em perigo. — Daniel falava com tanta firmeza. Ela estava esperando que a menção a Shelby provocasse alguma reação. Daniel, porém, apenas inclinou a cabeça. Chegou no ponto onde o mar encontra a praia, onde a água espumava e rolava para longe, e flutuou sobre a areia à sua frente. — E o que tem Shelby?

— Vai realmente fingir que não sabe?

— Espere. — Daniel baixou para o chão, dobrando os joelhos quando seus pés descalços tocaram a areia. Quando se endireitou, as asas se afastaram para trás, para longe de seu rosto, enviando uma lufada de vento com elas. Luce notou pela primeira vez o quanto deviam ser pesadas.

Daniel que levou menos de dois segundos para chegar até ela, mas quando os braços dele deslizaram para suas costas e puxaram-na para si, Luce quase queria que ele se apressasse.

— Não vamos começar mal mais uma vez — pediu Daniel.

Ela fechou os olhos e deixou que ele a levantasse do chão. Suas bocas se encontraram e Luce inclinou o rosto para o céu, deixando o beijo dominá-la. Não havia escuridão, não havia mais frio, apenas a adorável sensação de ser banhada em seu brilho violeta. Até mesmo o barulho do mar foi anulado por um zumbido suave, da energia que Daniel carregava em seu corpo.

Suas mãos seguravam com força o pescoço dele, em seguida acariciaram os músculos firmes de seus ombros, roçando a área macia e espessa das asas. Elas eram fortes, brancas e brilhantes, sempre muito maiores do que ela se lembrava. Duas grandes velas estendendo-se para os lados, cada centímetro perfeito e harmonioso. Luce sentia a tensão contra os dedos, como se estivesse tocando numa lona bem esticada. Mas era sedosa, macia e deliciosamente aveludada. Elas pareciam responder ao seu toque, aproximando-se, roçando nela, puxando-a para mais perto, até que estivesse enterrada ali, aninhando-se mais e mais, e ainda assim querendo que o toque continuasse. Daniel estremeceu.

— Posso fazer isso? — sussurrou ela, porque às vezes ele ficava nervoso quando as coisas entre os dois começavam a esquentar. — Machuca?

Esta noite seus olhos pareciam famintos.

— É uma sensação maravilhosa. Nada se compara.

Os dedos de Daniel circularam sua cintura, deslizando para dentro da blusa. Normalmente, a carícia mais suave das mãos dele a deixava fraca. Essa noite, seu toque estava mais forte, quase bruto. Ela não sabia o que tinha acontecido com ele, mas gostou.

Seus lábios encontraram os dela, depois subiram, ao longo de seu nariz, descendo suavemente em cada uma de suas pálpebras. Quando ele se afastou, Luce abriu os olhos e olhou para ele.

— Você é tão bonita — sussurrou ele.

Era exatamente o que a maioria das garotas teria gostado de ouvir, mas, assim que as palavras foram ditas, Luce sentiu-se sendo arrancada de seu corpo, sendo substituída por outra pessoa.

Shelby.

Mas não só Shelby, pois muito provavelmente ela não tinha sido a única. Outros olhos e narizes e faces tinham sido tomados por beijos de Daniel? Outros corpos teriam sido abraçados por ele em uma praia? Outros lábios se unindo, outros corações batendo? Outros elogios sussurrados haviam sido trocados?

— O que houve? — perguntou ele.

Luce estava enjoada. Eles poderiam embaçar janelas com seus beijos, mas assim que começavam a usar a boca para outras coisas — como para conversar —, tudo ficava muito complicado.

Ela desviou o olhar.

— Você mentiu para mim.

Daniel não bufou ou se irritou, como ela esperava e quase desejava. Ele sentou-se na areia, apoiou as mãos nos joelhos e olhou para as ondas espumantes.

— Sobre o *quê*, exatamente?

Mesmo enquanto dizia as palavras, Luce já se lamentava por ter seguido aquele caminho.

— Eu poderia agir como você: não contar nada, nunca.

— Não posso dizer o que você quer saber se não me contar o que está lhe incomodando.

Ela pensou em falar sobre Shelby, mas quando se imaginou fazendo uma cena de ciúme, e ele reagindo, tratando-a como uma criança, Luce sentiu-se ridícula. Em vez disso, falou:

— Sinto como se fôssemos estranhos. Como se eu não o conhecesse melhor que os outros.

— Ah. — Sua voz era baixa, mas o rosto era tão irritantemente plácido, que Luce tinha vontade de sacudi-lo. Nada o irritava.

— Estou no escuro, Daniel. Não sei de nada. Não conheço ninguém. Estou solitária. Cada vez que vejo você, há algo novo a esconder e nunca consigo ultrapassar essa barreira. Você me arrastou até aqui...

Ela estava pensando *aqui na Califórnia*, mas era mais do que isso. Seu passado, o limitado conhecimento que tinha dele, tudo desenrolava-se em sua mente como a bobina de um filme, espalhando-se pelo chão.

Daniel a havia arrastado muito, muito mais longe do que até a Califórnia. Ele a arrastara por séculos de discussões como esta. Por mortes agonizantes infinitas, que magoavam todos ao seu redor, como aqueles simpáticos velhinhos que ela visitara na semana passada. Daniel havia arruinado a vida do casal. Matado sua filha. Tudo porque era um anjo poderoso que queria algo e não se conteve.

Não, ele não tinha apenas a arrastado para a Califórnia. Ele a arrastara por uma eternidade amaldiçoada. Um fardo que deveria ter sido carregado por ele, e mais ninguém.

— Estou sofrendo, eu e todos que me amam, pela sua maldição. Por um tempo infinito. Por sua causa.

Daniel estremeceu como se tivesse levado um soco.

— Você quer ir para casa — resumiu.

Luce chutou a areia, inconformada.

— Quero voltar. Quero que você desfaça o que fez pra me meter nessa. Eu só quero viver uma vida normal e morrer e brigar com as pessoas normais por coisas normais, como torradeiras, e não por segredos sobrenaturais do universo que você nem mesmo conta para mim.

— Espera aí. — O rosto de Daniel tinha ficado completamente pálido. Os ombros se enrijeceram e as mãos tremiam. Até mesmo suas asas, que momentos atrás pareciam tão poderosas, aparentavam fragilidade. Luce quis estender a mão e tocá-las, como se de alguma forma pudessem dizer-lhe se a dor que ela via nos olhos dele era real. Mas Luce não se abalou.

— Nós estamos terminando? — perguntou ele, a voz fraca e baixa.

— Estávamos mesmo juntos, para começar?

Ele ficou de pé e segurou o rosto dela. Antes que Luce pudesse se afastar, sentiu o calor deixar seu rosto. Fechou os olhos, tentando resistir à força magnética de seu toque, mas era muito forte, mais forte do que qualquer outra coisa.

Aquilo apagava sua raiva, deixava sua personalidade em frangalhos. Quem ela era sem ele? Por que a atração por Daniel sempre sobrepunha a qualquer coisa que tentava afastá-la dele? Razão, instinto, autopreservação: nada daquilo jamais conseguiria competir. Devia ser parte do castigo de Daniel, que ela ficasse presa a ele para sempre, como uma marionete de seu criador. Ela sabia que não devia querê-lo com cada fibra do seu ser, mas não conseguia evitar. Olhando para ele, sentindo seu toque, o resto do mundo se desvanecia.

Ela só gostaria que amá-lo não tivesse que ser sempre tão difícil.

— Que história é essa de querer uma torradeira? — sussurrou Daniel em seu ouvido.

— Acho que não sei o que quero.

— Eu sei. — Seus olhos estavam decididos, presos nos dela. — Quero você.

— Eu sei, mas...

— Nada vai mudar isso. Não importa o que você escute. Não importa o que aconteça.

— Eu preciso mais do que ser desejada. Preciso que estejamos juntos, juntos de verdade.

— Em breve. Eu prometo. Tudo isso é apenas temporário.

— Foi o que você disse. — Luce viu que a lua já estava alta no céu. Estava cor de laranja, brilhante e minguante, como uma chama tranquila. — Sobre o que queria falar comigo?

Daniel enfiou uma mecha do cabelo loiro de Luce para trás da orelha, examinando-a por um longo tempo.

— Sobre a escola — disse ele, hesitando de uma forma que a fez pensar que Daniel não estava sendo verdadeiro. — Eu pedi a Francesca para cuidar de você, mas queria ver por mim mesmo. Você está aprendendo alguma coisa? Está bem aqui?

Luce sentiu um súbito desejo de se vangloriar sobre o que fizera com os Anunciadores, sobre a conversa com Steven e os vislumbres que tivera de seus pais. Mas o rosto de Daniel agora parecia mais ansioso e aberto do que a noite toda. Ele parecia estar tentando evitar uma briga, portanto Luce decidiu fazer o mesmo.

Ela fechou os olhos. Disse a ele o que queria ouvir. A escola estava bem. Ela estava bem. Os lábios de Daniel tocaram os dela outra vez, brevemente mas com ardor, até que todo o seu corpo estivesse formigando.

— Tenho que ir — disse ele, finalmente. — Eu nem deveria estar aqui, mas não consigo ficar longe de você. Eu me preocupo a cada momento. Eu te amo, Luce. Tanto, que dói.

Ela fechou os olhos para se proteger das asas batendo e da dor dos grãos de areia que voavam em seu rastro.

DEZ

NOVE DIAS

Uma série de assobios e tinidos entrecortavam a música. Uma longa nota de metal raspando, depois o choque da lâmina de prata fina pegando o oponente desprevenido.

Francesca e Steven estavam lutando.

Bem, não literalmente; na verdade, era um duelo de esgrima. Uma demonstração para os alunos que estavam prestes a encarar os próprios duelos.

— Saber como empunhar uma espada, sejam as leves de alumínio que estamos usando hoje, ou algo tão perigoso quanto um cutelo, é uma habilidade de valor inestimável — disse Steven, cortando o ar com breves movimentos de chicote com a ponta de sua espada. — Os exércitos do céu e do inferno raramente entram na batalha, mas quando o fazem — sem olhar, ele apontou a lâmina lateralmente para Francesca e, sem olhar, ela ergueu a espada e aparou o golpe —, permanecem intocados pelas armas de guerra modernas. Punhais, arcos e flechas, enormes espadas flamejantes... estas são nossas eternas ferramentas.

O duelo que se seguiu era uma amostra, apenas uma lição; Francesca e Steven nem mesmo usavam máscaras.

Era final da manhã de quarta-feira, e Luce estava sentada num banco largo do lado de fora, entre Jasmine e Miles. A classe inteira, incluindo seus dois professores, tinha trocado as roupas normais pelos uniformes brancos de esgrimistas. Metade da turma segurava máscaras de rosto de malha preta. Luce chegara ao almoxarifado logo após alguém pegar a última máscara, o que não a incomodou nem um pouco. Estava querendo evitar o constrangimento de todos na classe testemunharem sua falta de jeito: era evidente, pela forma como faziam investidas de ambos os lados da plataforma, que os outros já haviam passado por esses treinos antes.

— A ideia é ser o menos possível um alvo para o adversário — explicou Francesca para o círculo de estudantes ao redor. — Então, você apoia o peso sobre um dos pés e direciona com o outro, o da espada, e depois se afasta e se aproxima, para dentro e para fora da área do embate.

Ela e Steven subitamente deram continuidade a uma série de golpes e defesas, as espadas estalando enquanto habilmente se defendiam das investidas mútuas. Quando a lâmina de Francesca golpeou para a esquerda, Steven se lançou para a frente, mas ela se afastou novamente, varrendo a espada para cima e ao redor do seu pulso.

— *Touché* — disse ela, rindo.

Steven voltou-se para a classe.

— *Touché*, é óbvio, é francês para "tocado". Na esgrima, contamos os pontos por toques.

— Se estivéssemos lutando de verdade — completou Francesca —, receio que a mão de Steven estaria caída numa poça de sangue no deque. Desculpe, querido.

— Muito bem — concordou ele. — Muito. Bem. — Steven atirou-se de lado para ela, quase parecendo levantar-se do chão. No frenesi que se seguiu, Luce não conseguia acompanhar a espada de Steven, que atravessava o ar repetidas vezes, quase atingindo Francesca, que se desviou para o lado a tempo e reapareceu atrás dele.

Mas ele estava pronto para ela e derrubou a espada de Francesca antes de abaixar a ponta da dele e atingi-la no meio da passada.

— Receio que você, minha cara, tenha começado com o pé errado.

— Veremos. — Francesca levantou a mão e alisou o cabelo, os dois se entreolhando com uma intensidade assassina.

Cada nova rodada daquele jogo violento deixava Luce tensa e alarmada. Ela estava acostumada a ficar nervosa, mas o restante da turma também parecia surpreendentemente tenso. Tenso de entusiasmo. Assistindo Francesca e Steven, nenhum deles conseguia ficar parado.

Até esse momento, ela se perguntara por que nenhum dos outros Nefilim participava de alguma equipe esportiva da Shoreline. Jasmine tinha feito uma careta quando Luce perguntou se ela e Dawn estavam interessadas nas eliminatórias para a equipe de natação. Na verdade, até ela ouvir Lilith no vestiário de manhã bocejando que todos os esportes, exceto esgrima, eram "extraordinariamente chatos", Luce tinha concluído que os Nefilim simplesmente não eram muito atléticos. Mas não era nada disso. Eles apenas escolhiam cuidadosamente o que praticar.

Luce estremeceu quando imaginou Lilith, por exemplo que conhecia a tradução para o francês de todos os termos de esgrima que Luce nem conhecia em inglês, armando o corpo esbelto e maldoso numa posição de ataque. Se o resto da turma tivesse um décimo da habilidade de Francesca e Steven, Luce ia acabar em um amontoado de membros no chão até o final do embate.

Seus professores obviamente eram especialistas, se aproximando e fugindo dos ataques com facilidade. A luz do sol refletia em suas espadas, nos uniformes brancos acolchoados. Os cachos loiros de Francesca formavam um lindo halo ao redor de seus ombros enquanto ela girava em volta de Steven. Os pés teciam padrões com tanta graça que a luta mais parecia uma dança.

As expressões em seus rostos eram concentradas e cheias de determinação brutal. Após os primeiros poucos toques, eles empataram. Deviam estar ficando cansados. Estavam lutando há mais de dez minutos sem um golpe certeiro. Começaram a duelar com tanta rapidez que os arcos das lâminas quase desapareciam; havia apenas uma fúria fina e um zumbido fraco no ar e o barulho constante das lâminas se enfrentando.

Fagulhas começaram a voar cada vez que suas espadas se encostavam. Centelhas de amor ou de ódio? Havia momentos em que quase parecia que eram os dois.

E isso irritou Luce. Afinal, o amor e o ódio supostamente deveriam estar em lados opostos do espectro. A divisão parecia tão clara como... Bem, anjos e demônios, como ela costumava pensar. Não mais. Enquanto observava seus professores com respeito e temor, as lembranças da discussão da noite passada com Daniel giravam em sua mente. E seus próprios sentimentos de amor e ódio — ou, se não exatamente ódio, uma fúria crescente — lutavam dentro dela.

Vivas ecoaram de seus colegas. Luce achava que havia apenas piscado, mas perdera o ataque. A ponta da espada de Francesca tinha espetado o peito de Steven. Perto do coração. A força era tamanha que a lâmina fina se inclinou num arco. Ambos pararam por um instante, olhando nos olhos um do outro. Luce não sabia dizer se aquilo também fazia parte do show.

— Direto no meu coração — disse Steven.

— Como se você tivesse um — sussurrou Francesca.

Os dois professores pareceram ignorar momentaneamente que o deque estava cheio de alunos.

— Outra vitória de Francesca — disse Jasmine. Ela inclinou a cabeça para Luce e baixou a voz. — Ela vem de uma longa linhagem de vencedores. Não se pode dizer o mesmo de Steven. — O comentário pareceu ter muita coisa nas entrelinhas, mas Jasmine apenas deslizou para fora do banco, baixou a máscara sobre o rosto e apertou o rabo de cavalo. Pronta para ir.

Enquanto os outros alunos começaram a se movimentar em torno dela, Luce tentou imaginar uma cena semelhante entre ela e Daniel: Luce tendo a vantagem, segurando-o à mercê de sua espada, como Francesca e Steven. Foi, francamente, impossível imaginar. E isso a incomodou.

Não que ela quisesse dominar Daniel, mas porque não queria ser dominada. Na noite anterior, estivera à mercê dele demais. Lembrar do beijo a deixava ansiosa, vermelha e nervosa, e não de um jeito bom.

Ela o amava. Mas...

Deveria ter sido capaz de pensar a frase sem adicionar essa conjunção feia. Mas não dava. O que eles tinham no momento não era o que Luce queria. E se as regras do jogo sempre seriam aquelas, ela simplesmente não sabia se queria jogar. Que tipo de parceira ela era para Daniel? Que tipo de parceiro ele era?

Se Daniel tinha ficado atraído por outras meninas... em algum momento deve ter refletido sobre isso, também. Alguma outra pessoa poderia dar-lhes mais igualdade nesse jogo?

Quando Daniel a beijava, Luce sentia dentro de si que ele fazia parte de suas vidas passadas. Aninhada em seus braços, ela ficava desesperada para que Daniel permanecesse em seu presente. Mas, no segundo em que seus lábios se separavam, ela não tinha muita certeza se ele era seu futuro. Luce precisava da liberdade para tomar essa decisão, de uma forma ou de outra. Ela nem sabia que outras possibilidades existiam.

— Miles — chamou Steven. Tinha recuperado totalmente a pose de professor, guardando a espada numa bainha de couro preta e acenando para um dos cantos do deque. — Venha lutar com Roland aqui.

À sua esquerda, Miles se inclinou para sussurrar:

— Você e Roland se conhecem há mais tempo, qual é o calcanhar de Aquiles dele? *Não* vou perder para o novato.

— Hum... Eu realmente não... — A mente de Luce ficou em branco. Olhando para Roland, cuja máscara já cobria o rosto, percebeu o quão pouco sabia sobre ele na verdade. A não ser sobre seu catálogo de produtos do mercado clandestino. E que tocava gaita. E a maneira como fez Daniel rir tanto naquele primeiro dia na Sword & Cross. Ela até hoje não descobrira sobre o que eles estavam falando... ou o que Roland estava fazendo *de verdade* na Shoreline, aliás. Quando se tratava do Sr. Sparks, Luce estava definitivamente no escuro.

Miles deu um tapinha no joelho dela.

— Luce, era brincadeira. Esse cara vai acabar comigo com certeza. — Ele levantou-se, rindo. — Deseje-me sorte.

Francesca tinha se mudado para o outro lado da plataforma, próxima à entrada, e estava bebendo água em uma garrafa.

— Kristy e Millicent, fiquem nesse canto — chamou as duas meninas Nefilim com tranças e tênis pretos combinando. — Shelby e Dawn, venham lutar aqui. — Ela apontou para o canto do deque em frente à Luce. — O restante vai assistir.

Luce ficou aliviada por não ter sido chamada.

Quanto mais ela observava o método de ensino de Francesca e Steven, menos ela entendia. Uma demonstração intimidadora tomava o lugar de quaisquer instruções de verdade. A ideia não era prestar atenção e aprender, mas sim assistir e fazer. Enquanto os primeiros seis alunos tomavam seus lugares, Luce se sentia enormemente pressionada a entender toda a arte da esgrima no mesmo instante.

— *En garde!* — berrou Shelby, pulando para trás em um agachamento com a ponta da espada apenas alguns centímetros de Dawn, que nem havia desembainhado sua espada ainda.

Os dedos de Dawn estavam ziguezagueando através de seu cabelo preto curto, prendendo algumas mechas com um punhado de clipes cheios de borboletas.

— Você não pode pedir *en-garde* enquanto estou me preparando, Shelby! — Sua voz aguda ficava ainda mais estridente quando ela estava frustrada. — Qual o seu problema, foi criada por lobos? — Ela xingou com a última presilha de plástico ainda entre os dentes. — Tudo bem — disse ela, puxando sua espada. — Agora estou pronta.

Shelby, que estava se mantendo na pose durante a sessão de embelezamento de Dawn, se endireitou e olhou para as unhas malfeitas.

— Espere, tenho tempo para uma manicure? — disse ela, provocando Dawn tempo suficiente para deixá-la montar uma postura ofensiva e balançar sua espada contra a outra.

— Que falta de educação! — reclamou Dawn, mas, para surpresa de Luce, imediatamente entrou no modo combate, a lâmina habilmente cortando o ar e derrubando a de Shelby para o lado. Dawn era incrível em esgrima.

Ao lado de Luce, Jasmine gargalhava.

— Uma dupla feita no inferno.

Um sorriso surgiu no rosto de Luce também, porque nunca havia conhecido alguém tão inabalável e otimista quanto Dawn. A princípio, Luce suspeitava que fosse falsidade, uma fachada. De onde vinha, do Sul, aquela animação toda não teria sido real. Mas Luce ficara impressionada com a rapidez com que Dawn se recuperara depois do incidente no iate. O otimismo dela parecia não ter limites. Até agora, era difícil para Luce ficar perto dela sem rir. E era especialmente difícil fazer isso quando Dawn estava concentrando seu entusiasmo cheio de feminilidade em acabar com alguém tão diametralmente oposto como Shelby.

As coisas entre Luce e Shelby ainda estavam um pouco estranhas. Ela sabia, Shelby sabia, até mesmo a luz noturna de Buda em seu quarto parecia saber. Na verdade, Luce meio que gostava de ver Shelby lutando por sua vida enquanto Dawn a atacava alegremente.

Shelby era uma guerreira constante e paciente. Onde a técnica de Dawn era vistosa e atraente, braços e pernas girando quase em um tango pela plataforma, Shelby era cuidadosa com suas investidas, quase como se tivesse poucas e precisasse economizar. Ela mantinha os joelhos dobrados e nunca desistia.

No entanto, ela desistira de Daniel depois de uma noite. Fora rápida em dizer que era por causa dos sentimentos de Daniel por Luce, que isso impedira qualquer outra coisa, mas Luce não acreditava. Alguma coisa era estranha sobre a confissão de

Shelby, algo que não condizia com a reação de Daniel quando Luce tocara no assunto na noite anterior. Ele agira como se não houvesse nada para contar.

Um estrondo trouxe a atenção de Luce de volta.

Do outro lado da plataforma, Miles de alguma forma tinha caído de costas no chão. Roland pairava sobre ele. Literalmente. Estava voando.

As asas enormes que tinham se desenrolado dos ombros de Roland eram grandes como uma capa e tinham penas como uma águia, mas com um material marmorizado dourado correndo pelas asas escuras. Ele devia estar com os mesmos rasgos cortados em seu uniforme de esgrima que Daniel tinha na camiseta. Luce nunca tinha visto as asas de Roland, e, como os outros Nefilim, não conseguia parar de olhar. Shelby havia contado que pouquíssimos Nefilim tinham asas, e nenhum deles estudava na Shoreline. Ver as de Roland se desenrolarem numa batalha, mesmo sendo só um treino de esgrima, criou uma onda de excitação nervosa na multidão.

As asas chamavam tanta atenção que demorou um instante para Luce perceber que a ponta da espada de Roland pairava bem no peito de Miles, prendendo-o ao chão. O uniforme de esgrima branco e brilhante de Roland e suas asas douradas formavam uma silhueta marcante contra as exuberantes árvores escuras além. Com a máscara de malha preta protegendo o rosto, Roland parecia ainda mais intimidante, mais ameaçador, do que se tivesse sido capaz de ver sua expressão. Ela esperava que estivesse de brincadeira, porque ele realmente tinha colocado Miles numa situação vulnerável. Luce ficou de pé para ir até ele, surpresa ao se dar conta de que seus joelhos estavam tremendo.

—Aimeudeus*Miles*! — Dawn gritou do outro lado da plataforma, esquecendo sua própria batalha apenas por tempo suficiente para Shelby a atingir como um chicote, tocando no peito de Dawn, e marcar o ponto da vitória.

— Não é a forma mais ética para se ganhar — disse Shelby, embainhando a espada. — Mas às vezes é o jeito.

Luce passou correndo por elas e pelo resto dos Nefilim que não estavam duelando até Roland e Miles. Ambos estavam ofegantes. A essa altura, Roland já estava sentado no chão, as asas escondidas dentro de sua pele. Miles parecia bem; era Luce que não conseguia parar de tremer.

— Você me pegou. — Miles riu, nervoso, afastando a ponta da espada. — Sua arma secreta me pegou de surpresa.

— Desculpe, cara — disse Roland com sinceridade. — Não tinha intenção de abrir as asas em cima de você. Às vezes isso acontece quando me empolgo.

— Bom jogo. Até agora, de qualquer maneira. — Miles ergueu a mão direita para que o outro o ajudasse a se levantar do chão. — Eles dizem "bom jogo" na esgrima?

— Não, ninguém diz isso. — Roland levantou a máscara com uma das mãos e, sorrindo, deixou cair a espada da outra. Ele segurou a mão de Miles e puxou-o em um movimento rápido. — Bom jogo para você também.

Luce soltou a respiração. É óbvio que Roland não ia realmente machucar Miles. Roland era excêntrico e imprevisível, mas não era *perigoso*, mesmo que tivesse ficado do lado de Cam naquela última noite no cemitério da Sword & Cross. Mas não havia razão para temê-lo. Por que estava tão nervosa? Por que não conseguia fazer seu coração parar de bater tão rápido?

De repente, ela entendeu por quê. Por Miles.

Porque ele era seu amigo mais próximo na Shoreline. Tudo que Luce sabia era que, ultimamente, cada vez que estava perto de Miles pensava em Daniel, e em como as coisas entre eles estavam estranhas. E como, às vezes, em segredo, ela desejava que Daniel pudesse ser um pouco mais parecido com Miles. Alegre e descontraído, atencioso e naturalmente doce. Menos preocupado com coisas como uma condenação eterna.

Algo branco passou correndo por Luce direto para os braços de Miles.

Dawn. Saltou sobre Miles, de olhos fechados e a boca com um sorriso enorme.

— Você está vivo!

— Vivo? — Miles colocou-a de volta no chão. — Mal fiquei sem fôlego. Que bom que você nunca assistiu a um dos jogos de futebol.

De pé atrás de Dawn, observando enquanto ela acariciava o ponto onde a espada havia rasgado o colete branco de Miles, Luce sentiu-se estranhamente constrangida. Não era como se *ela* quisesse estar abraçando Miles, certo? Ela só queria... ela não sabia o que queria.

— Quer isto? — Roland apareceu ao lado dela, entregando-lhe a máscara que estivera usando. — Você é a próxima, não?

— Eu? Não. — Ela balançou a cabeça. — A aula não está quase acabando?

Roland balançou a cabeça de volta.

— Boa tentativa. Apenas finja, e ninguém vai saber que você nunca fez isso antes.

— Duvido muito. — Luce tocou a tela de malha fina. — Roland, tenho que perguntar...

— Não, eu não ia espetar o Miles. Por que todo mundo está tão assustado?

— Eu sei disso... — Ela tentou sorrir. — É sobre Daniel.

— Luce, você conhece as regras.

— Que regras?

— Posso conseguir um monte de coisas, mas não posso trazer Daniel pra você. Você vai ter que esperar.

— Não é isso, Roland. Sei que ele não pode estar aqui agora. Mas que regras? Do que você está falando?

Ele apontou para trás. Francesca indicava para Luce com um dedo. Os outros Nefilim haviam ocupado todos os assentos nos bancos, com exceção de alguns alunos que pareciam estar se preparando para seus duelos. Jasmine e uma menina coreana chamada Sylvia, dois meninos altos e magros cujos nomes Luce nunca conseguia acertar, e Lilith, sozinha, examinando a ponta de borracha da espada minuciosamente.

— Luce? — perguntou Francesca em voz baixa. Ela fez sinal para o espaço no deque em frente a Lilith. — Tome o seu lugar.

— Prova de fogo. — Roland assobiou, dando um tapinha nas costas de Luce. — Não demonstre medo.

Havia apenas outros cinco alunos em pé no meio do deque, mas, para Luce, parecia haver uma centena.

Francesca estava com os braços cruzados casualmente. Seu rosto estava sereno, mas Luce sentia que era uma serenidade forçada. Talvez ela quisesse que Luce perdesse na luta mais brutal e constrangedora possível. Por que outro motivo ela a colocaria contra Lilith, que era pelo menos trinta centímetros mais alta que Luce e cujo cabelo vermelho como fogo projetava-se por trás de sua máscara, como a juba de um leão?

— Eu nunca fiz isso — disse Luce sem jeito.

— Não tem problema, Luce, você não precisa ser hábil ainda — tranquilizou-a. — Estamos tentando avaliar sua capacidade relativa. Basta lembrar do que Steven e eu demonstramos no início da aula e você se sairá bem.

Lilith riu e chicoteou a ponta de sua espada num amplo Z.

— A marca de *zero*, perdedora — provocou.

— Ou seja, o número de amigos que você tem? — perguntou Luce. Ela lembrou do que Roland havia dito sobre não demonstrar medo. Ela baixou a máscara sobre o rosto e pegou sua espada com Francesca. Luce nem sabia como segurá-la. Ela se atrapalhou com o punho, perguntando-se se devia segurá-la com a mão direita ou a esquerda. Ela escrevia com a mão direita, mas jogava boliche e rebatia no beisebol com a esquerda.

Lilith já estava olhando para ela como se quisesse matá-la, e sabia que não podia perder tempo testando os golpes em ambas as mãos. Eles chamam de golpe na esgrima?

Em silêncio, Francesca foi para trás dela. Encostou os ombros nas costas de Luce, praticamente dobrando seu corpo esbelto em torno de Luce e segurando a mão esquerda da menina, e a espada, com a dela.

— Eu sou canhota assim como você — disse ela.

Luce abriu a boca, sem saber se devia ou não protestar.

— Assim como você. — Francesca inclinou-se em torno dela e deu a Luce um olhar experiente. Enquanto reposicionava sua pegada, algo quente e tremendamente reconfortante fluía dos dedos de Francesca para Luce. Força ou talvez coragem — Luce não entendia como funcionava, mas ficou feliz.

— Você precisa segurar com leveza — disse Francesca, dirigindo os dedos de Luce ao redor do cabo sob sua guarda. — Segure com muita força e o direcionamento da lâmina torna-se menos ágil, e as defesas, mais limitadas. Segure levianamente demais, e a lâmina pode se soltar de suas mãos.

Seus dedos macios e finos guiaram os de Luce para segurar o cabo curvo da espada. Com uma das mãos na espada e a outra no ombro de Luce, Francesca galopava um passo para a frente levemente, se balançando para os lados e bloqueando o movimento.

— Avançar. — Ela mudou para a frente, forçando a espada na direção de Lilith.

A ruiva passou a língua nos dentes e olhou para Luce com algo que devia ser a inveja.

— Recuar. — Francesca moveu Luce para trás como se fosse uma peça de xadrez. Ela se afastou e circulou para ficar de frente para Luce, e sussurrou: — O resto é apenas dourar a pílula.

Luce engoliu. Fazer o quê?

— *En garde!* — praticamente Lilith gritou. Suas pernas longas estavam flexionadas, e o braço direito estava segurando a lâmina em linha reta para Luce.

Luce recuou, dois galopes rápidos, e então, quando se sentiu a uma distância segura o suficiente, se lançou à frente com a espada estendida.

Lilith cruzou com habilidade para a esquerda da espada de Luce, virou-se, e em seguida voltou a atacar por baixo, batendo lâmina com lâmina. As duas espadas deslizaram uma contra a outra até que alcançaram um ponto médio e pararam. Luce teve que colocar todas as suas forças para impedir a pressão de Lilith. Seus braços tremiam, mas ela ficou surpresa ao descobrir que poderia manter Lilith imóvel naquela posição. Finalmente a ruiva se moveu e recuou. Luce assistiu-a mergulhar e girar algumas vezes e começou a entendê-la.

Lilith era barulhenta, fazendo muitos ruídos cheios de esforço. Era uma tática para desorientar, em parte. Ela fazia um barulho enorme e fingia ir numa direção ou outra, então chicoteava a ponta de sua espada num alto e apertado arco para tentar passar pelas defesas de Luce.

Então, Luce tentou a mesma jogada. Quando virou a ponta de sua espada de volta e marcou o primeiro ponto, abaixo do coração de Lilith, esta soltou um rugido ensurdecedor.

Luce estremeceu e se afastou. Ela nem havia tocado em Lilith com muita força.

— Você está bem? — gritou, prestes a levantar a máscara.

— Ela não está ferida — respondeu Francesca. Um sorriso separou seus lábios. — Está com raiva por você estar ganhando dela.

Luce não teve tempo de se perguntar qual a razão de Francesca de repente parecer estar se divertindo, porque Lilith se jogava na direção dela mais uma vez, com a espada já pronta. Luce ergueu sua espada para encontrar a de Lilith, girando o punho e se chocando três vezes antes de se afastarem.

A pulsação de Luce estava acelerada e ela se sentia bem. Sentia uma energia correndo pelas veias que não sentia há muito tempo. Ela era realmente *boa* naquilo, quase tão boa quanto Lilith, que parecia ter nascido para espetar pessoas com coisas afiadas. Luce, que nunca havia sequer segurado uma espada, percebeu que realmente tinha uma chance de ganhar. Apenas mais um ponto.

Ela podia ouvir os outros alunos aplaudindo, alguns até mesmo gritando seu nome. Podia ouvir Miles, e talvez Shelby, o que realmente a estimulou. Mas o som das vozes se misturava com outra coisa. Parecia estática e era muito alto. Lilith lutava tão ferozmente como nunca, mas de repente Luce estava tendo muita dificuldade para se concentrar. Ela recuou e piscou, olhando para o céu. O sol estava encoberto pelas árvores, mas não era só isso. Uma crescente frota de sombras se estendia a partir dos ramos, como manchas de tinta, se espalhando bem acima da cabeça de Luce.

Não, não, agora, não em público, com todo mundo olhando, não quando podiam custar-lhe este duelo. No entanto, ninguém mais reparara nelas, o que parecia impossível. Estavam fazendo tanto barulho que Luce só podia cobrir os ouvidos e tentar bloquear suas vozes. Ela levou as mãos às orelhas, com a ponta da espada para o céu, confundindo Lilith.

— Não deixe ela te apavorar, Luce. Ela é do mal! — cantou Dawn sentada no banco.

— Use o *prise de fer*! — gritou Shelby. — Lilith é péssima no *prise de fer*. Quero dizer, Lilith é péssima em tudo, mas principalmente no *prise de fer*.

Tantas vozes — mais, ao que parecia, do que o número de pessoas ali. Luce estremeceu, tentando bloquear aquilo tudo. Mas uma voz separava-se da multidão, como se estivesse sussurrando em seu ouvido bem atrás de sua cabeça. Era Steven.

— Bloqueie o barulho, Luce. Encontre a mensagem.

Ela girou a cabeça ao redor, mas o professor estava do outro lado, olhando para as árvores. Ele estava falando dos outros alunos Nefilim? Se referia à torcida barulhenta? Ela olhou para eles, mas estavam todos quietos. Então, quem estava fazendo barulho? Por um breve momento, seu olhar cruzou com o de Steven, e ele ergueu o rosto em direção ao céu. Como se estivesse apontando para as sombras.

Nas árvores acima de sua cabeça. Os Anunciadores estavam *falando*.

E ela podia *ouvi-los*. Eles estiveram falando o tempo todo?

Latim, russo, japonês. Inglês, com um sotaque do sul.

Francês ruim. Sussurros, cantos, direções confusas, versos rimando. E um grito horripilante pedindo ajuda. Luce balançou a cabeça, ainda mantendo a espada de Lilith a distância, mas as vozes continuaram. Ela olhou para Steven, e em seguida para Francesca. Eles não demonstravam, mas Luce sabia que ouviam. Sabia que eles sabiam que ela estava ouvindo também.

Em busca da mensagem por trás do barulho.

Por toda sua vida, ela ouvira o mesmo barulho quando as sombras vinham — o farfalhar nojento e úmido. Mas agora era diferente....

Clash.

A espada de Lilith colidiu com a de Luce. A ruiva bufava como um touro bravo. Luce podia ouvir a própria respiração dentro da máscara, ofegante, enquanto tentava conter a espada de Lilith. Então, pôde ouvir muito mais entre todas as vozes. De repente, podia se concentrar nelas. Encontrar o equilíbrio apenas significava separar a estática do que realmente queria dizer alguma coisa. Mas como?

Il faut faire le coup double. Après ca, c'est facile a gagner, um dos Anunciadores sussurrou em francês.

Luce só estudara francês durante dois anos do ensino médio, mas as palavras fizeram sentido além de seu cérebro. Não era apenas a mente compreendendo a mensagem. De alguma forma, seu corpo também entendia. Aquilo infiltrou-se nela, e ela se lembrou: estivera em um lugar como este antes, em uma luta de espadas assim, em um impasse como este.

O Anunciador estava recomendando um golpe duplo, um complicado movimento de esgrima no qual dois ataques diferentes vinham um após o outro.

Sua espada deslizou pela da adversária e as duas se afastaram. Um pouco antes de Lilith, Luce se lançou à frente em um movimento limpo, intuitivo, empurrando a ponta da espada para a direita, depois à esquerda, e em seguida rente à lateral das costelas de Lilith. Os Nefilim aplaudiram, mas Luce não parou. Ela se afastou e em seguida retornou, mergulhando a ponta da lâmina no preenchimento da barriga de Lilith.

Com isso, foram três pontos.

Lilith atirou a espada no chão, arrancou a máscara e fez uma careta horrível para Luce antes de sair rapidamente para o vestiário. O resto da turma estava de pé, e Luce podia sentir seus colegas a rodeando. Dawn e Jasmine abraçaram-na de ambos os lados, apertando-a. Shelby veio bater um high-five, e Luce podia ver Miles esperando pacientemente atrás dela. Quando foi a vez dele, o garoto a surpreendeu, levantando-a do chão em um abraço longo e apertado.

Ela o abraçou de volta, pensando como se sentira estranha antes, quando correra até ele só para descobrir que Dawn tinha chegado primeiro. Agora, ela estava apenas muito feliz em tê-lo por perto, contente com seu apoio simples e honesto.

— Quero umas lições de esgrima — brincou ele.

Em seus braços, Luce olhou para o céu, para as sombras se alongando dos longos ramos. Suas vozes estavam mais suaves agora, menos distintas, mas ainda assim eram mais claras do que jamais foram antes, como um rádio há anos cheio de estática que finalmente havia sido sintonizado. Ela não sabia se deveria ficar feliz ou com medo.

ONZE

OITO DIAS

— Espere um pouco — explodiu Callie do outro lado da linha. — Deixa eu me beliscar para ter certeza de que não estou...

— Você não está sonhando — disse Luce em seu telefone celular emprestado. A recepção estava fraca na floresta, mas o sarcasmo de Callie veio em alto e bom som. — Sou eu mesmo. Me desculpe, tenho sido uma péssima amiga.

Era a noite de quinta-feira após o jantar e Luce estava encostada no tronco forte de uma sequoia atrás de seu dormitório. À esquerda havia uma subida e depois o precipício e, finalmente, o oceano. Ainda havia um pouco de luz âmbar no céu sobre a água. Seus novos amigos estavam todos lá dentro, comendo doces e contando histórias de demônios em torno da lareira. Era um evento social de Dawn e Jasmine, parte das Noites Nefilim que Luce deveria ajudar a organizar, mas tudo que havia feito fora pedir alguns sacos de marshmallow e chocolate amargo ao refeitório.

E depois escapou para a margem sombria da floresta para evitar todos da Shoreline e reconectar-se com outras coisas importantes:

Seus pais. Callie. E os Anunciadores.

Ela esperara até então para ligar para casa. Quintas-feiras na casa dos Price significavam que sua mãe estaria jogando mahjong na casa dos vizinhos e seu pai teria ido ao cinema local assistir à ópera Atlanta. Ela podia lidar com suas vozes na mensagem antiga da secretária eletrônica, conseguiria deixar um recado de trinta segundos dizendo que estava se esforçando para convencer o Sr. Cole a deixá-la sair do campus para o Dia de Ação de Graças, e que os amava muito.

Mas não ia ser tão fácil com Callie.

— Pensei que você só podia ligar às quartas-feiras — dizia Callie. Luce tinha se esquecido da política rigorosa sobre telefonemas na Sword & Cross. — No começo parei de fazer planos às quartas-feiras, esperando você ligar — continuou Callie. — Mas, depois de um tempo, meio que desisti. Como você conseguiu um telefone celular, afinal?

— Só isso? — Luce perguntou. — Como eu consegui um telefone celular? Você não está brava comigo?

Callie soltou um longo suspiro.

— Sabe, pensei em ficar com raiva. Até mesmo ensaiei uma briga na minha cabeça. Mas assim nós duas perderíamos. — Ela fez uma pausa. — E a questão é que sinto sua falta, Luce. Então, pensei, para que perder tempo?

— Obrigada — sussurrou Luce, quase chorando de felicidade. — Então, o que tem feito?

— Não. Eu sou a responsável por esta conversa. Esse é o seu castigo por sumir do meu radar. E o que quero saber é: o que está acontecendo com aquele cara? Acho que o nome começava com C?

— Cam. — Luce gemeu. *Cam* tinha sido o último cara sobre quem falou com Callie? — Ele acabou não sendo... o tipo de cara que eu achava que era. — Ela parou por um momento. — Estou com outra pessoa agora, e as coisas realmente estão... — Ela pensou no rosto lindo de Daniel e no jeito que havia se fechado tão rapidamente durante o último encontro, do lado de fora da janela.

Então Luce pensou em Miles. Caloroso, confiável, charmoso, tranquilo, no convite que ele fizera para visitar a casa de sua família no dia de Ação de Graças. Miles, que pedia picles no hambúrguer no refeitório só para dá-los a Luce e inclinava a cabeça para cima quando ria, deixando aparecer o brilho em seus olhos cobertos pelo boné dos Dodgers.

— As coisas estão bem — disse ela finalmente. — Temos ficado muito juntos.

— Aah, passando de um bad boy para outro. Aproveitando bem, não é? Mas este parece ser sério, posso sentir pela sua voz. Vão comemorar Ação de Graças juntos? Vai trazer ele para casa para enfrentar a ira de Harry?

— Hmm... sim, provavelmente — resmungou Luce. Ela não estava totalmente certa se estava falando sobre Daniel ou Miles.

— Meus pais estão insistindo em alguma grande reunião de família em Detroit no fim de semana — disse Callie —, que estou boicotando. Eu queria visitar você, mas achei que estaria trancafiada aí, no melhor estilo reformatório. — Ela parou, e Luce podia imaginá-la enrolada em sua cama no quarto do dormitório da Dover. Parecia uma eternidade desde que Luce estivera lá. Tanto havia mudado. — Por outro lado, se você vai para casa, *e* levar o menino do reformatório, não vai conseguir me impedir.

— OK, mas, Callie...

Luce foi interrompida por um gritinho.

— Então está tudo certo? Imagine: em uma semana vamos estar sentadas em seu sofá, botando o papo em dia! Vou fazer a minha famosa pipoca para suportar os slides chatos que seu pai vai mostrar. E seu poodle histérico estará enlouquecido...

Luce nunca estivera na casa de Callie na Filadélfia, e Callie nunca visitara a de Luce, na Geórgia. As duas só haviam visto fotos. Uma visita de Callie parecia tão perfeita, exatamente o que Luce precisava neste momento. Mas também parecia totalmente impossível.

— Vou pesquisar voos agora.

— Callie...

— Eu vou lhe mandar por e-mail, OK? — Callie desligou antes que Luce conseguisse responder.

Isso não era bom. Luce fechou o telefone. Ela não devia ter sentido como se Callie estivesse se intrometendo, convidando-se para o dia de Ação de Graças. Ela devia ter adorado o fato de sua amiga ainda querer vê-la. Mas tudo que sentia era impotência, saudades de casa, e culpa, por perpetuar esse estúpido ciclo de mentiras.

Seria possível algum dia ser apenas normal e feliz? O que seria preciso na Terra — ou fora dela — para Luce ser tão contente com sua vida quanto alguém como Miles parecia ser? Sua mente continuava circulando em torno de Daniel. E ela teve sua resposta: a única maneira de ela viver despreocupada novamente seria nunca tendo conhecido Daniel. Nunca conhecer o verdadeiro amor.

Alguma coisa se balançou no topo das árvores. Um vento gelado envolveu sua pele. Ela não tinha especificamente se concentrado em um Anunciador mas percebeu que, como Steven tinha dito, seu desejo por respostas havia convocado um.

Não, não apenas um.

Ela estremeceu, olhando para o emaranhado de galhos. Centenas de sombras camufladas, obscuras, fétidas.

Elas fluíam juntas nos ramos das sequoias altas sobre sua cabeça. Como se alguém nas nuvens tivesse derrubado um gigantesco pote de tinta preta que se espalhara por todo o céu e escorria para a copa das árvores, sangrando de um ramo para outro até que a paisagem da floresta virasse uma massa sólida de escuridão. No início, era quase impossível dizer onde uma sombra acabava e outra começava, qual sombra era real e qual era um Anunciador.

Mas logo elas começaram a se transformar e a ficar mais nítidas —, disfarçadamente num primeiro momento, como se estivessem movendo-se como quem não quer nada na luz que diminuía — e depois com mais ousadia. Elas se desatacavam dos galhos que ocupavam, deixando cair seus tentáculos de escuridão, na direção de Luce. Reconhecendo-a ou ameaçando-a? Ela tentou se acalmar, mas não conseguia recuperar o fôlego. Eram muitas. Era demais. Luce ofegou, tentando não entrar em pânico, sabendo que já era muito tarde.

Correu.

Ela disparou para o sul, em direção ao dormitório. Mas o abismo sombrio rodopiando no topo das árvores apenas se moveu com ela, sibilando ao longo dos ramos mais baixos das sequoias, chegando mais perto. Ela sentiu as alfinetadas geladas tocando-a nos ombros. Ela gritou enquanto a agarravam, golpeando-as com as mãos.

Luce mudou de rumo, dando a volta em torno de si mesma na direção oposta, a caminho do alojamento Nefilim ao norte. Iria encontrar Miles ou Shelby ou então Francesca. Mas os Anunciadores não a deixavam ir. Imediatamente deslizaram à sua frente, inflando, engolindo a luz e bloqueando o caminho para o alojamento. Seu assobio abafava os murmúrios distantes da fogueira Nefilim, fazendo os amigos de Luce parecerem incrivelmente distantes.

Luce obrigou-se a parar e respirar fundo. Ela sabia mais sobre os Anunciadores do que jamais soubera. Devia ter *menos* medo deles. Qual era seu problema? Talvez soubesse que estava se aproximando de algo, alguma memória ou informação que poderia alterar o curso de sua vida e de seu relacionamento com Daniel. Na verdade, ela não estava apenas aterrorizada com os Anunciadores. Tinha medo do que poderia ver dentro deles.

Ou ouvir.

A menção de Steven no dia anterior sobre bloquear o ruído dos Anunciadores finalmente fizera sentido: ela poderia ouvir suas vidas passadas. Podia ultrapassar a estática e se concentrar no que queria saber. No que *precisava* saber. Steven deve ter tido a intenção de lhe dar essa pista, deve ter sabido que ela escutaria e levaria seus novos conhecimentos diretamente para os Anunciadores.

Ela se virou e voltou para a escuridão solitária das árvores. Os uivos dos Anunciadores acalmaram-se e pararam.

A escuridão sob os galhos cobriu-a de frio e do cheiro de decomposição das folhas. No crepúsculo, os Anunciadores iam para a frente, estabelecendo-se na penumbra ao redor dela, camuflando-se novamente entre as sombras naturais. Alguns deles moviam-se de forma rápida e dura, como soldados; outros tinham uma agilidade graciosa. Luce imaginou se suas aparências refletiam as mensagens que carregavam.

Muito sobre os Anunciadores ainda parecia impenetrável. Ouvi-los não era intuitivo, como mexer a esmo num sintonizador de rádio antigo. O que ela ouvira antes — aquela voz entre o tumulto de vozes — havia a alcançado por acidente.

O passado pode ter sido incompreensível para ela antes, mas Luce podia sentir isso se avolumando contra a superfície, esperando para ser libertado. Ela fechou os olhos e juntou as mãos. Lá, na escuridão, com o coração batendo forte, pediu que aparecessem. Convidou os mais frios, os mais sombrios, pedindo-lhes para revelar seu passado, para iluminar sua história com Daniel. Instou-os a explicar o mistério de quem ele era e por que a havia escolhido.

Mesmo se a verdade fosse partir seu coração.

Um riso alto de mulher ecoou na floresta. Uma risada tão clara e cheia que parecia estar envolvendo Luce, ricocheteado nos galhos das árvores. Ela tentou rastrear sua origem, mas eram tantas sombras reunidas ali, que Luce não sabia como localizar a fonte. E então sentiu seu sangue gelar.

Era o riso dela.

Ou favor dela, quando era criança. Antes de Daniel, antes da Sword & Cross, antes de Trevor... Antes de uma vida cheia de segredos e mentiras e tantas questões sem resposta. Antes de ver um anjo. Era uma risada inocente demais, despreocupada demais, para ainda pertencer a ela.

Uma lufada de vento rodopiou na parte de cima dos galhos, e uma dispersão de agulhas amarronzadas soltou-se, caindo no chão. Elas tamborilavam como pingos de chuva enquanto se juntavam a milhares de predecessoras no chão da floresta. Entre elas havia uma grande folha.

Grossa e totalmente intacta, ela arrastava-se lentamente, de alguma forma livre da força da gravidade. Era preta em vez de marrom. E, em vez de ficar no chão, ela flutuou levemente até a mão aberta de Luce.

Não era uma folha, e sim um Anunciador. Quando ela se inclinou para examinar mais de perto, ouviu o riso novamente. Em algum lugar lá dentro, a outra Luce estava rindo.

Com delicadeza, Luce deu um puxão nas bordas ásperas do Anunciador. Era mais flexível do que esperava, mas frio e pegajoso em seus dedos. Ele aumentava ao mais leve toque. Quando finalmente terminou de crescer, com cerca de um metro quadrado, Luce o soltou e ficou contente ao vê-lo subir até o nível de seus olhos. Ela fez um esforço especial para se concentrar na audição, para se desligar do mundo ao seu redor.

A princípio, nada aconteceu. Em seguida...

Mais uma risada crescente veio de dentro da sombra. Então o véu de escuridão desfiou-se e a imagem lá dentro se tornou mais clara.

Desta vez, Daniel foi o primeiro a aparecer.

Mesmo através da tela do Anunciador, era maravilhoso vê-lo. Seu cabelo estava um pouco mais longo do que agora. E ele estava bronzeado — os ombros e a ponta do nariz tinham um tom forte de dourado. Ele usava uma sunga azul do tipo que já vira em fotos de família dos anos 1970. Estava tão bonito.

Atrás de Daniel estava uma espessa floresta verdejante e densa, de um verde luxuriante, mas salpicado por cores de frutas e flores brancas que Luce nunca vira antes. Ele estava na beira de um precipício baixo, mas íngreme, que dava para uma piscina natural de água espumante. Daniel, porém, olhava para cima, em direção ao céu.

A risada de novo. E então a própria voz de Luce, entrecortada por risadinhas:

— Anda logo e vem aqui!

Luce se inclinou para a frente, para mais perto da janela do Anunciador, e viu a antiga Luce dentro d'água, usando um biquíni frente-única amarelo. Seu cabelo longo dançava ao redor, flutuando na superfície da água como um halo preto profundo. Daniel a observava, mas também continuava olhando para cima. Os músculos em seu peito estavam ficando tensos. Luce teve um mau pressentimento de já saber a razão.

O céu estava se enchendo de Anunciadores, como um bando de enormes corvos pretos, uma nuvem tão espessa que bloqueava o sol. A Luce anterior, na água, nada notava, nada via. Mas, vendo todas as sombras voarem e reunirem-se no ar úmido da floresta tropical, em uma imagem feita por um Anunciador, fez a Luce atual sentir uma súbita vertigem na floresta.

— Você está me fazendo esperar séculos — disse a Luce antiga para Daniel. — Daqui a pouco vou congelar.

Daniel tirou os olhos do céu, olhando para ela com uma expressão triste. Seus lábios tremiam e o rosto estava pálido como o de um fantasma.

— Você não vai congelar — respondeu ele. Eram *lágrimas* no rosto de Daniel? Ele fechou os olhos e estremeceu. Então, erguendo os braços sobre a cabeça, pulou da beira e mergulhou.

Daniel voltou a emergir um momento depois, e a antiga Luce nadou em direção a ele. Colocou os braços em volta do pescoço dele, o rosto animado e feliz. Luce assistia tudo se desenrolar com uma mistura de enjoo e satisfação. Ela queria que a antiga Luce tivesse o máximo de Daniel que pudesse, sentisse aquela intimidade inocente, o êxtase de estar com quem amava.

Mas ela sabia, assim como Daniel e o enxame de Anunciadores, exatamente o que iria acontecer logo que a antiga Luce apertasse os lábios contra os dele. Daniel estava certo: ela não ia congelar. Ela queimaria em uma explosão terrível.

E Daniel ficaria para trás, lamentando sua partida.

Mas ele não era o único. Essa menina tinha uma vida, amigos e uma família que a amava, que ficaria arrasada quando a perdesse.

De repente, Luce estava enfurecida. Furiosa com a maldição que pairava sobre ela e Daniel. Ela fora inocente, impotente, ela não sabia nada do que ia acontecer. Ainda não entendia *por que* acontecia, por que sempre tinha que morrer tão rapidamente depois de encontrar Daniel.

E por que ainda não tinha acontecido o mesmo nesta vida.

A Luce na água ainda estava viva. Luce não a deixaria — não podia deixá-la — morrer.

Ela agarrou o Anunciador, enrolando suas arestas nos punhos fechados. Ele se torcia e dobrava, contorcendo as imagens dos nadadores como um espelho de parque de diversões. Dentro de sua tela, outras sombras estavam chegando. O tempo estava acabando.

Frustrada, Luce gritou e socou o Anunciador — uma vez, depois outra, dando golpes na cena à sua frente. Ela bateu uma e outra vez, ofegando e chorando enquanto tentava ao máximo parar o que estava prestes a acontecer.

Então aconteceu: seu punho direito atravessou e o braço afundou até o cotovelo. Instantaneamente, Luce sentiu o choque da mudança de temperatura. O calor do sol de verão se espalhando pela palma de sua mão. A gravidade mudou. Luce não sabia o que era para cima ou para baixo. Ela sentiu o estômago se revirando e temia que fosse vomitar.

Ela podia atravessar. Podia salvar a antiga Luce.

Timidamente, esticou o braço esquerdo para a frente, que também desapareceu no Anunciador, como se atravessasse uma camada brilhante e úmida de gelatina que ondulava e se separava para deixá-la passar.

— Ele quer que eu faça isso — falou para si mesma. — Posso fazer isso. Posso salvá-la. Posso salvar a minha vida. — Luce se inclinou ligeiramente para trás e então empurrou o corpo para dentro do Anunciador.

A luz do sol era tão brilhante que ela precisou fechar os olhos, e o calor era tão tropical que gotas de suor imediatamente brotaram de sua pele. Uma sensação nauseante da gravidade girando e mudando, como no auge de um mergulho. Em um momento ela estaria caindo...

Mas alguma coisa segurou seu tornozelo esquerdo. Depois o direito. Algo estava puxando Luce com muita força para trás.

— Não! — gritou Luce, porque podia ver agora, lá embaixo, uma explosão amarela na água. Brilhante demais para ser a parte de cima de seu biquíni. A antiga Luce já estaria queimando?

Então tudo desapareceu.

Luce foi trazida de volta para o gramado escuro e frio das sequoias atrás do dormitório da Shoreline. A pele estava fria e úmida e seu senso de equilíbrio sumira, fazendo-a cair de cara no chão de terra coberto por agulhas da floresta. Ela se virou e viu duas figuras à sua frente, mas a cabeça girava tanto que nem conseguia distinguir quem eram.

— Achei mesmo que iria encontrar você aqui.

Shelby. Luce balançou a cabeça e piscou algumas vezes.

Não apenas Shelby, mas Miles também. Ambos pareciam exaustos. *Luce* estava exausta. Ela olhou para o relógio, não se surpreendendo ao ver quanto tempo passara vislumbrando o Anunciador. Passava de uma da manhã. O que Miles e Shelby ainda estavam fazendo acordados?

— O q-quê... o que você estava tentando... — gaguejou Miles, apontando para o local onde o Anunciador estivera. Ela olhou para trás. A sombra havia se espalhado em centenas de agulhas sombrias que choviam, frágeis o suficiente para transformarem-se em cinzas ao pousar.

— Acho que vou vomitar — murmurou Luce, rolando para o lado e indo para trás da árvore mais próxima. Arrotou algumas vezes, mas nada saía. Luce fechou os olhos, atormentada pela culpa. Havia sido fraca e lenta demais para salvar a si mesma.

O toque frio de alguém afastou os cachos curtos de seu rosto. Luce viu as velhas calças de ioga de Shelby e seus pés em chinelos de borracha, e se sentiu grata.

— Obrigada — disse. Após um longo momento, limpou a boca e, trêmula, ficou de pé. — Você está brava comigo?

— Brava? Estou *orgulhosa* de você. Você descobriu. Por que ainda precisaria de alguém como eu agora?

Shelby deu de ombros.

— Shelby...

— Não, vou dizer por que precisa de mim — desabafou Shelby. — Para mantê-la longe de catástrofes como a em que você praticamente tentou se jogar! Uma burrice, devo acrescentar. O que estava tentando fazer? Você sabe o que acontece com as pessoas que *entram* em Anunciadores?

Luce balançou a cabeça.

— Nem eu, mas duvido que seja alguma coisa boa!

— Você ao menos tem de saber o que está fazendo — disse Miles, aparecendo de repente atrás delas. Seu rosto estava mais pálido que o normal. Luce realmente deve ter abalado o amigo.

— Ah, e presumo que *você* saiba o que está fazendo? — desafiou Shelby.

— Não — murmurou ele. — Mas meus pais me obrigaram a frequentar uma oficina de verão com um anjo velho que sabia, certo? — Ele se virou para Luce. — E não é do jeito que você estava fazendo. Você realmente me assustou, Luce.

— Sinto muito — Luce estremeceu. Shelby e Miles estavam agindo como se ela os tivesse traído por estar ali sozinha. — Pensei que vocês estavam indo para a fogueira atrás do alojamento.

— Nós pensamos que *você* ia também — disparou Shelby de volta. — Ficamos lá por um tempo, mas então Jasmine começou a chorar porque Dawn tinha desaparecido, e os professores ficaram muito esquisitos, especialmente quando perceberam que você também não estava lá. Aí a festa meio que terminou. Então mencionei para Miles que eu, tipo, tinha uma ideia do que você podia estar aprontando e falei que ia cair fora para encontrá-la. De repente ele virou o Sr. Super Bonder.

— Espere um minuto — interrompeu Luce. — Dawn *desapareceu*?

— Provavelmente não — sugeriu Miles. — Quero dizer, sabe como ela e Jasmine são. Elas são apenas avoadas.

— Mas era a festa dela — disse Luce. — Ela não perderia a própria festa.

— Isso foi o que Jasmine ficou repetindo — comentou Miles. — Ela não voltou para o quarto na noite passada e não estava no refeitório esta manhã, então Frankie e Steven finalmente mandaram todos nós de volta para os dormitórios, mas...

— Aposto vinte dólares que Dawn está se agarrando com algum não Nef ensebado por aí. — Shelby revirou os olhos.

— Não. — Luce tinha um mau pressentimento sobre aquilo. Dawn estava tão animada com a fogueira. Tinha até encomendado camisetas na internet, embora fosse impossível convencer qualquer um dos Nefilim a usá-las. Ela não iria simplesmente desaparecer, não por vontade própria.

— Há quanto tempo ela está sumida?

Quando os três saíram do bosque, Luce estava ainda mais abalada, e não apenas por causa de Dawn. Estava abalada com o que tinha visto no Anunciador. Assistir à morte se aproximando de sua antiga vida fora uma agonia, e era a sua primeira vez. Daniel, por outro lado, tivera que assistir àquilo centenas de vezes. Só agora ela conseguia entender por que havia sido tão frio quando se conheceram: para salvá-los do trauma de passar por mais uma morte horrível. A realidade da maldição de Daniel começou a dominá-la, e Luce estava desesperada para vê-lo.

Atravessando o gramado para o dormitório, Luce teve que cobrir os olhos. Lanternas potentes estavam varrendo o campus. Um helicóptero sobrevoava a distância, o holofote traçando toda a costa, varrendo para a frente e para trás ao longo da praia. Uma ampla linha de homens em uniformes escuros andava do caminho do alojamento Nefilim para o refeitório, examinando o terreno lentamente.

Miles disse:

— Essa é a formação-padrão de grupos de busca. Forme uma linha e não deixe nenhum centímetro de terra sem ser examinado.

— Ai, Deus — disse Luce baixinho.

— Ela realmente sumiu. — Shelby estremeceu. — Péssimo carma.

Luce começou a correr em direção ao alojamento Nefilim.

Miles e Shelby a seguiram. O caminho, cheio de flores e tão bonito durante o dia, agora parecia coberto de sombras. À frente deles, a fogueira havia se apagado até poucas brasas, mas todas as luzes estavam acesas no prédio, dentro de cada uma das salas dos dois andares, e por toda a varanda. O edifício triangular estava todo iluminado e parecia formidável na noite escura.

Luce podia ver a expressão assustada de vários alunos Nefilim sentados nos bancos ao redor do terraço. Jasmine estava chorando, o gorro vermelho de tricô protegendo sua cabeça. Ela segurava a mão de Lilith para se consolar enquanto dois policiais faziam um monte de perguntas e anotavam tudo. O coração de Luce ficou apertado. Ela sabia como todo aquele processo podia ser horrível.

Os policiais andavam pelo local, distribuindo uma grande foto em preto e branco de Dawn que alguém havia imprimido da internet. Olhando para a imagem em baixa resolução, Luce ficou surpresa ao ver o quanto se parecia *mesmo* com Dawn, pelo menos antes de pintar o cabelo. Ela se lembrou de conversar com as duas na manhã depois que fez aquilo, de como Dawn brincou sobre não serem mais gêmeas.

Luce cobriu a boca com as mãos. Sua cabeça doía enquanto começava a somar tantos fatores que não faziam sentido... até agora.

O terrível momento no bote salva-vidas. A dura advertência de Steven sobre manter aquilo em segredo. A obsessão de Daniel por "perigos" jamais explicados. A Pária que a tinha atraído para fora do campus, a ameaça que Cam eliminara na floresta. A maneira com que Dawn se parecia tanto com Luce na foto em preto e branco.

Quem levou Dawn havia se enganado. Estavam atrás de Luce.

DOZE

SETE DIAS

Na sexta de manhã, Luce piscou os olhos e olhou para o relógio. Sete e meia. Ela mal havia conseguido dormir — estava um caco, muito preocupada com Dawn e ainda zangada com a vida passada que vislumbrara pelo Anunciador no dia anterior. Era tão estranho ter visto os momentos que antecederam sua morte. Será que todas teriam sido assim? Sua mente ficava voltando à mesma coisa, repetidas vezes.

— Se não tivesse sido por Daniel...

Será que ela teria a chance de uma vida normal, um relacionamento com alguém, casar, ter filhos e envelhecer, como o resto do mundo? Se Daniel não tivesse se apaixonado por ela séculos atrás, Dawn estaria desaparecida agora?

Essas questões todas eram apenas distrações, que mais cedo ou mais tarde a levavam de volta para o mais importante: seria diferente amar outra pessoa? Seria possível o amor com outro? O amor deveria ser fácil, não deveria? Então, por que ela se sentia tão atormentada?

Shelby pendurou a cabeça do beliche superior, seu cabelo loiro e grosso preso num rabo de cavalo caindo atrás dela como uma corda pesada.

— Você está tão agoniada com essa história quanto eu?

Luce apontou a cama para Shelby, que pulou para baixo e sentou-se ao lado dela. Ainda em seu grosso pijama de flanela vermelha, Shelby deslizou para a cama de Luce com duas barras gigantescas de chocolate amargo.

Luce ia dizer que não conseguia comer, mas o cheiro do chocolate flutuou até seu nariz e ela acabou puxando o papel-alumínio bronze, abrindo um sorriso tímido para Shelby.

— Quer saber — disse Shelby —, lembra do que falei ontem à noite, sobre Dawn estar se agarrando com algum não Nef? Me sinto realmente mal por isso.

Luce balançou a cabeça.

— Ah, Shel, você não sabia. Você não pode se sentir mal por isso. — Ela, por outro lado, tinha muitos motivos para se culpar pelo que havia acontecido com Dawn. Luce já se sentia tão responsável pela morte de pessoas perto dela, Trevor, em seguida, Todd, e depois a pobrezinha da Penn. A ideia de adicionar Dawn à lista quase a deixava sem ar. Ela enxugou uma lágrima silenciosa antes que Shelby percebesse. Estava chegando ao ponto em que Luce teria que se pôr em quarentena, afastando-se de todos que amava para que pudessem ficar em segurança.

Uma batida na porta fez Luce e Shelby saltarem. A porta se abriu lentamente. Ela Miles.

— Encontraram Dawn.

— O *quê?* — perguntaram Luce e Shelby em uníssono, erguendo-se.

Miles arrastou a cadeira da mesa de Luce para perto da cama e sentou de frente para elas. Tirou o boné e enxugou a testa, que estava pontilhada de suor, como se tivesse vindo correndo pelo campus para lhes contar.

— Não consegui dormir na noite passada — disse ele, revirando o boné nas mãos. — Levantei de madrugada e fiquei andando por aí. Encontrei Steven e ele me contou as boas novas. As pessoas que a levaram trouxeram Dawn de volta perto do nascer do sol. Ela está abalada, mas não se machucou.

— Isso é um milagre — murmurou Shelby.

Luce era mais cética.

— Não entendo. Simplesmente a trouxeram de volta? Ilesa? Quais as chances de algo assim acontecer?

E quanto tempo tinham levado para perceber que estavam com a garota errada?

— Não foi tão simples assim — admitiu Miles. — Steven estava envolvido. Ele a resgatou.

— De quem? — Luce estava praticamente gritando.

Miles deu de ombros, balançando sobre as duas pernas de trás da cadeira.

— Sei lá. Steven sabe com certeza, mas, hmm, eu não sou exatamente a sua primeira escolha para conversinhas particulares.

A ideia de Miles e Steven trocando confidências fez Shelby uivar. Dawn ter sido encontrada, sem ferimentos, pareceu relaxar a todos, exceto Luce. Seu corpo estava ficando dormente. Ela não conseguia parar de pensar: *Devia ter sido eu.*

Saiu da cama e pegou uma camiseta e jeans do armário. Tinha que encontrar Dawn. Ela era a única pessoa que poderia responder a suas perguntas. E, mesmo que Dawn nunca fosse entender, Luce sabia que lhe devia um pedido de desculpas.

— Steven disse que as pessoas que a levaram não voltarão — acrescentou Miles, observando Luce com preocupação.

— E você acredita nele? — zombou Luce.

— Por que não? — perguntou alguém da porta.

Francesca estava encostada na soleira, usando um casaco cáqui. Ela parecia calma, mas não exatamente feliz em vê-los.

— Dawn está em casa e em segurança agora.

— Quero vê-la — disse Luce, sentindo-se ridícula em pé ali com sua camiseta velha e shorts de dormir.

Francesca franziu os lábios.

— A família de Dawn a buscou uma hora atrás. Ela vai voltar para Shoreline quando for a hora certa.

— Por que você está agindo como se nada tivesse acontecido? — Luce levantou os braços, exasperada. — Como se Dawn não tivesse sido sequestrada...

— Ela não foi sequestrada — corrigiu Francesca. — Ela estava emprestada, e isso acabou sendo um erro. Steven resolveu tudo.

— Ah, e isso deveria nos fazer sentir melhor? Ela foi *emprestada*? Para quê?

Luce observou o rosto de Francesca e não viu nada, apenas uma calma sensata. Mas então algo nos olhos azuis de Francesca mudou: eles se estreitaram, depois se arregalaram, e um apelo silencioso foi transmitido de Francesca para Luce. Ela não queria que a menina demonstrasse suas suspeitas na frente de Miles e de Shelby. Luce não sabia a razão, mas confiou em Francesca.

— Steven e eu imaginamos que vocês fossem ficar muito agitados — continuou Francesca, olhando também para Miles e Shelby. — As aulas estão canceladas hoje, e estaremos nos escritórios se algum de vocês quiser conversar. — Ela sorriu daquela sua maneira deslumbrante e angelical, deu meia-volta e seguiu pelo corredor sobre os saltos. Shelby se levantou e fechou a porta.

— Você acredita que ela usou o termo "emprestada" para se referir a um ser humano? Como se Dawn fosse um livro da biblioteca? — Ela ergueu as mãos. — Temos que fazer alguma coisa para esquecer disso. Quero dizer, estou contente por Dawn estar segura e confio em Steven, ou acho que sim, mas ainda estou total e completamente apavorada.

— Você está certa — disse Luce, olhando para Miles. — Vamos nos distrair. Poderíamos dar uma volta...

— É muito perigoso. — Os olhos de Shelby iam de um lado para o outro.

— Ou assistir a um filme...

— Parado demais. Vou me distrair.

— Eddie disse alguma coisa sobre um jogo de futebol durante o almoço — sugeriu Miles.

Shelby colocou uma das mãos sobre a testa.

— Preciso relembrar que estou de saco *cheio* dos meninos da Shoreline?

— Que tal um jogo de tabuleiro...

Finalmente os olhos de Shelby se iluminaram.

— Que tal o jogo da vida? Tipo... das suas vidas passadas? Nós poderíamos rastrear seus parentes de novo. Posso ajudar você.

Luce mordeu o lábio inferior. A experiência com aquele Anunciador na noite anterior a tinha abalado seriamente. Ainda estava fisicamente desorientada, emocionalmente esgotada, e nem sequer começara a pensar sobre como isso a fizera se sentir em relação a Daniel.

— Não sei, não — respondeu.

— Você quer dizer, mais do que ela estava fazendo ontem. — perguntou Miles.

Shelby virou a cabeça e olhou feio para Miles.

— Você ainda está aqui?

Miles pegou um travesseiro que tinha caído no chão e atirou-o nela. Ela rebateu, parecendo impressionada com seus próprios reflexos.

— Certo, tudo bem. Miles pode ficar. Mascotes são sempre úteis. E talvez a gente precise de alguém para jogar debaixo de um ônibus. Certo, Luce?

Luce fechou os olhos. Sim, estava morrendo de vontade de descobrir mais sobre seu passado, mas e se fosse tão difícil de aceitar como tinha sido no dia anterior? Mesmo tendo Miles e Shelby ao seu lado, Luce estava com medo de tentar novamente.

Mas então se lembrou do dia em que Francesca e Steven demonstraram o vislumbre do Anunciador de Sodoma e Gomorra na classe. Os outros alunos tinham reclamado depois, mas Luce ficou pensando que eles terem vislumbrado ou não aquela cena horrível não importava muito: ainda assim aquilo teria acontecido. Era o mesmo com o seu passado.

Pelo amor de todas as suas antigas vidas, Luce não podia desistir agora.

— Vamos jogar — disse aos amigos.

❧❦

Miles expirou alguns minutos para as meninas se vestirem, e se encontraram novamente no corredor. Mas Shelby se recusou a ir para a floresta onde Luce tinha convocado os Anunciadores.

— Não olhe para mim assim. Dawn acabou de ser raptada, e florestas são escuras e assustadoras. Eu realmente não quero ser a próxima, sabe?

Foi quando Miles sugeriu que seria bom para Luce tentar praticar a convocação dos Anunciadores em um lugar diferente, como no dormitório.

— Só assobie e traga-os correndo — disse ele. — Faça dos Anunciadores seus cãezinhos. Você sabe que quer fazer isso.

— Não quero que eles comecem a aparecer por aqui — disse Shelby para Luce. — Sem ofensas, mas eu preciso de privacidade.

Luce não se ofendeu. Mas infelizmente os Anunciadores nunca tinham parado de segui-la, na verdade, quer ela os chamasse ou não. Ela não queria as sombras passando por seu dormitório de surpresa mais do que Shelby.

— A questão com os Anunciadores é demonstrar controle. É como educar um novo cachorro. Você apenas tem que deixá-lo saber quem é que manda.

Luce ergueu a cabeça para Miles, surpresa.

— Desde quando você sabe tanta coisa útil sobre os Anunciadores?

Miles corou.

— Posso nem sempre "me destacar" em sala de aula, mas consigo fazer algumas coisas.

— E daí? Ela simplesmente fica parada aqui e chama os Anunciadores? — perguntou Shelby.

Luce ficou em pé na esteira de ioga colorida de Shelby no meio da sala e pensou sobre como Steven a havia treinado.

— Vamos abrir uma janela — disse ela.

Shelby pulou para levantar o caixilho da ampla janela, deixando entrar um sopro de ar fresco do mar.

— Boa ideia. Deixa o ambiente mais receptivo.

— E frio — disse Miles, vestindo o capuz do moletom.

Então os dois se sentaram na cama de frente para Luce, como se ela fosse uma atriz no palco.

Ela fechou os olhos, tentando não se sentir sob os refletores. Mas em vez de pensar nas sombras, em vez de convocá-las com sua mente, Luce só conseguia pensar em Dawn e em como ela deve ter ficado aterrorizada na noite anterior, como devia estar se sentindo agora, com sua família de novo. Ela se recuperara depois do incidente bizarro no iate, mas o atual havia sido muito mais grave. E a culpa foi de Luce. Bem, de Luce *e* de Daniel, por tê-la levado para lá.

Ele dizia que a levara para um lugar mais seguro. Agora Luce se perguntava se o que ele fizera não estava na verdade deixando a Shoreline mais perigosa para os outros.

Um engasgo de Miles fez Luce abrir os olhos. Ela olhou um pouco além da janela, onde um grande Anunciador cor de carvão estava flutuando contra o teto. No início parecia ser uma sombra normal, formada pela lâmpada que Shelby colocava no chão quando fazia o Vinyasa. Mas, em seguida, o Anunciador começou a se espalhar através do teto até o quarto parecer ter sido pintado com uma tinta mortal, deixando um rastro frio e fétido sobre a cabeça de Luce. Fora de seu alcance.

O Anunciador que ela não tinha sequer convocado, o Anunciador que poderia conter, bem, *qualquer coisa*, estava provocando-a.

Ela inspirou, nervosa, lembrando-se do que Miles havia dito sobre controle. Luce se concentrou com tanta força que seu cérebro começou a doer. Seu rosto estava vermelho e os olhos fixos de tal modo que logo ela teria que desistir. Mas então...

Então o Anunciador se soltou, deslizando até os pés de Luce como um tecido pesado. Apertando os olhos, ela vislumbrou uma sombra marrom, menor e mais redonda, pairando sobre a maior e mais escura, rastreando seus movimentos, quase como um pardal, que pode voar em estreita conformidade com um falcão. O que essa sombra queria?

— Incrível — sussurrou Miles.

Luce tentou interpretar as palavras de Miles como um elogio. Essas coisas que a aterrorizaram por toda sua vida, que a fizeram tão infeliz? Que ela sempre havia temido? Agora lhe serviam. Isso era mesmo meio incrível. Não havia ocorrido a ela, até ver a fascinação no rosto de Miles. Pela primeira vez, sentiu-se muito poderosa.

Ela controlou a respiração e com calma orientou a sombra do chão até suas mãos. Uma vez que o Anunciador cinzento estava a seu alcance, o menor derramou-se no chão como um feixe dourado de luz vindo da janela, misturando-se às pranchas de madeira.

Luce segurou as bordas do Anunciador e prendeu a respiração, rezando para que a mensagem ali dentro fosse mais inocente do que a do dia anterior. Ela puxou, surpresa ao sentir aquela sombra oferecer-lhe mais resistência do que qualquer uma das outras que já havia manipulado. Parecia tão transparente e sem substância, mas era dura em suas mãos. Até conseguir moldá-la numa janela de cerca de trinta centímetros quadrados, seus braços já estavam doendo.

— Isso é o melhor que posso fazer— disse para Miles e Shelby. Eles se levantaram e chegaram mais perto.

O véu cinzento do Anunciador levantou, ou Luce pensou que sim, mas outro véu cinza estava sob o primeiro. Ela apertou os olhos até que viu o cinza turvo se mover, percebendo que não era mais a sombra que ela estava vendo: o véu cinzento à sua frente era uma espessa nuvem de fumaça de cigarro. Shelby tossiu.

A fumaça não diminuiu, mas os olhos de Luce se acostumaram a ela, e logo pôde ver uma ampla mesa em formato de meia-lua forrada com feltro vermelho. Cartas de baralho estavam dispostas em fileiras em toda a superfície. Uma fileira de estranhos lotava um dos lados. Alguns pareciam ansiosos e nervosos, como o homem calvo que não parava de afrouxar a gravata de bolinhas e assobiar baixinho. Outros pareciam exaustos, como uma mulher cheia de laquê que apagava o cigarro em um copo com algo pela metade. Seu rímel empastelado estava escorrendo dos cílios superiores, deixando um grande borrão preto sob os olhos.

E, do outro lado da mesa, duas mãos voavam por um baralho de cartas, habilmente virando uma de cada vez para cada pessoa na mesa. Luce se aproximou mais de Miles para que pudesse ter uma visão melhor. Estava distraída pelas luzes de néon piscando das mil máquinas caça-níqueis pouco além das mesas. Isso foi antes de ela ver quem era o *dealer*.

Ela pensou que iria se acostumar a ver versões de si mesma nos Anunciadores. Jovem, esperançosa, sempre ingênua. Mas esta era diferente. A mulher distribuindo cartas no cassino decadente usava uma camisa branca, calças pretas justas e um colete preto que fazia seus seios parecerem maiores. As unhas eram longas e vermelhas, com lantejoulas brilhantes em ambos os dedos mínimos, e ela ficava usando-os para tirar os cabelos pretos do rosto. Seu olhar pairava pouco acima da testa dos jogadores, para que nunca olhasse ninguém nos olhos de verdade. Ela era três vezes mais velha que Luce, mas ainda havia *algo* de semelhante.

— É você? — sussurrou Miles, tentando não parecer horrorizado.

— Não! — Shelby disse categoricamente. — Essa mulher é uma *velha*. E Luce só vive até os 17 anos. — Ela lançou a Luce um olhar nervoso. — Quero dizer, no passado sempre foi assim. Desta vez, tenho certeza de que vai viver até uma idade avançada. Talvez tanto quanto esta senhora. Quero dizer...

— Chega, Shelby — pediu Luce.

Miles balançou a cabeça.

— Tenho *tanta* coisa para aprender ainda.

— OK, se não sou eu, devemos ser... não sei, ligadas de alguma forma. — Luce observou enquanto a mulher dava fichas para o homem calvo de gravata. Suas mãos pareciam com as de Luce. O formato da boca era igualmente firme. — Você acha que é minha mãe? Ou minha irmã?

Shelby estava rabiscando furiosamente no verso da capa de um manual de ioga.

— Só há uma maneira de descobrir. — Ela mostrou suas anotações para Luce: *Las Vegas: Mirage Hotel e Cassino, turno da noite, mesa perto da exposição do tigre de Bengala, Vera com unhas postiças.*

Ela olhou de volta para a *dealer*. Shelby era ótima para os detalhes que Luce nunca notava. A placa identificadora dizia VERA, em letras brancas tortas. Mas a imagem estava começando a tremer e a desaparecer. Logo, toda a imagem se desfez em pequenos pedaços de sombra que caíram no chão e se enrolaram como cinzas de papel queimado.

— Mas espere, isso não é o passado? — perguntou Luce.

— Acho que não — respondeu Shelby. — Ou, pelo menos, não é um passado muito distante. Havia um anúncio para o novo espetáculo do Cirque du Soleil no fundo. Então, o que você me diz?

Ir até Las Vegas para encontrar essa mulher? Uma irmã de meia-idade provavelmente seria mais fácil de abordar do que pais de mais de 80 anos, mas ainda assim era estranho. E se fizessem todo o caminho até Las Vegas e Luce desistisse novamente?

Shelby a cutucou.

— Ei, devo realmente gostar de você, se concordo em ir até Las Vegas. Minha mãe trabalhou como garçonete lá por uns dois anos quando eu era criança. Vou dizer, é o inferno na Terra.

— Como chegaríamos lá? — quis saber Luce, evitando perguntar a Shelby se poderiam pegar o carro do ex-namorado novamente. — A que distância fica Vegas, afinal?

— Longe demais para dirigir — falou Miles. — O que não me incomoda, porque estou com vontade de praticar o atravessamento.

— Atravessamento? — perguntou Luce.

— Isso, atravessar. — Miles se ajoelhou no chão e juntou os fragmentos da sombra nas mãos. Pareciam quase inúteis, mas Miles continuou amassando-os com os dedos até formar uma bola mole, não muito firme. — Eu disse que não consegui dormir na noite passada. Meio que invadi o escritório de Steven.

— Ah, tá bom — zombou Shelby. — Você foi reprovado em levitação. Você definitivamente não é bom o suficiente para entrar pela janela.

— E *você* não é forte o suficiente para arrastar a estante até o lugar certo — disse Miles. — Mas eu sou, e tenho isso para provar. — Ele sorriu, segurando um grosso livro preto: *Manual do Anunciador: Convoque, vislumbre, e viaje em dez mil passos fáceis*. — Também tenho um hematoma enorme na canela causado por uma saída mal planejada, mas de qualquer maneira... — Miles virou-se para Luce, que estava se controlando para não arrancar logo o livro de suas mãos. — Eu estava pensando, com seu evidente talento para vislumbrar, e meu conhecimento superior...

Shelby deu uma risada.

— Quanto do livro você leu, três por cento?

— Uma porcentagem muito útil — disse Miles. — Acho que podemos fazer isso... sem acabarmos perdidos para sempre.

Shelby inclinou a cabeça com desconfiança, mas não disse nada. Miles continuou a amassar o Anunciador na palma da mão, então começou a esticá-lo de novo. Após um minuto ou dois, havia se tornado uma folha cinza quase do tamanho de uma porta. Suas bordas eram molengas e translúcidas, mas quando Miles afastou-o um pouco, parecia ter ficado mais firme, como um molde de gesso depois de secar. Miles esticou a mão para o lado esquerdo do retângulo escuro, apalpando sua superfície, à procura de algo.

— Estranho — murmurou, tocando o Anunciador. — O livro diz que, se você tornar a área do Anunciador grande o suficiente, a tensão superficial se reduz, permitindo o atravessamento. — Ele suspirou. — Deveria ter uma...

— Ótimo livro, Miles. — Shelby revirou os olhos. — Você é mesmo um especialista agora.

— O que você está procurando? — perguntou Luce, parando logo atrás de Miles. De repente, observando as mãos dele se moverem, ela viu.

Um trinco.

Ela piscou os olhos e a imagem desapareceu, mas Luce sabia onde estava. Seu braço contornou Miles e apertou o lado esquerdo do Anunciador. *Ali*. Tocar aquilo a fez ofegar.

Parecia um trinco de metal pesado com ferrolho, usado para fechar um portão de jardim. Era gelado e áspero, coberto por uma ferrugem invisível.

— E agora? — perguntou Shelby.

Ela olhou para os dois amigos muito confusos, encolheu os ombros, mexeu um pouco o trinco e então deslizou lentamente o ferrolho invisível para o lado.

Com a tranca aberta, a sombra de uma porta subiu, quase derrubando os três para trás.

— Conseguimos — sussurrou Shelby.

Eles estavam olhando para um túnel longo e profundo, vermelho-escuro. Era úmido e cheirava a mofo e coquetéis aguados, feitos com bebida barata. Luce e Shelby entreolharam-se, incertas. Onde estava a mesa de black jack? Onde estava a mulher que viram antes? Uma luz vermelha pulsava lá dentro e logo Luce pôde ouvir máquinas caça-níqueis apitando, moedas tilintando e caindo em cestas com estrondo.

— Legal! — disse Miles, agarrando sua mão. — Li sobre essa parte, é uma fase de transição. Só precisamos continuar.

Luce pegou a mão de Shelby, agarrando-a firmemente enquanto Miles entrava na escuridão úmida e puxava as duas para dentro.

Eles andaram apenas cerca de meio metro à frente, mais ou menos a distância até a porta do quarto de Luce e Shelby do dormitório. Mas logo que a porta cinzenta do Anunciador fechou atrás deles com um *pfffff* profundamente assustador, seu quarto da Shoreline não estava mais lá. O que havia sido de um vermelho profundo e aveludado a distância de repente foi tomado por branco. A luz branca se espalhou na direção deles, envolvendo-os, enchendo seus ouvidos com som. Todos tiveram que proteger os olhos. Miles seguiu andando, puxando Luce e Shelby atrás dele. Se não fosse por isso, Luce teria ficado paralisada. As palmas de suas mãos suavam dentro das de seus amigos. Ela ouvia um único acorde de música alta e perfeitamente clara.

Luce esfregou os olhos, mas a cortina de neblina do Anunciador obscurecia sua visão. Miles avançou ainda mais e esfregou-a suavemente com um movimento circular, até que a neblina começou a descascar, como lascas de tinta velha soltando-se de um teto. E, a cada lasca que caía, explosões do árido ar do deserto sopravam através do frescor tenebroso, aquecendo a pele de Luce. Quando o Anunciador caiu aos pedaços a seus pés, a visão diante deles de repente fez sentido: estavam olhando para a Las Vegas Strip. Luce só havia visto aquilo em fotos, mas agora podia reconhecer a ponta da Torre Eiffel do Hotel Paris Las Vegas ao longe.

O que significava que estavam muito muito alto. Ela ousou olhar para baixo: estavam do lado de fora, em algum telhado, com a beirada a menos de um metro além de seus pés. E, depois disso, o tráfego de Vegas, o topo de uma fileira de palmeiras, uma piscina ricamente iluminada. Tudo pelo menos trinta andares abaixo.

Shelby largou a mão de Luce e começou a explorar o teto de cimento. Três vias retangulares de mesmo comprimento partiam de um ponto central. Luce girou, admirando as luzes de néon brilhante em trezentos e sessenta graus, e, depois da Strip, uma cordilheira de montanhas desertas e distantes, iluminadas de leve pela poluição luminosa da cidade.

— Putz, Miles — disse Shelby, pulando claraboias para explorar mais do telhado. — Esse atravessamento foi incrível. Estou quase a fim de você agora. Quase.

Miles enfiou as mãos nos bolsos.

— Hmm... obrigado?

— Onde estamos exatamente? — perguntou Luce. A diferença entre seu tombo sozinha para dentro do Anunciador e essa experiência era inacreditável. Isso era muito mais civilizado. Luce não estava com nenhuma vontade de vomitar. Além disso, tinha realmente dado certo. Pelo menos, parecia que sim.

— O que aconteceu com a cena que estávamos vendo antes?

— Tive que nos afastar um pouco — disse Miles. — Achei que ficaria estranho se nós três saíssemos de uma nuvem no meio do cassino.

— Só um pouquinho — disse Shelby, puxando uma porta trancada. — Alguma ideia brilhante sobre como sair daqui?

Luce fez uma careta. O Anunciador estava tremendo, em frangalhos, aos seus pés. Ela não acreditava que ele tivesse forças para ajudá-los agora. Nem para saírem deste telhado, nem de volta à Shoreline.

— Não se preocupe! Eu sou um gênio — gritou Shelby, do outro lado do telhado. Ela estava debruçada sobre uma das claraboias, lutando com um cadeado. Com um grunhido, ela a abriu, então levantou um painel de vidro com dobradiças. Enfiou a cabeça lá dentro, indicando que Luce e Miles deveriam se juntar a ela.

Com cautela, Luce olhou para baixo, pela claraboia aberta, e viu um banheiro enorme e opulento. Havia quatro reservados de tamanho generoso de um lado, e uma fileira de pias de mármore de frente para um espelho dourado do outro. Um pufe roxo felpudo estava em frente a uma penteadeira e havia uma única mulher sentada ali, olhando para o espelho. Luce só podia ver o topo de sua cabeça com cabelo preto, cheio, mas seu reflexo mostrava um rosto muito maquiado, franja espessa, e unhas francesinha. Estava reaplicando uma camada desnecessária de batom vermelho.

— Assim que Cleópatra acabar com esse tubo de batom, a gente desce daqui — sussurrou Shelby.

Abaixo deles, Cleópatra levantou-se da penteadeira. Ela juntou os lábios e limpou uma mancha vermelha de seus dentes. Então marchou em direção à porta.

— Deixe-me ver se entendi — disse Miles. — Você quer que eu entre em um banheiro feminino?

Luce olhou mais uma vez ao redor do telhado deserto. Realmente essa era a única maneira de entrar.

— Se alguém vê-lo, basta fingir que você entrou na porta errada.

— Ou que vocês dois estavam se agarrando num dos reservados — acrescentou Shelby. — O quê? Estamos em Las Vegas.

— Vamos nessa, tá bem? — Miles estava corado quando desceu pela claraboia. Ele esticou os braços lentamente, até que seus pés pairaram bem acima do tampo alto de mármore da penteadeira.

— Ajude Luce a descer — falou Shelby.

Miles travou a porta do banheiro e, em seguida, levantou os braços para pegar Luce. Ela tentou imitar sua técnica suave, mas os braços estavam tremendo quando passou pela claraboia. Luce não conseguia ver muito abaixo dela, mas sentiu o aperto forte de Miles em volta de sua cintura mais cedo do que imaginava.

— Pode soltar — disse ele e, quando o fez, baixou-a graciosamente até o chão. Seus dedos espalmados nas costelas dela, apenas o tecido fino da camiseta preta entre os dois. Os braços dele ainda estavam ao seu redor quando os pés de Luce tocaram o azulejo. Ela estava prestes a agradecer mas, quando olhou nos seus olhos, não conseguiu.

Luce se afastou rápido demais, murmurando desculpas por tropeçar nos pés dele. Ambos se inclinaram contra a penteadeira, nervosos, evitando contato visual, olhando fixamente para a parede.

Isso não devia ter acontecido. Miles era apenas seu amigo.

— *Alô!* Alguém vai me ajudar? — Os pés de Shelby estavam dependurados pela claraboia, chutando com impaciência. Miles foi até lá e segurou-a pelo cinto, descendo Shelby pela cintura.

Ele soltou Shelby muito mais rapidamente, — Luce notou — do que a havia soltado. Shelby atravessou o chão de azulejos dourados e destrancou a porta.

— Vamos lá, pessoal, o que estão esperando?

Do outro lado da porta, garçonetes glamourosas vestidas de preto iam de um lado para o outro em saltos altos de lantejoulas, com bandejas de coquetéis equilibradas nos braços. Homens de ternos escuros caros aglomeravam-se em volta das mesas de black jack, onde gritavam como adolescentes cada vez que uma mão era distribuída. Não havia máquinas caça-níqueis tilintando em um loop infinito aqui. Era discreto, exclusivo e tremendamente excitante, mas não se parecia em nada com a cena que haviam visto no Anunciador.

Uma garçonete se aproximou deles.

— Posso ajudar? — Ela baixou a bandeja de aço inoxidável para analisá-los.

— Uuh, caviar — disse Shelby, pegando três *blinis* para si e entregando um para os outros. — Estão pensando a mesma coisa que eu?

Luce assentiu.

— Já estávamos descendo.

※

Quando o elevador abriu as portas para o átrio luminoso e brilhante do cassino, Luce teve que ser empurrada por Miles para sair. Ela soube que haviam finalmente chegado ao lugar certo. As garçonetes eram mais velhas, cansadas, e mostravam muito menos o corpo. Elas não deslizavam pelo tapete laranja manchado, elas se arrastavam. E os clientes pareciam muito mais com os que vira durante o vislumbre: com excesso de peso, de classe média e na meia-idade, tristes, esvaziando as carteiras. Agora eles só precisavam achar Vera.

Shelby manobrou-os através de um labirinto formado por máquinas caça-níqueis, pessoas amontoadas ao redor das roletas gritando com a pequena bola que girava, por grandes mesas retangulares onde as pessoas sopravam seus dados, atiravam-nos e depois comemoravam o resultado, uma fileira de mesas oferecendo pôquer e outros jogos estranhos com nomes como Pai Gow, até chegarem a um aglomerado de mesas de black jack.

A maioria dos *dealers* eram homens. Altos, corcundas, com cabelos oleosos, óculos e bigodes cinzentos, um deles usando uma máscara cirúrgica sobre o rosto. Shelby não desacelerou para olhar para qualquer um deles, e tinha um motivo: lá, num canto escondido do cassino, estava Vera.

Seu cabelo preto estava preso num coque torto. O rosto pálido parecia magro e flácido. Luce não teve a mesma sensação de quando olhou para os pais de sua vida anterior, em Monte Shasta. Mas, pensando bem, ainda não sabia quem era Vera, além de uma mulher de meia-idade cansada, segurando um baralho de cartas para uma ruiva apática cortar. Desinteressada, a ruiva partiu o baralho no meio; e as mãos de Vera começaram a trabalhar.

Outras mesas no cassino estavam superlotadas, mas a ruiva e o marido baixinho eram as únicas pessoas na de Vera. Ainda assim, ela fazia um bom show para os dois, tirando as cartas com uma destreza que fazia o trabalho parecer fácil. Luce podia ver um lado elegante de Vera que não havia notado antes. Um dom para a atuação.

— Então — disse Miles, parando incerto próximo a Luce. — Nós vamos... ou...

As mãos de Shelby de repente estavam sobre os ombros de Luce, praticamente empurrando-a para um dos bancos de couro vazios.

Embora estivesse morrendo de vontade de olhar, Luce a princípio evitou contato visual. Ela estava nervosa com a possibilidade de Vera tê-la reconhecido antes de sequer ter uma chance de dizer algo. Mas os olhos de Vera passaram por cada um deles com pouco interesse, e Luce pensou em como parecia diferente agora que tinha o cabelo claro. Ela se remexeu nervosamente, não sabendo o que fazer.

Nesse momento, Miles baixou uma nota de vinte dólares na frente de Luce, que se lembrou do jogo que ela devia estar jogando. Ela empurrou a nota até o outro lado da mesa.

Vera ergueu uma sobrancelha desenhada.

— Identidade?

Luce balançou a cabeça.

— Será que podemos só assistir?

Do outro lado da mesa, a ruiva estava cochilando, a cabeça caindo sobre o ombro tenso de Shelby. Vera revirou os olhos e empurrou o dinheiro de Luce de volta, apontando para os cartazes brilhantes do Cirque du Soleil.

— O circo é pra lá, crianças.

Luce suspirou. Teriam que esperar até Vera sair do trabalho, e provavelmente ela estaria ainda menos interessada em falar com eles depois. Sentindo-se derrotada, Luce estendeu a mão para pegar o dinheiro de Miles de volta. Os dedos de Vera estavam se afastando quando Luce pegou a nota, e as pontas de seus dedos se tocaram. Ambas levantaram a cabeça. O estranho choque ofuscou a visão de Luce momentaneamente. Ela arfou e olhou fundo nos olhos castanhos de Vera.

E então viu tudo:

Um sobrado, em uma cidade fria no Canadá. Flocos de gelo nas janelas, o vento sussurrando pelas frestas. Uma menina de 10 anos assistia TV na sala, balançando um bebê no colo. Era Vera, pálida e bonita, com jeans claros e Doc Martens, um pulôver azul-marinho grosso de gola rulê e um cobertor de lã barato amontoado entre ela e o encosto do sofá. Uma tigela de pipoca na mesa do café, reduzido a um punhado de caroços frios. Um gato laranja gordo rondando a lareira e chiando para o aquecedor. E Luce — Luce era sua irmã, a bebê em seus braços.

Luce sentiu-se balançando na cadeira no cassino, a dor de se lembrar daquilo tudo. Rapidamente, a cena se desfez, sendo substituída por outra.

Luce, ainda pequena, correndo atrás de Vera, subindo e descendo as escadas, os largos degraus velhos abaixo de seus pés, sem fôlego de tanto rir, quando a campainha soou e um menino loiro, de cabelos lisos, chegou para buscar Vera para um encontro. Ela parou, ajeitou as roupas e deu as costas...

Um piscar de olhos mais tarde e Luce era uma adolescente, o cabelo preto encaracolado na altura dos ombros. Esparramada na colcha de Vera, o tecido áspero mas reconfortante, folheando o diário secreto de Vera. Ele me ama, Vera havia rabiscado mil vezes, sua caligrafia ficando mais e mais rebuscada. E então as páginas se afastaram, o rosto irado de sua irmã se aproximou, cheio de lágrimas...

E então, novamente, uma cena diferente, Luce ainda mais velha, talvez aos 17 anos. Ela se preparou para o que estava por vir.

Neve caindo do céu como chuviscos macios e brancos. Vera e alguns amigos patinavam no gelo do lago congelado atrás de sua casa, planando em círculos rápidos, felizes e risonhos, e na beirada do lago congelado, Luce estava agachada, o frio atravessando suas roupas finas, enquanto amarrava os patins com pressa, como de costume, para alcançar a irmã. E, ao lado dela, um calor que conhecia sem precisar olhar, Daniel, que estava em silêncio, mal-humorado, seus patins já firmemente atados. Ela sentia o desejo de beijá-lo, mas nenhuma sombra estava visível. A noite estava repleta de estrelas brilhantes, infinitamente clara e cheia de possibilidades.

Luce procurou pelas sombras, então percebeu que sua ausência fazia sentido. Estas eram as memórias de Vera, e a neve dificultava ainda mais a visão. Ainda assim, Daniel devia saber, como sabia quando mergulhou no lago. Ele devia perceber, todas as vezes. Em algum momento ele se importara com o que aconteceria a pessoas como Vera depois da morte de Luce?

Houve um som de estouro vindo das proximidades do lago onde Luce estava, como o abrir de um paraquedas. E então, uma explosão de fogo em brasa no meio de uma nevasca. Uma enorme coluna de chamas cor de laranja subia para o céu à beira do lago — onde Luce estivera. Os outros patinadores correram, sem pensar, naquela direção, atravessando o pequeno lago. Mas o gelo estava derretendo rapidamente, sem salvação, fazendo seus patins afundarem na água gelada. O grito de Vera ecoou na noite azul, e seu olhar congelado de agonia era tudo que Luce podia ver.

No cassino, Vera puxou a mão para trás, sacudindo-a como se tivesse sido queimada. Seus lábios tremeram algumas vezes antes de formarem as palavras:

— É você. — Ela balançou a cabeça. — Mas é impossível.

— Vera — sussurrou Luce, estendendo a mão novamente para a irmã. Ela queria abraçá-la, tirar toda a dor que Vera já tinha sentido e transferi-la para si mesma.

— Não. — Vera balançou a cabeça de novo, afastando-se e apontando para Luce. — Não, não, não. — Ela recuou até o *dealer* na mesa atrás dela, tropeçando nele e fazendo uma enorme pilha de fichas de pôquer cair da mesa. Os discos coloridos deslizaram pelo chão, provocando uma onda de exclamações dos jogadores, que pularam das cadeiras para recolhê-los.

— Mas que merda, Vera! — gritou um homem atarracado em meio ao barulho. Enquanto ele bamboleava até a mesa com seu terno cinza de poliéster barato e velhos sapatos pretos, Luce trocou um olhar preocupado com Miles e Shelby. Três menores de idade não deveriam se meter com o chefão do cassino. Mas ele ainda estava xingando Vera, a boca torcida com desdém. — Quantas vezes...

Vera havia recuperado o equilíbrio, mas continuou olhando, apavorada, para Luce, como se ela fosse o diabo e não sua irmã perdida há tanto tempo. Os olhos maquiados de Vera estavam esbugalhados com terror enquanto gaguejava:

— Ela n-n-não pode estar aqui.

— Cristo — murmurou o chefe do cassino, observando Luce e seus amigos. Em seguida, começou a falar em um walkie-talkie. — Chame a segurança. Estou com um grupo de bandidinhos.

Luce se encolheu entre Miles e Shelby, que disse entredentes:

— Que tal um daqueles atravessamentos agora, Miles?

Antes que Miles pudesse responder, três homens com braços fortes e pescoços grossos apareceram e se ergueram sobre eles. O chefe do cassino fez um gesto com as mãos.

— Leve-os para a delegacia. Veja em que outro tipo de problemas já se meteram.

— Tenho uma ideia melhor — resmungou uma menina atrás dos seguranças gigantescos.

Todos se viraram para descobrir de onde vinha aquela voz, mas só Luce a reconheceu.

— Ariane!

A garota pequena abriu um sorriso para Luce enquanto deslizava através da multidão. Com plataformas de 12cm de altura, o cabelo preso de um jeito qualquer e olhos mergulhados em delineador escuro, Ariane se misturava muito bem à clientela estranha do cassino. Ninguém parecia entender por que ela estava ali, muito menos Shelby e Miles.

O chefe do cassino se virou para confrontar Ariane. Ele fedia a graxa de sapato e xarope para tosse.

— Quer ser levada para a delegacia, também, mocinha?

— Ah, parece bem legal. — Ariane arregalou os olhos. — Infelizmente, estou superocupada hoje à noite. Tenho ingressos para o excelente show do Blue Man Group, e, além disso, vou jantar com a Cher depois. E ainda tenho que fazer mais uma coisa... — Ela pousou o dedo sobre o queixo, e então, olhou para Luce. — Ah, sim! Tenho que tirar estes três daqui. Licencinha!

Ela soprou um beijo para o chefe do cassino, irado, e deu de ombros para Vera, quase pedindo desculpas. E então estalou os dedos.

Todas as luzes se apagaram.

TREZE

SEIS DIAS

Apressando-os através do labirinto do cassino escuro, Ariane se movimentava como se tivesse visão noturna.

— Fiquem calmos, vocês três — cantarolou. — Vou tirar a gente daqui em um instante.

Ela segurou com força o pulso de Luce, que, por sua vez, segurava a mão de Miles, que segurava a de Shelby, enquanto esta amaldiçoava a indignidade de ter que sair correndo daquele jeito.

Ariane não diminuía o passo um minuto, e embora não pudesse ver o que estava fazendo, Luce ouvira as pessoas grunhindo e reclamando enquanto Ariane as empurrava com os ombros para fora do caminho.

— Sinto muito! — falava ela. — Opa! — E depois: — Desculpe!

Ela os fez atravessar corredores escuros lotados de turistas nervosos que usavam os celulares como lanternas. Subiu escadas ainda mais escuras, desertas e repletas de caixas de papelão vazias. Finalmente, abriu com um chute a saída de emergência, conduzindo-os até um beco estreito e sombrio.

O beco espremia-se entre o Mirage e outro hotel altíssimo. Uma fila de enormes lixeiras exalava o mau cheiro de comida cara apodrecida. Um filete verde-ácido de chorume formava um nojento córrego, dividindo o beco pela metade. Bem à frente, no meio da brilhante e animada Strip, com todos os seus néons, um relógio de rua antigo e preto marcou meia-noite.

— Ahhh. — Ariane inspirou profundamente. — O início de mais um glorioso dia na cidade do pecado. Eu gosto de começar com o pé direito, com um grande café da manhã. Quem está com fome?

— Hum... — gaguejou Shelby, olhando para Luce, então para Ariane, depois para o cassino. — O que acabou... Como foi que....

Miles olhava fixamente a cicatriz brilhante que se estendia por um lado do pescoço de Ariane. Luce já estava acostumada com ela a essa altura, mas era óbvio que seus amigos não sabiam o que pensar de Ariane.

Ariane balançou o dedo para Miles.

— Esse aqui parece que consegue comer o seu peso em waffles. Vamos lá, conheço um restaurante barato.

Enquanto eles atravessavam o beco na direção da rua, Miles virou-se para Luce e declarou:

— Isso foi *incrível*.

Luce assentiu. Era tudo o que era possível fazer se quisessem acompanhar Ariane, que corria por toda a Strip. *Vera*. Ela não conseguia parar de pensar nisso. Aquelas lembranças todas, vislumbradas em um flash. Havia sido doloroso e surpreendente, e Luce nem podia imaginar o que Vera sentira. Mas para Luce fora também profundamente satisfatória. Mais do que qualquer um de seus vislumbres através dos Anunciadores até agora, desta vez tinha *experimentado* uma de suas vidas passadas. Estranhamente, ela também percebera algo em que nunca tinha pensado: as Luces anteriores tinham vida. Vida que fora plena e significativa antes de Daniel ter aparecido.

Ariane levou-os a uma IHOP, um prédio baixo de estuque marrom que parecia tão antigo que provavelmente fora construído antes de tudo na avenida. Aparentava ser mais claustrofóbico e triste do que outras IHOPs.

Shelby entrou primeiro, atravessando as portas de vidro e fazendo soar os sininhos baratos colados com fita adesiva no batente. Pegou um punhado de balas de hortelã da tigela ao lado do caixa antes mesmo de reivindicar uma mesa nos fundos. Ariane deslizou ao seu lado, enquanto Luce e Miles sentaram no outro lado do estofado de couro rachado laranja.

Com um assovio e um gesto rápido circular, Ariane pediu uma rodada de café para a garçonete gorda e bonita com um lápis preso no cabelo.

Os outros focaram no enorme menu com espiral. Folheá-lo era uma batalha contra o xarope de maple antigo que melava as páginas — e uma boa maneira de evitar discutir a encrenca da qual haviam escapado por pouco.

Finalmente Luce foi obrigada a perguntar:

— O que você está fazendo aqui, Ariane?

— Pedindo algo com um nome engraçado. Rooty Tooty, acredito, já que eles não têm Moons Over My Hammy aqui. Nunca consigo decidir.

Luce revirou os olhos. Ariane não precisava ser tão delicada. Estava óbvio que o resgate não havia sido mera coincidência.

— Você sabe o que eu quis dizer.

— São dias estranhos, Luce. Pensei em passá-los em uma cidade igualmente estranha.

— Sim, mas estão quase no fim. Não estão? Pelo menos o prazo da trégua...

Ariane baixou o copo de café e apoiou o queixo na palma da mão.

— Bem, aleluia. Estão ensinando alguma coisa naquela escola, afinal.

— Sim e não — disse Luce. — Eu apenas ouvi Roland dizer algo sobre como Daniel estaria contando os minutos. Ele disse que tinha algo a ver com uma trégua, mas eu não sabia exatamente de quantos minutos estávamos falando.

Ao seu lado, Miles pareceu ter ficado tenso com a menção a Daniel. Quando a garçonete chegou para anotar os pedidos, ele resmungou o seu primeiro, praticamente empurrando o menu para a moça.

— Ovos e bife, malpassado.

— Urh, que *viril* — disse Ariane, olhando para Miles com aprovação enquanto escolhia seu pedido brincando de unidunitê. — Rooty Tooty Fresh 'N Fruity, então. — Ela enunciou tão bem como a rainha da Inglaterra o faria, mantendo uma expressão incrivelmente séria.

— Cachorro-quente com queijo para mim — disse Shelby. — Na verdade, quero uma omelete de clara, sem queijo. Ah, que se dane. Cachorro-quente com queijo.

A garçonete se virou para Luce:

— E você, querida?

— Café da manhã tradicional. — Luce sorriu, como se pedindo desculpas pelo comportamento de seus amigos. — Com ovos mexidos e sem carne.

A garçonete assentiu, seguindo em direção à cozinha.

— OK, então o que mais você ouviu? — perguntou Ariane.

— Hum. — Luce começou a brincar com a garrafa de xarope ao lado do sal e da pimenta. — Alguém comentou, você sabe, sobre o Fim dos Tempos.

Com risadinhas de escárnio, Shelby espremeu três sachês de creme em seu café.

— Fim dos Tempos! Você acredita mesmo nessa besteira? Quero dizer, há quantos milênios estamos esperando por isso? E os seres humanos pensam que têm sido pacientes, com uns meros milhares de anos de espera! Rá, rá. Como se algum dia algo fosse mudar.

Ariane parecia estar a um triz de dar um fora em Shelby, mas apenas pôs seu café na mesa.

— Que grosseria da minha parte nem me apresentar aos seus amigos, Luce.

— Hmm, nós sabemos quem você é — disse Shelby.

— Sim, havia um capítulo inteiro sobre você no meu livro *História dos Anjos* do oitavo ano — completou Miles.

Ariane bateu palmas.

— E eles me disseram que esse livro tinha sido proibido!

— Sério? Você está em um livro? — Luce riu.

— Qual é a surpresa? Você não me acha importante? — Ariane se voltou para Shelby e Miles. — Agora, me contem tudo sobre vocês. Preciso saber com quem minha garota está convivendo.

— Nefilim não praticante e cética. — Shelby levantou a mão.

Miles olhou para seu prato.

— E o inútil tatatatataraneto de um anjo.

— Isso não é verdade. — Luce se jogou contra o ombro de Miles. — Ariane, você tinha que ter visto como ele nos ajudou a atravessar a sombra esta noite. Foi ótimo. É por isso que estamos aqui: ele leu um livro e, quando nos demos conta, ele sabia...

— Sim, eu estava me perguntando sobre isso — interrompeu Ariane, sarcástica. — Mas quem me preocupa mais é esta aqui. — Ela apontou para Shelby. O rosto de Ariane estava muito sério, diferente do que Luce estava acostumada. Mesmo seus alucinados olhos azul-claros pareciam firmes. — Não é um bom momento para ser não praticante de nada. As coisas estão fluindo, mas haverá um acerto de contas. E você terá que escolher um lado ou outro. — Ariane olhou deliberadamente para Shelby. — Todos têm que saber de qual lado vão ficar.

Antes que alguém pudesse responder, a garçonete reapareceu, carregando uma enorme bandeja de plástico marrom cheia de comida.

— Vão dizer que não foi um serviço rápido? — perguntou ela. — Agora, qual de vocês pediu cachorro-quente com...

— Eu! — Shelby assustou a garçonete com a rapidez com que alcançou seu prato.

— Alguém quer ketchup?

Eles assentiram.

— Mais manteiga?

Luce apontou para a enorme porção de manteiga já em suas panquecas.

— Estamos satisfeitos. Obrigada.

— Se precisarmos de alguma coisa — disse Ariane, sorrindo para o sorriso feito de chantilly em seu prato —, a gente grita.

— Ah, eu sei que sim. — A garçonete riu, colocando a bandeja debaixo do braço. — Gritar como se o mundo estivesse acabando, você é bem capaz.

Depois que ela saiu, Ariane foi a única a comer. Ela arrancou um mirtilo da panqueca, colocou-o na boca e lambeu os dedos com prazer. Finalmente, ela olhou ao redor da mesa.

— Comam — incentivou Ariane. — Não há nada de bom em bife e ovos frios. — Ela suspirou. — Vamos lá, galera. Vocês leram seus livros de história. Sabem como é...

— Eu não — disse Luce. — Não sei como é nada.

Ariane, pensativa, mordiscou o garfo.

— Você tem razão. Nesse caso, permita-me apresentar minha versão da história. Que é mais divertida do que nos livros, de qualquer maneira, porque não vou censurar as grandes lutas e maldições, e toda a parte sexy. Minha versão tem tudo, menos 3-D, que, devo dizer, é totalmente superestimado. Viram aquele filme com... — Ela percebeu as expressões confusas de seus rostos. — Oh, não importa. OK, começa milênios atrás. Agora, vou precisar explicar sobre Satanás?

— Travou uma luta de poder contra Deus. — A voz de Miles era monótona, como se estivesse repetindo uma aula do terceiro ano, enquanto espetava um pedaço de bife com o garfo.

— Antes disso, eles eram superpróximos — acrescentou Shelby, encharcando a comida de xarope. — Quero dizer, Deus chamava Satanás de sua estrela da manhã. Portanto, não é como se Satanás não fosse digno ou amado.

— Mas ele preferiu reinar no inferno a servir no céu — disse Luce. Ela pode não ter lido as histórias Nefilim, mas tinha lido *Paraíso Perdido*. Ou pelo menos, o resumo.

— *Muito* bem. — Ariane sorriu, inclinando-se para Luce.

— Você sabe, Gabbe foi grande amiga das filhas de Milton na época. *Ela* gosta de ganhar o crédito por essa frase, e eu fico dizendo "Já não basta ser a queridinha número um das pessoas não?" Mas não interessa. — Ariane deu uma garfada nos ovos, mexidos de Luce. — Putz, isso está *demais*. Dá pra trazer um pouco de molho picante aqui? — Ela gritou para a cozinha. — OK, onde estávamos?

— Satanás — disse Shelby com a boca cheia de panqueca.

— Certo. Então. Diga o que quiser sobre El Grande Diablo, mas ele é — Ariane balançou a cabeça —, um pouco responsável por introduzir a ideia de livre-arbítrio entre os anjos. Quero dizer, ele realmente deu ao resto de nós algo para se pensar. De que lado você joga? Dada a escolha, uma penca de anjos caiu.

— Quantos? — perguntou Miles.

— Os anjos caídos? Foi o suficiente para causar um impasse. — Ariane ficou pensativa por um momento, depois fez uma careta e chamou a garçonete de novo. — Molho de pimenta? Será que existe isso nesse estabelecimento?

— E os anjos que caíram, mas não ficaram do lado... — interrompeu Luce, pensando em Daniel. Ela sabia que estava cochichando, mas aquilo parecia ser importante demais para se discutir no meio de uma lanchonete. Mesmo que fosse uma lanchonete quase vazia no meio da noite.

Ariane baixou a voz também.

— Ah, vários anjos caíram mas ainda continuam, tecnicamente, aliados de Deus. Mas há aqueles que se juntaram de vez a Satanás. Chamamos esses de demônios, mesmo que sejam apenas anjos caídos que fizeram escolhas muito erradas. Não é como se tivesse sido fácil para ninguém. Desde a Queda, os anjos e os demônios estiveram páreo a páreo, divididos ao meio, blá-blá-blá. — Ela encharcou a panqueca de manteiga. — Mas tudo isso pode estar prestes a mudar.

Luce olhou para os ovos, sem conseguir comer.

— Então... antes, você parecia estar sugerindo que minha lealdade tinha algo a ver com isso? — Shelby parecia um pouco menos cética do que de costume.

— Não a sua, exatamente. — Ariane balançou a cabeça. — Eu sei que parece que estamos empacados desde sempre. Mas, no final, tudo vai se resumir a um anjo poderoso escolhendo um lado. Quando isso acontecer, a balança finalmente vai oscilar. É aí que vai ser importante saber de qual lado você está.

As palavras de Ariane fizeram Luce se lembrar de quando estava trancada naquela pequena capela com a Srta. Sophia, de como ela ficava dizendo que o destino do universo tinha a ver com Luce e Daniel. Tinha soado absurdo na época, e a Srta. Sophia era do mal. E, apesar de Luce não ter certeza do que exatamente todo mundo estava falando, ela sabia que tinha a ver com Daniel.

— É Daniel — disse suavemente. — O anjo que pode mudar o equilíbrio da balança é Daniel.

Explicava a agonia sempre presente, o tempo todo, como uma mala de duas toneladas. Explicava por que ele havia ficado afastado por tanto tempo. A única coisa que Luce não entendia era por que Ariane parecia ter dúvidas sobre para qual lado a balança penderia. Qual lado ganharia a guerra.

Ariane abriu a boca, mas, em vez de responder, atacou o prato de Luce novamente.

— *Dá pra alguém trazer a porcaria do molho picante aqui?* — Gritou.

Uma sombra caiu sobre sua mesa.

— Serve uma *explosão*?

Luce olhou para trás e se encolheu: um menino muito alto, com um longo casaco marrom desabotoado, de modo que Luce podia ver um pedaço de algo prateado escondido dentro de seu cinto. Ele tinha a cabeça raspada, um nariz fino e reto, e dentes perfeitos.

E olhos brancos. Olhos completamente desprovidos de cor. Sem íris, sem pupilas, nada.

Sua expressão estranha e vaga fez Luce pensar na menina Pária. Embora Luce não tivesse visto a garota de perto o suficiente para descobrir o que havia de errado com seus olhos, agora tinha um palpite muito bom.

Shelby olhou para o rapaz, engoliu em seco e voltou a seu café da manhã.

— Não tenho nada a ver com isso — murmurou.

— Pode ficar pra você — disse Ariane para o garoto. — Você pode colocá-lo no primeiro soco que estou prestes a lhe servir. — Luce observou com os olhos arregalados enquanto a pequena Ariane se levantava e limpava as mãos no jeans. — Já volto, pessoal. Ah, Luce, lembre-me de brigar com você por isso quando eu voltar. — Antes de Luce poder perguntar o que esse cara tinha a ver com ela, Ariane tinha agarrado o garoto pela orelha, torcendo-a com força, depois bateu a cabeça dele contra o vidro do balcão.

O barulho quebrou a tranquilidade preguiçosa do restaurante. O cara gritava como uma criança enquanto Ariane torcia sua orelha para o outro lado e subia em cima dele. Urrando de dor, ele começou a contorcer seu corpo magro até jogar Ariane em cima do balcão de vidro.

Ela rolou pelo balcão e parou no final, derrubando uma enorme torta de merengue de limão. Em seguida, ficou de pé num pulo sobre o bar, deu uma cambalhota para trás em direção a ele e prendeu sua cabeça com as pernas, em seguida começou a bater no rosto dele com seus pequenos punhos.

— Ariane! — gritou a garçonete. — Não nas minhas tortas! Eu tento ser tolerante! Mas tenho que proteger meu ganha-pão!

— Ah, tá bom! — gritou Ariane. — Vamos continuar na cozinha. — Soltou o cara, que escorregou até o chão, e chutou-o com o salto da plataforma. Ele cambaleou em direção à porta que dava para a cozinha do restaurante. — Venham também, vocês três — chamou. — Pelo menos assim aprendem alguma coisa.

Miles e Shelby largaram seus guardanapos, lembrando Luce de como os alunos da Dover costumavam largar tudo e sair correndo gritando "Briga! Briga!" pelos corredores ao menor rumor.

Luce seguiu atrás deles, um pouco mais hesitante. Se Ariane estava sugerindo que esse cara tinha aparecido por causa dela, isso levantava uma série de outras questões importantes. E quanto às pessoas que haviam raptado Dawn? E aquela Pária arqueira que Cam tinha matado em Noyo Point?

Uma forte pancada soou de dentro da cozinha e três homens com aventais sujos saíram correndo, aterrorizados. Quando Luce passou por eles e pela porta vaivém, Ariane já estava segurando o rapaz, com um pé sobre sua cabeça, enquanto Miles e Shelby o amarravam com o tipo de fio usado para embrulhar um filé mignon. Seus olhos vazios olharam para Luce, mas também através dela.

Eles o amordaçaram com um pano de cozinha, e Ariane o provocou:

— Quer esfriar um pouco a cabeça? No frigorífico, talvez?

O menino só conseguia grunhir. Ele tinha parado de tentar fazer qualquer tipo de contra-ataque.

Agarrando-o pelo colarinho, Ariane arrastou-o pelo chão até a porta do frigorífico, deu-lhe mais alguns chutes, e, em seguida, fechou a porta calmamente. Ela tirou o pó das mãos e virou-se para Luce com uma expressão irritada em seu rosto.

— Quem está atrás de mim, Ariane? — A voz de Luce estava tremendo.

— Um monte de gente, gata.

— Esse menino era — Luce pensou de novo em seu encontro com Cam — um Pária?

Ariane limpou a garganta. Shelby tossiu.

— Daniel disse que não poderia ficar comigo porque ele atraía muita atenção. Ele disse que eu estaria segura na Shoreline, mas eles chegaram até lá, também...

— Só porque a rastrearam quando saiu do campus. Você atrai a atenção também, Luce. E quando sai por aí visitando cassinos e coisas assim, podemos sentir. Isso vale para os caras maus, também. É por isso que você está nessa escola, em primeiro lugar.

— O quê?! — exclamou Shelby. — Vocês estão simplesmente escondendo-a entre a gente? E a nossa segurança? E se esses tais de Párias resolverem aparecer no campus?

Miles não dizia nada, apenas olhava, alarmado, de Luce para Ariane.

— Você não entendeu que os Nefilim camuflavam você? — perguntou Ariane. — Daniel não lhe contou sobre a, sei lá, coloração de proteção deles?

A mente de Luce rebobinou até a noite em que Daniel a deixara na Shoreline.

— Talvez ele tenha dito alguma coisa sobre um escudo, mas... — Havia tantas outras coisas passando por sua cabeça naquela noite. O fato de que Daniel a estava deixando fora o suficiente para processar. Agora, ela sentia-se culpada. — Eu não entendi. Ele não deu detalhes, apenas repetia que eu precisava ficar no campus. Pensei que ele só estava sendo superprotetor.

— Daniel sabe o que está fazendo. — Ariane deu de ombros. — Na maioria das vezes. — Ela tocou o canto da boca com a língua, pensativa. — OK, às vezes. De vez em quando.

— Então você quer dizer que, quem quer esteja atrás dela, não pode vê-la quando está com um grupo de Nefilim? — falou Miles nesse momento, parecendo ter encontrado sua língua de repente.

— Na verdade, os Párias não podem ver nada — explicou Ariane. — Eles perderam a visão durante a Revolta. Eu estava chegando nesta parte da história, é boa! Perderam os olhos e aquela coisa edipiana toda. — Ela suspirou. — Ah, bem. Sim, os Párias. Eles podem ver sua alma ardendo, o que fica muito mais difícil quando você está com um monte de outros Nefilim.

Os olhos de Miles arregalaram-se. Shelby estava roendo suas unhas nervosamente.

— Então foi assim que eles confundiram Dawn comigo.

— Foi como o menino do frigorífico ali encontrou você hoje à noite — disse Ariane. — Quer saber, foi como eu encontrei você também. Aqui fora você é como uma vela em uma caverna escura. — Ela pegou uma lata de chantilly do balcão e disparou um jato em sua boca. — Adoro a recompensa depois de uma briga. — Ela bocejou, o que fez Luce olhar para o relógio digital em cima do balcão. Eram duas e meia da manhã.

— Bem, por mais que eu adore uma confusão, já passou da hora de dormir para vocês três. — Ariane deu um assobio e um Anunciador em forma de gota destacou-se das sombras sob os balcões. — Eu nunca faço isso, OK? Se alguém perguntar, eu *nunca* faço isso. Viajar através de Anunciadores é *muito* perigoso. Ouviu bem, herói? — Ela deu um tapa na testa de Miles e, em seguida, abriu os dedos. A sombra se transformou imediatamente em uma porta perfeita no meio da cozinha. — Mas estou em cima da hora e é a maneira mais rápida de vocês voltarem em segurança.

— Boa — disse Miles, como se estivesse aprendendo algo.

Ariane balançou a cabeça para ele.

— Não invente moda. Estou levando-os de volta para a escola, onde vão ficar — ela fez contato visual com cada um deles —, ou vão ter que se explicar para mim.

— Você vem com a gente? — perguntou Shelby, finalmente mostrando-se fascinada por Ariane.

— Parece que sim. — Ariane piscou para Luce. — Você virou uma espécie de explosivo. Alguém tem que ficar de olho em você.

※

O atravessamento com Ariane foi ainda mais suave do que tinha sido a caminho de Las Vegas. Lembrava entrar em casa depois de ficar exposta ao sol: a luz era um pouco mais fraca quando você passava pela porta, mas era só piscar algumas vezes e se acostumava.

Luce ficou quase desapontada ao se descobrir de novo no quarto do dormitório após a correria e animação de Las Vegas. Mas então pensou em Dawn e em Vera. *Quase* desapontada. Seus olhos conferiram todos os sinais de que estavam de volta àquele ambiente familiar: duas camas-beliche desfeitas, o monte de plantas no peitoril da janela, os tapetes de ioga de

Shelby empilhados em um canto, a cópia de Steven da *República* de Platão em cima da mesa de Luce — e algo que ela não esperava ver.

Daniel, todo vestido de preto, assistindo ao fogo arder na lareira.

— Aaai! — gritou Shelby, tropeçando para trás e caindo em cima de Miles. — Você quase me mata de susto! E no meu próprio santuário. Não foi legal, Daniel. — Ela olhou feio para Luce, como se ela fosse a culpada pela visita inesperada.

Daniel ignorou Shelby, e apenas disse a Luce calmamente:

— Bem-vinda de volta.

Ela não sabia se corria para ele ou se explodia em lágrimas:

— Daniel...

— *Daniel?* — ofegou Ariane. Ela arregalou os olhos como se tivesse visto um fantasma.

Daniel congelou, claramente não esperando um encontro com Ariane, tampouco.

— Eu... Eu só preciso falar com ela por um momento. Depois vou embora. — Ele parecia culpado, até mesmo com medo.

— Certo — disse Ariane, agarrando Miles e Shelby pela gola de suas camisas. — Estávamos de saída. *Nenhum* de nós o viu aqui. — Ela guiou os dois a sua frente. — A gente se vê mais tarde, Luce.

Shelby parecia querer sair do quarto o quanto antes. Os olhos de Miles pareciam tempestuosos e permaneceram fixos em Luce até Ariane quase jogá-lo para o corredor, batendo a porta com força.

Então Daniel foi até Luce. Ela fechou os olhos e deixou a sensação da proximidade entre eles aquecê-la. Sentiu seu cheiro, feliz por estar em casa. Não na Shoreline, mas na familiaridade que Daniel fazia ela sentir. Mesmo quando ela estava no mais estranho dos lugares. Mesmo quando o relacionamento deles estava tão confuso.

Como parecia estar agora.

Ele ainda não estava beijando-a, nem mesmo a abraçava. Ela se surpreendeu por querer que ele estivesse fazendo isso, mesmo depois de tudo o que tinha visto. Não sentir o seu toque causava uma dor profunda. Quando Luce abriu os olhos, Daniel estava lá, apenas a alguns centímetros de distância, observando-a de perto com aqueles olhos violeta.

— Você me assustou.

Ela nunca o ouvira dizer isso. Normalmente era ela que estava com medo.

— Você está bem? — perguntou ele.

Luce balançou a cabeça. Daniel pegou a mão dela, guiando em silêncio até a janela, para fora da sala aquecida pelo fogo e de volta à noite fria, ao lugar sob a janela onde estiveram juntos antes.

A lua estava oblonga e baixa no céu. As corujas dormiam nos bosques. Dali de cima Luce podia ver as ondas quebrando suavemente na costa; no outro lado do campus, havia uma única luz acesa no alto do prédio Nefilim, mas ela não podia dizer se era do quarto de Francesca ou de Steven.

Ela e Daniel se sentaram na beirada e balançaram as pernas. Encostaram-se na ligeira inclinação do telhado atrás deles e olharam as estrelas, que estavam opacas no céu, como se encobertas pela mais fina camada de nuvem. Não demorou muito para Luce começar a chorar.

Porque ele estava bravo com ela ou ela estava brava com ele. Porque seu corpo tinha acabado de passar por tanta coisa, e não só com os Anunciadores, atravessando estados inteiros, do passado recente e até ali outra vez. Porque seu coração e sua cabeça estavam confusos, e estar tão perto de Daniel complicava tudo ainda mais. Porque Miles e Shelby pareciam odiá-lo. Pelo puro horror no rosto de Vera ao reconhecer Luce. Por todas as lágrimas que a irmã deve ter chorado por ela, e porque Luce a tinha machucado mais uma vez, aparecendo em sua mesa de black jack. Por todas as suas outras famílias em luto, afundadas em tristeza, porque as filhas tiveram o azar de ser a reencarnação de uma estúpida garota apaixonada. Porque pensar nessas famílias fez Luce sentir uma saudade desesperadora de seus pais, em Thunderbolt. Por ter sido a responsável pelo sequestro de Dawn. Porque tinha 17 anos, e ainda estava viva, contrariando a probabilidade de milhares de anos. Porque ela sabia o suficiente para temer o que o futuro traria. Porque, nesse momento, eram 3h30, e ela não dormia há dias, e não sabia mais o que fazer.

Então ele a abraçou, envolvendo seu corpo com calor, puxando-a até os braços dele para niná-la. Ela chorou, soluçou e desejou ter um lenço de papel para assoar o nariz. Ela se perguntava como era possível se sentir tão mal por tantas coisas ao mesmo tempo.

— Shhh — sussurrou Daniel. — Shhh.

Um dia antes, Luce tinha ficado enjoada ao presenciar o amor de Daniel por ela, naquele Anunciador. A inescapável violência que permeava o relacionamento dos dois parecia intransponível. Mas agora, especialmente depois de conversar com Ariane, Luce podia sentir algo grande chegando. Algo mudando — o mundo inteiro mudando —, com Luce e Daniel pairando sobre o vértice. Estava ao seu redor, no ar, e isso afetou a forma como ela via a si mesma e a Daniel também.

Os olhares de impotência que tinha visto nele nos instantes anteriores a sua morte: agora pareciam — e *eram* — passado. Aquilo a lembrava de como ele olhou para ela após o primeiro beijo nesta vida, na praia pantanosa perto da Sword & Cross. O sabor dos seus lábios nos dela, a sensação da respiração em seu pescoço, as mãos fortes em torno dela: tudo tinha sido tão maravilhoso, exceto pelo medo nos olhos de Daniel.

Mas ele não olhava para ela daquela forma há algum tempo. O jeito como ele a olhava agora não transpareceria fraqueza. Olhava para ela como se dessa vez Luce fosse ficar, quase como se tivesse que ficar. As coisas eram diferentes nessa vida. Todo mundo dizia isso, e Luce podia sentir também: as revelações cresciam dentro dela a cada dia. Tinha visto a si mesma morrendo, e sobrevivera. Daniel não tinha mais que carregar sozinho essa punição. Era algo que podiam fazer juntos.

— Quero dizer uma coisa — disse ela com a boca colada na camisa dele e enxugando os olhos na manga. — Quero falar antes de você dizer qualquer coisa.

Pôde sentir o queixo dele roçando a parte superior de sua cabeça. Ele estava assentindo.

— Sei que você precisa ser cuidadoso com o que me conta. Eu sei que morri antes. Mas não vou a lugar nenhum desta vez, Daniel, posso sentir isso. Pelo menos, não vou sem lutar. — Ela tentou sorrir. — Acho que seria bom para nós dois se não me tratasse como um bibelô. Então estou pedindo, como sua amiga, como sua namorada, como... você sabe, o amor da sua vida, que você me inclua um pouco mais. Caso contrário, me sinto isolada ansiosa e...

Daniel segurou o queixo dela e inclinou a cabeça para cima. Estava olhando para Luce com curiosidade. Ela esperou que ele a interrompesse, mas não.

— Não saí da Shoreline pra provocar você — continuou ela. — Saí porque não entendia a importância de ficar. E coloquei meus amigos em perigo por causa disso.

Daniel segurou seu rosto na frente do dele. O violeta de seus olhos praticamente brilhava.

— Eu falhei com você muitas vezes antes — sussurrou ele. — E, nesta vida, talvez eu tenha cometido o erro de ter sido cauteloso demais. Eu deveria saber que você testaria qualquer limite que lhe fosse imposto. Você não seria... a garota que amo se não fizesse isso. — Luce esperou que ele sorrisse, mas ele não sorriu. — Há tanta coisa em jogo desta vez. Eu estava tão focado nos...

— Nos Párias?

— Foram eles que pegaram sua amiga — disse Daniel. — Mal conseguem diferenciar a direita da esquerda, muito menos para que lado estão trabalhando.

Luce voltou a pensar na menina em que Cam atirara com a flecha de prata e no rapaz bonito de olhos vazios na lanchonete.

— Porque não enxergam.

Daniel olhou para as mãos, esfregando os dedos. Ele parecia estar quase doente.

— Não enxergam, mas são muito violentos. — Ele estendeu a mão e tocou um dos cachos louros de Luce. — Você foi esperta em tingir o cabelo. Manteve-a protegida quando não pude chegar rápido o suficiente.

— Esperta? — Luce ficou horrorizada. — Dawn podia ter *morrido* porque pus as mãos numa garrafa de água oxigenada barata. Isso é esperteza? Se... se eu pintasse meu cabelo de preto amanhã, então os Párias seriam capazes de me encontrar de repente?

Daniel balançou a cabeça com força.

— Eles não deviam ter achado o caminho até o campus, de qualquer jeito. Nunca deveriam ter sido capazes de pôr as mãos em nenhum de vocês. Estou trabalhando dia e noite para mantê-los longe de você... desta escola inteira. Alguém os está ajudando, e não sei quem...

— Cam. — O que mais ele estaria fazendo aqui?

Daniel, porém, negou.

— Seja quem for, vai se arrepender.

Luce cruzou os braços. Seu rosto ainda estava quente de tanto chorar.

— Acho que isso significa que não posso ir para casa, no dia de Ação de Graças? — Ela fechou os olhos, tentando não imaginar a decepção dos pais. — Não responda.

— Por favor. — A voz de Daniel era muito séria. — É só mais um pouco.

Ela assentiu.

— O prazo da trégua.

— O quê? — Daniel segurou ombros dela com firmeza. — Como você...

— Eu sei. — Luce gostaria que ele não pudesse sentir seu corpo começando a tremer. A coisa piorou quando tentou agir com mais certeza do que sentia na verdade. — E eu sei que, em algum momento, logo, você vai fazer pender a balança entre o céu e o inferno.

— Quem disse isso? — Daniel estava arqueando os ombros para trás, o que ela sabia significar que ele estava tentando impedir as asas de se desdobrarem.

— Eu acabei concluindo. Muita coisa acontece por aqui quando você não está por perto.

Um brilho invejoso passou pelos olhos de Daniel. No início, quase parecia bom provocar aquilo, mas Luce não queria deixá-lo com ciúme. Especialmente com tantas coisas mais importantes em jogo.

— Sinto muito — disse ela. — A última coisa de que você precisa agora é que eu o distraia. O que você está fazendo... parece ser muito importante.

Ela deixou por isso mesmo, esperando que Daniel se sentisse confortável o suficiente para lhe contar mais. Esta fora a conversa mais aberta, honesta e madura que tiveram, talvez desde o início.

Mas então, rápido demais, a sombra que ela nem sabia que temia encobriu o rosto de Daniel.

— Tire tudo isso da cabeça. Você não sabe o que pensa que sabe.

A decepção inundou o corpo de Luce. Ele ainda estava tratando-a como uma criança. Um passo para a frente, dez para trás.

Ela se levantou.

— Eu sei de uma coisa, Daniel — disse, olhando para ele. — Se fosse comigo, não haveria dúvidas. Se fosse a *mim* que o universo inteiro estivesse esperando para fazer pender a balança, eu simplesmente escolheria o lado do bem.

Os olhos violeta de Daniel olhavam para a frente, para a floresta sombria.

— Você simplesmente escolheria o bem — repetiu ele. Sua voz soava ao mesmo tempo entorpecida e muito, muito triste. Mais triste do que jamais a ouvira soar antes.

Luce teve que resistir à vontade de se sentar de novo e se desculpar. Em vez disso, se virou, deixando Daniel para trás. Não era óbvio que ele deveria escolher o bem? Não seria assim para qualquer um?

CATORZE

CINCO DIAS

Alguém tinha dedurado os três.
 Na manhã de domingo, enquanto o resto do campus ainda estava estranhamente quieto, Shelby, Miles e Luce sentaram-se um ao lado do outro no escritório de Francesca, esperando interrogatório. O escritório dela era maior do que o de Steven — mais iluminado também, com um alto pé-direito inclinado e três grandes janelas dando para a floresta ao norte, cada uma com espessas cortinas de veludo cor de lavanda, abertas para mostrar um céu muito azul. Uma grande fotografia de uma galáxia emoldurada acima da mesa de mármore era a única peça de arte na sala. As cadeiras de estilo barroco onde estavam sentados eram chiques, mas desconfortáveis. Luce não conseguia parar de se mexer.

— "Denúncia anônima" uma ova — murmurou Shelby, citando a bronca que receberam por e-mail de Francesca esta manhã. — Essa imaturidade cheira a Lilith.

Luce não achava ser possível que Lilith — ou qualquer um dos alunos, na verdade — tivesse descoberto que deixaram o campus. Outra pessoa tinha aberto a boca para os professores.

— Por que estão demorando tanto? — Miles assentiu na direção do escritório de Steven do outro lado da parede, onde era possível ouvir os professores discutindo em voz baixa. — É como se estivessem bolando um castigo antes mesmo de ouvirem nosso lado da história! — Ele mordeu o lábio inferior. — Qual é o nosso lado da história, aliás?

Mas Luce não estava ouvindo.

— Realmente não vejo por que é tão difícil — resmungou, baixinho, mais para si do que para os outros. — Você simplesmente escolhe um lado e segue em frente.

— Hein? — perguntaram Miles e Shelby em uníssono.

— Desculpe — disse Luce. — É só que... Sabe o que Ariane estava dizendo sobre a balança, na noite passada? Comentei com Daniel e ele ficou todo estranho. Sério, não é óbvio que há apenas uma resposta certa e uma errada?

— Para mim é óbvio — disse Miles. — Há uma escolha boa e uma má.

— Como pode dizer isso? — perguntou Shelby. — Esse tipo de pensamento é exatamente o que nos meteu nessa confusão, em primeiro lugar. A crença absoluta! Aceitação sem limites de uma dicotomia praticamente obsoleta! — Seu rosto estava ficando vermelho e a voz tinha subido tanto que era possível que Francesca e Steven conseguissem ouvir. — Estou tão cansada de todos esses anjos e demônios escolhendo lados; *blá-*

-blá-blá, *eles são maus*! *Não, eles é que são*! E nunca termina; como se somente eles soubessem o que é melhor para todos no universo.

— Então está sugerindo que Daniel deve escolher o lado do mal? — zombou Miles. — Trazendo o fim do mundo?

— Não dou a mínima para o que Daniel faz — disse Shelby. — E, francamente, acho difícil acreditar que tudo depende dele, de qualquer maneira.

Mas tinha que ser. Luce não conseguia pensar em outra explicação.

— Olhe, talvez as coisas não sejam tão simples como nos ensinaram — continuou Shelby. — Quero dizer, quem diz que Lúcifer é tão mau...

— Hmm, todo mundo? — interrompeu Miles, olhando para Luce em busca de apoio.

— Nada disso! — exclamou Shelby. — Um grupo de anjos muito persuasivos, tentando preservar o *status quo*. Só porque eles venceram uma grande batalha há muito tempo, acham que têm o direito...

Luce observou as sobrancelhas de Shelby se juntarem enquanto encostava nas costas rígidas da cadeira. Suas palavras fizeram Luce pensar em algo que ouvira em outro lugar...

— Os vencedores reescrevem a história — murmurou. Foi o que Cam havia dito a ela naquele dia, em Noyo Point. Não era isso o que Shelby queria dizer? Que os perdedores acabam com a má reputação? Seus pontos de vista eram semelhantes, só que Cam, obviamente, era mau de verdade. Certo? E Shelby só estava argumentando.

— Exato. — Shelby assentiu para Luce. — Espere... o quê?

Nesse momento, Francesca e Steven entraram pela porta. Francesca sentou-se na cadeira giratória preta em sua mesa.

Steven ficou atrás dela, com as mãos apoiadas de leve sobre as costas da cadeira. Ele parecia relaxado de calça jeans e camisa branca bem-passada, ao mesmo tempo que Francesca parecia séria com seu vestido preto de alfaiataria com decote quadrado.

Isso fez Luce pensar no que Shelby havia dito há pouco, e nas conotações de palavras como *anjo* e *demônio*. Fazer julgamentos baseados apenas nas roupas de Steven e Francesca era algo bastante superficial, mas, pensando bem, não era só isso. De muitas maneiras, era fácil esquecer quem era o quê.

— Quem quer começar? — perguntou Francesca, entrelaçando as mãos bem-cuidadas sobre a mesa de mármore. — Nós sabemos de tudo o que aconteceu, então nem se incomodem em contestar detalhes. Esta é a chance de nos explicar a razão.

Luce inspirou profundamente. Embora não estivesse preparada para que Francesca fosse tão direta, ela não queria Miles ou Shelby tentando acobertá-la.

— Foi minha culpa — começou ela. — Eu queria... — Ela viu a expressão severa de Steven, então olhou para seu próprio colo. — Vi algo nos Anunciadores, algo do meu passado, e queria ver mais.

— Então seguiu em uma viagem perigosa; uma viagem não autorizada, atravessando um Anunciador colocando em perigo dois de seus colegas, que deviam ter sido um pouco mais sensatos, somente um dia após outra colega ter sido sequestrada? — perguntou Francesca.

— Isso não é justo — disse Luce. — Foi *você* quem estava subestimando o que aconteceu com Dawn. Pensávamos que estávamos indo só olhar alguma coisa, mas...

— Mas...? — interrompeu Steven. — Mas agora percebem o quão idiota foi essa linha de pensamento?

Luce segurou os braços da cadeira com força, tentando conter as lágrimas. Francesca estava chateada com os três, mas parecia que toda a fúria de Steven se concentrava apenas em Luce. Não era justo.

— Sim, certo, fugimos da escola e fomos para Las Vegas — disse ela finalmente. — Mas a única razão pela qual ficamos em perigo foi porque *vocês* não me falaram nada. Vocês sabiam que alguém estava atrás de mim e é provável que saibam até por quê. Eu não teria deixado o campus se simplesmente tivessem me avisado.

Steven olhou para Luce com os olhos em chamas.

— Se você está dizendo que temos que explicar tudo a você, Luce, então estou desapontado. — Ele colocou a mão no ombro de Francesca. — Talvez estivesse certa sobre ela, querida.

— Espere... — disse Luce.

Mas Francesca a interrompeu com um gesto.

— Precisamos também explicar o fato de que a oportunidade que você recebeu da Shoreline para seu crescimento educacional e pessoal é, para você, uma experiência que só acontece uma vez a cada mil vidas? — Um rubor cor-de-rosa surgiu em sua face. — Você criou uma situação muito constrangedora para nós. A escola principal — ela gesticulou para a parte sul do campus — tem suas detenções e programas de serviço comunitário para os alunos que saem da linha. Mas Steven e eu não temos um sistema de punição. Tivemos a sorte, até agora, de nossos alunos não terem ultrapassado nossos limites, que são brandos o bastante.

— Até agora — disse Steven, olhando para Luce. — Mas Francesca e eu concordamos que uma sentença rápida e severa é necessária.

Luce se inclinou para a frente em sua cadeira.

— Mas Shelby e Miles não...

— Exatamente. — Francesca assentiu. — É por isso que, quando forem dispensados, Shelby e Miles irão até o Sr. Kramer, na escola principal, para fazer serviço comunitário. O festival anual da colheita de alimentos da Shoreline começa amanhã e tenho certeza de que haverá trabalho esperando por vocês.

— Que monte de... — interrompeu Shelby, erguendo o olhar para Francesca. — Quero dizer, o festival da colheita parece ser *muito* divertido.

— E Luce? — perguntou Miles.

Os braços de Steven estavam cruzados e seus enigmáticos olhos castanhos baixaram para Luce sobre os óculos de aro de tartaruga.

— Luce, você está de castigo.

De castigo? Só isso?

— Você vai da aula para o refeitório, para o dormitório — recitou Francesca. — Até que ouça outras ordens nossas, e a não ser que esteja sob nossa atenta supervisão, estes são os únicos lugares a que poderá ir. E *nada* de mergulhar em Anunciadores. Entendeu?

Luce assentiu.

Steven acrescentou:

— Não nos teste novamente. Até mesmo a nossa paciência tem limite.

※

Estar restrita ao refeitório, às aulas e ao quarto deixara Luce sem opções para se distrair numa manhã de domingo. O alojamento estava escuro e o refeitório estava fechado para o brunch até as 11h. Depois que Miles e Shelby arrastaram-se relutantemente até a tenda do serviço comunitário do Sr. Kramer, Luce não teve escolha a não ser voltar para o quarto. Ela fechou a cortina, a que Shelby sempre gostava de deixar aberta, e depois se jogou em sua cadeira.

Podia ter sido pior. Em comparação com as histórias de celas de concreto apertadas no solitário confinamento da Sword & Cross, quase parecia que ela estava se dando bem. Ninguém estava colocando uma pulseira de rastreamento nela. Na verdade, Steven e Francesca tinham imposto basicamente as mesmas restrições de Daniel. A diferença era que seus professores realmente *podiam* vigiá-la dia e noite. Daniel, por outro lado, não podia nem pisar lá.

Irritada, ligou o computador, meio que esperando que seu acesso à internet tivesse sido subitamente cortado. Mas conseguiu se conectar como de costume e encontrou três e-mails de seus pais e um de Callie. Talvez o lado bom de estar de castigo era que seria forçada a finalmente manter contato com os amigos e familiares.

Para: lucindap44@gmail.com
De: thegaprices@aol.com
Enviado: sexta-feira, 20/11 às 08:22
Assunto: cachorro-peru

Olhe essa foto! Vestimos Andrew como um peru para a festa de outono da vizinhança. Como você pode deduzir pelas marcas de mordida nas penas, ele adorou. O que você acha? Devemos fazê-lo usar isso de novo quando você vier para o dia de Ação de Graças?

Para: lucindap44@gmail.com
De: thegaprices@aol.com

Enviado: sexta-feira, 20/11 às 09:06
Assunto: P.S.

Seu pai leu o e-mail e achou que você podia ficar chateada. Não é para se sentir culpada, querida. Se você tiver permissão para voltar para casa no dia de Ação de Graças, seria ótimo. Se não for possível, vamos reagendar para outra vez. Nós amamos você.

Para: lucindap44@gmail.com
De: thegaprices@aol.com
Enviada: sábado, 21/11 às 00:12
Assunto: sem assunto

Só nos avise de qualquer forma, ok? beijos, mamãe

Luce segurou a cabeça entre as mãos. Ela estava errada. Todo o castigo do mundo não tornaria mais fácil escrever essa resposta a seus pais. Eles tinham vestido seu poodle como um peru, pelo amor de Deus! Partia seu coração pensar em decepcioná-los. Então, adiou aquela resposta abrindo o e-mail de Callie.

Para: lucindap44@gmail.com
De: callieallieoxenfree@gmail.com
Enviado: sexta-feira, 20/11 às 16:14
Assunto: OLHA SÓ!

Acredito que a reserva de voo aqui embaixo diz tudo. Me manda seu endereço e vou pegar um táxi quando chegar na manhã de quinta-feira. Minha primeira visita à Geórgia! Com minha melhor amiga desaparecida! Vai ser tããããão legal! A gente se vê em SEIS DIAS!

Em menos de uma semana, sua melhor amiga estaria aparecendo na casa de seus pais para o Dia de Ação de Graças, eles a estariam esperando e Luce estaria nesse exato lugar: de castigo no quarto do dormitório. Uma tristeza enorme a engoliu. Ela teria dado qualquer coisa para ir até lá, passar alguns dias com as pessoas que amava, que lhe dariam uma folga das exaustivas e confusas últimas duas semanas que passara enfurnada entre aquelas quatro paredes.

Ela abriu um novo e-mail e escreveu uma mensagem apressada:

Para: cole321@swordandcross.edu
De: lucindap44@gmail.com
Enviado: domingo 22/11 às 09:33

Oi, Sr. Cole.

Não se preocupe, não vou implorar para você me deixar ir para casa no dia de Ação de Graças. Sei o que é um desesperado desperdício de esforço quando vejo um. Mas não tenho coragem de dar a notícia a meus pais. Você poderia contar a eles? Diga-lhes que sinto muito.

As coisas aqui estão bem. Mais ou menos. Estou com saudades de casa.

Luce

Uma batida na porta fez Luce saltar e enviar o e-mail, sem nem mesmo revisar a ortografia ou o sentimentalismo constrangedor e confesso.

— Luce! — A voz de Shelby chamou do outro lado. — Abra a porta! Minhas mãos estão cheias de porcarias da festa da colheita. Quero dizer, *doações*. — Os estrondos continuaram do outro lado da porta, mais alto, com um choramingar e grunhidos de vez em quando.

Abrindo a porta, Luce deu de cara com Shelby, ofegante, cedendo sob o peso de uma enorme caixa de papelão. Havia vários sacos de plástico enfiados entre os dedos e seus joelhos tremiam enquanto cambaleava para dentro do quarto.

— Posso ajudar com alguma coisa? — Luce pegou a cornucópia de vime que estava descansando na cabeça de Shelby como um chapéu cônico.

— Eles me colocaram no setor de Decorações — resmungou Shelby, largando a caixa no chão. — Eu daria tudo para estar na coleta de lixo, como Miles. Você sabe o que aconteceu na última vez que alguém me fez usar uma pistola de cola quente?

Luce se sentia responsável pelas punições tanto de Shelby quanto de Miles. Ela imaginou Miles vasculhando a praia com uma dessas varas de catar lixo que tinha visto presidiários usando ao lado da estrada de Thunderbolt.

— Eu nem sei o que é o festival da colheita.

— Detestável e pretensioso, isso é o que é — disse Shelby, vasculhando a caixa e jogando no chão os sacos de plástico cheios de penas, potes de glitter e uma resma de papelão em tons outonais. — É basicamente um grande banquete, onde todos os doadores da Shoreline vêm levantar dinheiro para a escola. Todo mundo vai para casa se sentindo todo caridoso porque descarregou algumas latas velhas de feijão em um banco de alimentos em Fort Bragg. Você vai ver amanhã à noite.

— Duvido — disse Luce. — Esqueceu que estou de castigo?

— Não se preocupe, você vai ser obrigada a aparecer. Alguns dos maiores doadores são defensores dos anjos, então Frankie e Steven precisam dar um show. O que significa que todos os Nefilim têm que estar lá, bonitinhos e sorrindo.

Luce franziu a testa, olhando para seu reflexo não Nefilim no espelho. Mais uma razão pela qual ela devia ficar ali mesmo.

Baixinho, Shelby reclamou:

— Deixei o desenho do peru no escritório do Sr. Kramer — disse, levantando-se e dando um pontapé na caixa de decorações. — Tenho que voltar.

Quando Shelby passou por ela em direção à porta, Luce perdeu o equilíbrio e começou a cair, tropeçando na caixa e prendendo o pé em algo frio e úmido.

Ela caiu de cara no chão de madeira. A única coisa que amorteceu sua queda foi o saco plástico de penas, que estourou, soltando plumas coloridas pelo ar. Luce olhou para trás para ver o dano que havia causado, esperando que as sobrancelhas de Shelby estivessem unidas de raiva. Mas Shelby estava parada com uma das mãos apontando para o centro da sala. Um Anunciador amarronzado flutuava calmamente.

— Não é um pouco arriscado? — perguntou Shelby. — Convocar um Anunciador uma hora depois de ser pega por convocar um Anunciador? Você realmente não escuta ninguém, não é? Eu meio que admiro isso.

— Eu não o convoquei — insistiu Luce, levantando-se e espanando as penas de suas roupas. — Tropecei e ele estava lá, esperando ou algo assim. — Ela deu um passo à frente para examinar a sombra. Era tão plana quanto um pedaço de papel e pequena para um Anunciador, mas o jeito como pairava no ar, na altura dos olhos, quase desafiando-a a rejeitá-la, deixava Luce nervosa.

O Anunciador não parecia precisar dela para guiá-lo até a forma certa. Ele pairou, mal se movendo, como se pudesse ficar flutuando lá o dia todo.

— Espere um minuto — murmurou Luce. — Ele veio com a outra sombra, naquele dia. Não se lembra? Esta era a estranha sombra marrom que voara junto com a sombra mais escura que os levara para Las Vegas. Ambas vieram pela janela sexta-feira à tarde, mas esta tinha desaparecido. Luce esquecera do fato até agora.

— Bem — disse Shelby, encostada na escada do beliche. — Você vai vislumbrar ou não?

O Anunciador era da cor de uma sala enfumaçada, marrom e leve como névoa. Luce tentou tocá-lo, correndo os dedos ao longo de seus contornos úmidos. Sentia o vento fumacento jogar seu cabelo para trás. O ar em torno desse Anunciador era úmido, até salgado. Um barulho distante de gaivotas ecoava lá de dentro.

Ela não devia vislumbrar o que havia ali. Não queria.

Mas lá estava o Anunciador, passando de uma malha de fumaça marrom para algo nítido e transparente, independentemente da vontade de Luce. Lá estava a mensagem carregada por aquela sombra vindo à tona.

Era a vista aérea de uma ilha. No início, estavam no alto, de modo que tudo que Luce podia ver era um pequeno monte de rocha preta íngreme com uma borda de pinheiros delineando sua base. Então, lentamente, o Anunciador se aproximou, como um pássaro descendo para alojar-se na copa das árvores, mantendo o foco numa praia pequena e deserta.

A água estava escura da areia argilosa e prateada. As pedrinhas rolavam com a maré. E de pé, discretamente, entre duas rochas mais altas...

Daniel estava olhando para o mar. O galho de árvore em sua mão estava coberto de sangue.

Luce ofegou enquanto se inclinava para mais perto e compreendeu o que Daniel olhava. Não era para o mar, mas sim para o sangue que escorria de um homem formando uma poça. Um homem morto, deitado na areia dura. Cada vez que as ondas atingiam o corpo, recuavam manchadas por um vermelho profundo e escuro. Mas Luce não podia ver a ferida que e causara sua morte. Alguém, em um longo casaco preto, estava agachado sobre o corpo, amarrando-o com uma espessa corda trançada.

Com o coração disparado, Luce olhou novamente para Daniel. Sua expressão era firme, mas os ombros tremiam.

— Rápido. Está perdendo tempo. A maré está baixando.

Sua voz era tão fria que fez Luce tremer.

Um segundo depois, a cena do Anunciador desapareceu. Luce prendeu a respiração até que ele se desfizesse no chão. Em seguida, do outro lado do quarto, a cortina que Luce havia fechado antes se sacudiu até abrir. Luce e Shelby trocaram um olhar ansioso, e depois viram uma rajada de vento levar o Anunciador para fora.

Luce agarrou o pulso de Shelby.

— Você é mais observadora. Quem mais estava lá com Daniel? Quem estava agachado sobre aquele... — ela estremeceu novamente — homem?

— Pô, não sei, Luce. Eu estava meio distraída com o *corpo*. Para não falar do galho de árvore ensanguentado na mão do seu namorado. — O sarcasmo intencional de Shelby foi diminuído pelo medo que ela claramente sentia. — Então, ele o matou? — perguntou ela a Luce. — Foi Daniel quem matou aquele cara, fosse lá quem ele fosse?

— Não sei. — Luce estremeceu. — Não fale assim. Talvez exista uma explicação lógica...

— O que você acha que ele falou no final? — perguntou Shelby. — Vi seus lábios se moverem, mas não consegui entender. Odeio essa parte dos Anunciadores.

Rápido. Está perdendo tempo. A maré está baixando.

Shelby não tinha escutado essa parte? Como Daniel soou insensível e sem remorso?

Então Luce lembrou: não fazia muito tempo, ela também não conseguia ouvir os Anunciadores. Antes, seus ruídos costumavam ser apenas isso — ruídos. Sussurros e lufadas abafadas através das árvores. Fora Steven quem tinha lhe ensinado como sintonizar as vozes lá dentro. De certo modo, Luce quase desejava que ele não o tivesse feito.

Tinha que haver mais naquela mensagem.

— Tenho que ver aquilo de novo — disse Luce, dando um passo em direção à janela aberta. Shelby puxou-a de volta.

— Ah, não vai, não. O Anunciador pode estar em qualquer lugar a essa altura, e você está de castigo, lembra? — Shelby empurrou Luce até ela se sentar na cadeira. — Você vai ficar aqui enquanto vou até o escritório de Kramer recuperar meu peru. Nós duas vamos esquecer que isso aconteceu. Certo?

— Certo.

— Ótimo. Estarei de volta em cinco minutos, por isso não desapareça.

Mas assim que a porta se fechou, Luce foi até o parapeito da janela, subindo na parte plana onde ela e Daniel se sentaram na noite anterior. Tirar da cabeça o que havia acabado de ver era impossível. Tinha que convocar novamente aquela sombra. Mesmo que trouxesse ainda mais problemas. Mesmo se visse algo de que não gostasse.

O final da manhã estava úmido e Luce teve que se agachar e segurar as telhas inclinadas de madeira para manter o equilíbrio. Suas mãos estavam frias. O coração estava duro. Ela fechou os olhos. Toda vez que tentava chamar um Anunciador, se lembrava de quão pouco treinamento havia tido. Sempre tivera apenas sorte, se é que ver seu namorado olhando para alguém que acabara de matar podia ser considerado sorte.

Um vento úmido se espalhou por seus braços. Será possível que o horror que vira na sombra marrom pudesse ser algo ainda pior? Seus olhos se abriram.

Era. Rastejando por seu ombro como uma cobra. Ela puxou-a e segurou-a à sua frente, tentando girá-la em uma bola com as mãos. O Anunciador rejeitou seu toque, flutuando para trás, para fora de seu alcance.

Ela olhou para baixo do segundo andar. Uma fila de alunos estava deixando o dormitório em direção ao refeitório para o brunch, um fluxo de cor que se deslocava ao longo de uma esteira de grama verde. Luce vacilou. A vertigem a engoliu, e ela achou que estava caindo para a frente.

Mas então, a sombra correu como um jogador de futebol americano, jogando Luce de volta contra a inclinação do telhado. E lá ficou ela, presa contra as telhas, ofegante, enquanto o Anunciador se abria como um bocejo novamente.

O véu de fumaça se desfez, e Luce estava de volta com Daniel e seu galho ensanguentado. De volta para o crocitar das gaivotas circulando no ar e o fedor da podridão das algas correndo ao longo da costa, à visão das ondas geladas batendo na praia. E de volta para as duas figuras no chão. O morto estava todo amarrado. O vivo se levantou para encarar Daniel.

Cam.

Não. Só podia ser um engano. Eles se odiavam. Tinham acabado de travar uma grande batalha. Ela podia aceitar que Daniel fizesse coisas obscuras para protegê-la das pessoas que estavam atrás dela. Mas que terrível necessidade o faria buscar a ajuda de Cam? Trabalhar ao lado de Cam, que sentia prazer em matar?

Eles estavam em uma acalorada discussão sobre algo, mas Luce não conseguia distinguir as palavras. Não conseguia ouvir nada além do relógio no meio do terraço, que tinha acabado de marcar 11h. Ela se esforçou para ouvir, esperando o cessar das badaladas.

— Deixe-me levá-la para a Shoreline. — Finalmente ouviu Daniel implorar.

Isto deve ter acontecido um pouco antes de ela chegar à Califórnia. Mas por que Daniel tinha que pedir permissão a Cam? A não ser que...

— Tudo bem — disse Cam, sem se abalar. — Leve-a até a escola e então me encontre. Não faça besteira; estarei atento.

— E depois? — Daniel parecia nervoso.

Cam correu os olhos pelo rosto de Daniel.

— Nós dois temos uma caçada a fazer.

— Não! — gritou Luce, rasgando a sombra com dedos raivosos.

Mas tão logo sentiu as mãos rompendo a superfície fria e escorregadia, se arrependeu. Ela se quebrou em fragmentos finos, virando uma pilha de cinzas aos seus pés.

Agora não podia ver mais nada. Ela tentou reunir os fragmentos do jeito que vira Miles fazer, mas estavam se desfazendo e não cooperavam.

Pegou um punhado de pedaços inúteis, chorando sobre eles.

Steven tinha dito que, por vezes, os Anunciadores distorciam o que era real. Como as sombras na parede da caverna. Mas que sempre havia alguma verdade neles também. Luce podia sentir a verdade nos pedaços frios e úmidos, mesmo quando os torcia, tentando com isso espremer sua agonia.

Daniel e Cam não eram inimigos. Eram parceiros.

QUINZE

QUATRO DIAS

— Mais peru de tofu? — Connor Madson, um garoto da aula de biologia de Luce e um dos garçons da Shoreline, estendeu-lhe numa bandeja de prata no Festival de Colheita na noite de segunda-feira.

— Não, obrigada. — Luce apontou para a espessa pilha de fatias de carne de soja ainda em seu prato.

— Talvez mais tarde. — Connor e o restante dos bolsistas da Shoreline estavam de smokings e usavam ridículos chapéus de peregrino para o festival da colheita. Passavam uns pelos outros no terraço, que estava totalmente diferente do lugar chique mas casual onde era possível comer algumas panquecas antes da aula. Havia se transformado em um salão de festas ao ar livre cuidadosamente decorado.

Shelby ainda estava resmungando enquanto ia de mesa em mesa, ajeitando placas de reservas e reacendendo velas. Ela e o resto do Comitê de Decoração haviam feito um belo trabalho: folhas de seda vermelha e laranja estavam espalhadas sobre as mesas cobertas por compridas toalhas brancas, pães recém-assados acomodados em cornucópias pintadas de dourado, aquecedores amenizavam a brisa fria que vinha do oceano. Até mesmo os enfeites de peru do centro das mesas estavam bonitos.

Todos os alunos, funcionários e cerca de cinquenta dos maiores doadores da escola tinham feito o seu melhor para o banquete. Dawn e seus pais haviam dirigido até a escola só por essa noite. Apesar de Luce ainda não ter tido uma chance de conversar com Dawn, ela parecia recuperada, até mesmo feliz, e tinha acenado alegremente para Luce de seu assento ao lado de Jasmine.

A maioria dos vinte e poucos Nefilim estava reunida em duas mesas circulares adjacentes, com exceção de Roland, que estava sentado num canto distante com uma garota misteriosa. Então a acompanhante misteriosa se levantou, ergueu o amplo chapéu em formato de rosa e deu um aceno disfarçado para Luce.

Era Ariane.

Apesar de tudo, Luce sorriu, mas um segundo depois se sentiu à beira das lágrimas. Observar os dois juntos dando risadinhas lembrou Luce da cena repugnante e sinistra que havia vislumbrado no Anunciador no dia anterior. Como Cam e Daniel, Ariane e Roland deviam estar em lados opostos, mas todos sabiam que eram um time.

Ainda assim, parecia diferente de algum modo.

A festa da colheita era para ser um último festejo pré-Ação de Graças antes das aulas serem interrompidas. Então, todo mundo teria outro dia de Ação de Graças, de verdade, com suas famílias. Para Luce, esse era o único Dia de Ação de Graças que ela teria. O Sr. Cole não tinha respondido a seus e-mails. Depois do castigo de ontem e da revelação no telhado logo em seguida, ela estava achando difícil ser grata por alguma coisa.

— Você está comendo pouco — disse Francesca, colocando uma grande porção de purê de batatas no prato de Luce. Ela estava cada vez mais acostumada com o belo verniz que recobria tudo quando Francesca estava falando com ela. Francesca possuía um carisma de outro mundo, simplesmente pelo fato de ser um anjo.

Ela sorriu para Luce como se a reunião em seu escritório ontem não tivesse existido, e como se Luce não estivesse presa a sete chaves.

Luce ganhara o lugar de honra na animada mesa da diretoria, ao lado de Francesca. Todos os doadores vieram em fila para cumprimentar o corpo docente. Os outros alunos na mesa principal — Lilith, Beaker, Brady e uma menina coreana de cabelo escuro que Luce não conhecia — haviam concorrido para ganhar esses lugares em um concurso de redação. Tudo que Luce teve que fazer foi enfurecer seus professores o suficiente para que ficassem com medo por não poderem observá-la com atenção.

A refeição estava finalmente acabando quando Steven se inclinou para a frente em sua cadeira. Como Francesca, ele não demonstrou nada do veneno de ontem.

— Certifique-se de que Luce seja apresentada ao Dr. Buchanan.

Francesca colocou na boca o último pedaço de pão de milho com manteiga.

— Buchanan é um dos maiores patronos da escola — disse a Luce. — Você deve ter ouvido falar de seu programa de Demônios no Exterior?

Luce deu de ombros enquanto os garçons reapareceram para tirar os pratos.

— Sua ex-mulher vinha de uma linhagem de anjos, mas após o divórcio ele mudou algumas de suas alianças. Ainda assim — Francesca olhou para Steven —, é um ótimo contato. Ah, olá, Srta. Fisher! Que bom que você veio.

— Sim, olá. — Uma mulher idosa com sotaque britânico afetado, casaco de vison volumoso e mais diamantes ao redor do pescoço do que Luce jamais vira em sua vida estendeu a mão coberta por uma luva branca para Steven, que se levantou para cumprimentá-la. Francesca levantou também, inclinando-se para cumprimentar a mulher com um beijo em cada bochecha.
— Onde está o meu Miles? — perguntou a mulher.

Luce pulou.

— Ah, você deve ser a... avó de Miles?

— Meu Deus, não. — A mulher recuou. — Não tenho filhos, nunca me casei. Oh. Sou a Sra. Ginger Fisher, da parte da árvore genealógica do norte da Califórnia. Miles é meu sobrinho-neto. E você é...?

— Lucinda Price.

— Lucinda Price, sim. — A Sra. Fisher olhou Luce de cima a baixo, apertando os olhos. — Li sobre você em algumas histórias, embora não lembre exatamente o que você fez...

Antes que Luce pudesse responder, as mãos de Steven estavam em seus ombros.

— Luce é uma das nossas mais novas alunas — interrompeu. — Você ficará feliz em saber que Miles realmente se dedicou para fazê-la se sentir em casa aqui.

Os olhos investigativos da Sra. Fisher já estavam longe deles, analisando a multidão no gramado. A maioria dos convidados já tinha terminado de comer e agora Shelby estava acendendo as tochas presas no chão. Quando a tocha mais próxima à mesa principal ficou brilhante, ela iluminou Miles, inclinado sobre a mesa ao lado para retirar algumas placas.

— Aquele ali seria meu sobrinho-neto... *servindo mesas?* — A Sra. Fisher pressionou a mão enluvada na testa.

— Na verdade — disse Shelby, se intrometendo na conversa, com o acendedor de tochas na mão —, ele é o catador...

— Shelby — cortou Francesca. — Acho que a tocha perto das mesas Nefilim acaba de apagar. Você poderia dar um jeito nisso? *Agora?*

— Quer saber? — disse Luce a Sra. Fisher. — Vou chamar Miles para cá. Deve estar ansiosa para vê-lo.

Miles tinha trocado o boné dos Dodgers e o moletom por um par de calças de tweed marrom e uma camisa laranja de botões. Uma escolha meio ousada, mas estava bonito.

— Ei! — Ele acenou com a mão que não estava equilibrando uma pilha de pratos sujos e não parecia se importar em estar servindo mesas. Estava sorrindo, à vontade, conversando com todos no banquete enquanto tirava os pratos.

Quando Luce se aproximou, ele baixou os pratos e deu-lhe um grande abraço, mais apertado no final.

— Você está bem? — perguntou, inclinando a cabeça para um lado, de modo que seu cabelo castanho caiu sobre os olhos. Ele não parecia acostumado com como seu cabelo ficava sem o boné, e o jogou rapidamente para trás. — Você não parece tão bem. Quero dizer... *Você* está ótima, não foi isso que eu quis dizer. *Não mesmo.* Eu realmente gostei do vestido. E seu cabelo está bonito. Mas você também parece um pouco — ele franziu a testa — chateada.

— Que pena. — Luce chutou a grama com a ponta do seu salto alto preto. — Porque estou me sentindo melhor agora do que no resto da noite.

— Sério? — O rosto de Miles iluminou-se apenas por tempo suficiente para ele tomar aquilo como um elogio. Em seguida, o sorriso se desfez. — Eu sei que deve estar sendo um saco ficar de castigo. Se você quer minha opinião, Frankie e Steven estão exagerando. Mantê-la sob a supervisão deles a noite toda...

— *Eu sei.*

— Não olhe agora, tenho certeza de que estão nos observando. Ah, ótimo. — Ele gemeu. — Aquela é minha tia Ginger?

— Acabo de ter o prazer de conhecê-la. — Luce riu. — Ela quer vê-lo.

— Tenho certeza que sim. Por favor, não ache que todos os meus parentes são como ela. Quando você conhecer o resto do clã no dia de Ação de Graças...

Ação de Graças com Miles. Luce tinha esquecido completamente sobre isso.

— Ah. — Miles estava observando o rosto dela. — Você não acha que Frankie e Steven vão fazer você ficar *aqui* no feriado?

Luce deu de ombros.

— Achei que era o que "até ordens ao contrário" significava.

— Então é isso que está deixando você triste. — Ele colocou uma das mãos sobre o ombro nu de Luce. Ela estivera se arrependendo do vestido sem mangas até agora, quando os dedos dele tocaram sua pele. Não lembrava em nada o toque de Daniel, eletrizante e mágico todas as vezes, mas ainda assim era reconfortante.

Miles se aproximou, baixando o rosto para o dela.

— O que foi?

Ela olhou para seus olhos azuis-escuros. Sua mão ainda estava no ombro dela. Luce sentiu os lábios se partindo para dizer a verdade, ou o que ela sabia da verdade, pronta para expulsar aquilo de dentro dela.

Que Daniel não era quem ela pensava que era. O que significava que *ela* talvez não fosse quem pensava que era. Que tudo que sentia por Daniel na Sword & Cross ainda estava ali, e pensar nisso a deixava tonta, mas como agora tudo também era tão diferente. E que todo mundo dizia que esta vida era diferente, que era hora de quebrar o ciclo, mas ninguém lhe contava o que aquilo significava. Que talvez essa história não fosse terminar com Luce e Daniel juntos. Que talvez ela devesse se libertar e fazer algo por conta própria.

— É difícil colocar tudo em palavras — disse finalmente.

— Eu sei — disse Miles. — Também tenho dificuldade com isso. Na verdade, há algo que eu meio que venho querendo lhe dizer...

— Luce. — De repente Francesca estava ali, praticamente entre os dois. — É hora de ir. Vou levar você de volta para o quarto agora.

Bela chance de fazer algo por conta própria.

— E Miles, sua tia Ginger e Steven gostariam de vê-lo.

Miles abriu um último sorriso compreensivo para Luce, antes de marchar em direção ao terraço até sua tia.

As mesas estavam esvaziando, mas Luce podia ver Ariane e Roland às gargalhadas perto do bar. Um grupo de meninas Nefilim se aglomerara ao redor de Dawn. Shelby estava de pé ao lado de um rapaz alto, com cabelo descolorido loiro e pele pálida, quase translúcida.

O ex. Tinha que ser. Ele estava inclinado na direção de Shelby, claramente interessado, mas era óbvio que ela ainda estava furiosa. Tão furiosa que nem notou Francesca e Luce, mas seu ex-namorado, sim. O olhar rondando se demorou em Luce. O tom pálido de seus olhos não era exatamente azul, mas era assustador.

Então, alguém gritou que a festa continuaria na praia e Shelby roubou a atenção do ex, virando-lhe as costas e dizendo que ele não deveria segui-la até a festa.

— Você está com vontade de se juntar a eles? — perguntou Francesca enquanto elas se afastavam da agitação do terraço. O barulho e o vento acalmaram à medida que andavam sobre o longo caminho de cascalho em direção ao dormitório, passando por fileiras de buganvílias rosas-shocking. Luce começou a se perguntar se Francesca fora a responsável por aquela súbita sensação de tranquilidade.

— Não. — Luce gostava muito de todos, mas se fosse para anexar a palavra *vontade* agora, não estaria relacionada a uma festa na praia. Ela queria mesmo... bem, não tinha certeza do quê. Algo que tivesse a ver com Daniel, disso estava certa, mas o quê? Gostaria que ele lhe contasse o que estava acontecendo, talvez. Que, em vez de protegê-la omitindo o que sabia, contasse a verdade. Ela ainda amava Daniel, é óbvio que sim. Ele conhecia Luce melhor do que ninguém. Seu coração acelerava cada vez que o via. Ela ansiava por sua presença. Mas o quanto realmente o conhecia?

Francesca fixou os olhos na grama que forrava o caminho para o dormitório. Muito sutilmente, seus braços se estenderam para fora em ambos os lados, como uma bailarina na barra.

— Nem lírios nem rosas — murmurou baixinho enquanto a ponta dos dedos estreitos começou a tremer. — O que era mesmo?

Houve um som suave, como as raízes de uma planta sendo puxada de um canteiro de jardim e, de repente, como num milagre, uma linha de flores tão brancas quanto o luar surgiu ao longo do caminho. Densas e viçosas, com meio metro de altura, aquelas não eram flores comuns.

Eram raras e delicadas peônias selvagens, com botões grandes como bolas de beisebol. As flores que Daniel levara quando Luce estava no hospital, e talvez em outras ocasiões antes daquela. Contornando o caminho da Shoreline, elas brilhavam como estrelas na noite.

— Para que foi isso? — perguntou Luce.

— Para você — respondeu Francesca.

— Por quê?

Francesca tocou-a de leve na bochecha.

— Às vezes coisas belas entram em nossa vida de repente. Nem sempre podemos compreendê-las, mas temos de confiar nelas. Eu sei que você quer questionar tudo, mas também compensa apenas ter um pouco de fé.

Ela estava falando sobre Daniel.

— Veja eu e Steven — continuou Francesca —, e sei que pode ser confuso. Eu o amo? Sim. Mas quando a batalha final vier, terei que matá-lo. É a nossa realidade simplesmente. Nós sabemos exatamente como funciona.

— Mas você não confia nele?

— Acredito que ele será fiel à sua natureza, que é a de um demônio. Você precisa confiar que aqueles ao seu redor serão fiéis à sua natureza. Mesmo quando possa parecer que estão traindo quem são.

— E se não for assim tão fácil?

— Você é forte, Luce, independentemente de qualquer coisa ou de qualquer um. Pela maneira como você reagiu ontem em meu escritório, pude ver isso. E fiquei muito... contente.

Luce não se sentia forte. Sentia-se tola. Daniel era um anjo, por isso a sua verdadeira natureza tinha que ser boa. Ela deveria aceitar aquilo sem questionar? E quanto à sua verdadeira natureza? Não era tão preto e branco. Teria Luce sido a razão para as coisas entre eles serem tão complicadas? Muito tempo depois de ter entrado em seu quarto e fechado a porta, ela não conseguia tirar as palavras de Francesca da cabeça.

Por volta de uma hora mais tarde, uma batida na janela fez Luce se assustar, enquanto estava olhando para o fogo que morria na lareira. Antes que pudesse se levantar, houve uma segunda batida, mas desta vez parecia mais hesitante. Luce levantou e foi até a janela. O que Daniel estava fazendo ali de novo? Depois de tantos discursos sobre como era perigoso eles se verem, por que ele continuava aparecendo?

Ela não sabia sequer o que Daniel queria, além de atormentá-la, do jeito que o vira atormentar outras versões dela nos Anunciadores. Ou, segundo ele, *amado* tantas versões dela. Hoje à noite, tudo o que Luce queria era que ele a deixasse sozinha.

Ela escancarou as persianas para empurrar a janela, derrubando mais uma das milhares de plantas de Shelby. Ela apoiou as mãos no parapeito e então mergulhou a cabeça na noite, pronta para dar uma bronca em Daniel.

Mas não era Daniel em pé na beira sob o luar.

Era Miles.

Tinha tirado as roupas extravagantes, mas continuava sem o boné dos Dodgers. A maior parte de seu corpo estava na sombra, mas o contorno dos ombros largos brilhava contra a noite de um azul profundo. Seu sorriso fez Luce sorrir também. Ele estava segurando uma cornucópia dourada cheia de lírios alaranjados colhidos de um dos arranjos de mesa do Festival da Colheita.

— Miles — disse Luce. A palavra parecia estranha em sua boca. Era marcada pela surpresa agradável quando, um momento atrás, estivera tão preparada para ser desagradável. Seu coração acelerou, e ela não conseguia parar de sorrir.

— Não é incrível eu poder andar pelo parapeito da minha janela até a sua?

Luce balançou a cabeça, surpresa também. Ela nunca estivera no quarto de Miles ou no lado dos meninos no dormitório. Nem sabia onde ficava.

— Viu? — O sorriso dele se ampliou. — Se você não estivesse de castigo, nunca teríamos descoberto. É realmente lindo aqui, Luce, você devia sair. Você não tem medo de altura ou algo assim, tem?

Luce queria sair para ficar com Miles. Só não queria se lembrar das vezes em que estivera ali com Daniel. Os dois eram muito diferentes. Miles era confiável, doce, preocupado. Daniel era o amor de sua vida. Se ao menos fosse assim tão simples. Parecia injusto e impossível compará-los.

— Como você não está na praia com todo mundo? — perguntou ela.

— Nem *todo mundo* está na praia. — Miles sorriu. — Você está aqui. — Ele acenou com a cornucópia de flores. — Trouxe isso para você do jantar. Shelby tem milhares de plantas em seu lado do quarto. Achei que você poderia colocar essas na sua mesa.

Miles passou o chifre de vime pela janela até ela. Estava cheio de flores de um laranja brilhante. Os estames pretos estremeciam com o vento. Não eram perfeitas, algumas estavam até mesmo murchas, mas eram muito mais bonitas do que as peônias gigantescas que Francesca fez florescer. *Às vezes coisas belas entram em nossa vida de repente.*

Esta talvez fosse a melhor coisa que alguém havia feito para ela na Shoreline — como a vez em que Miles tinha arrombado o escritório de Steven para roubar aquele livro e ajudar Luce a aprender a atravessar uma sombra. Ou quando Miles a convidara para tomar café da manhã, no mesmo dia em que a conheceu. Ou como Miles a tinha incluído sem pensar duas vezes em seus planos do dia de Ação de Graças. Ou a completa ausência de ressentimento no rosto de Miles quando foi incumbido do serviço de coleta de lixo depois que ela o colocara em apuros. Ou como Miles...

Ela percebeu que poderia continuar eternamente, a noite toda. Levou as flores para o outro lado do quarto e colocou-as em sua mesa.

Quando voltou, Miles estava estendendo a mão para que ela passasse pela janela. Luce podia inventar uma desculpa, algo estúpido sobre não quebrar as regras de Francesca. Ou poderia simplesmente aceitar a mão quente, forte e segura de Miles, e deixar-se levar para o outro lado. Ela poderia esquecer Daniel só por um momento.

Lá fora, o céu era uma explosão de estrelas. Elas brilhavam na noite escura como os diamantes da Sra. Fisher, mas mais claras, mais brilhantes, ainda mais bonitas. Dali, o lado da escola coberto pelas sequoias parecia denso, sombrio e sinistro, a oeste ficava a água agitada e incessante, e a luz distante da fogueira ardia na praia lotada. Luce tinha notado isso tudo antes. Oceano. Floresta. Céu. Mas nas outras vezes em que ela estivera ali, Daniel tinha absorvido completamente sua atenção. É como se nunca tivesse apreciado a vista de verdade.

Era realmente de tirar o fôlego.

— Você deve estar se perguntando por que vim até aqui — disse Miles, o que fez Luce perceber que tinha ficado calada por um tempo. — Comecei a dizer-lhe isso antes, mas, eu não... não tenho certeza...

— Estou feliz que você tenha vindo. Estava ficando um pouco chato lá, olhando para o fogo. — Ela abriu um meio sorriso.

Miles enfiou as mãos nos bolsos.

— Olha, sei que você e Daniel...

Involuntariamente Luce resmungou.

— Você está certa, eu nem deveria tocar no assunto...

— Não, não foi por isso que reclamei.

— É só que... Você sabe que gosto de você, certo?

— Hmm.

É claro que Miles gostava dela. Eles eram amigos. Bons amigos.

Luce mordeu o lábio. Agora estava enganando a si mesma, o que nunca fora um bom sinal. A verdade era que Miles *gostava* dela. E ela *gostava* dele também. Era só olhar para ele, com seus olhos azuis como o mar e o barulhinho que fazia toda vez que abria um sorriso. Além disso, ele era, de longe, a pessoa mais legal que Luce já conhecera.

Mas havia Daniel e antes dele havia Daniel também, e Daniel de novo e... Era infinitamente complicado.

— Estou enrolando. — Miles estremeceu. — Quando tudo que eu realmente queria fazer era dizer boa noite.

Luce ergueu os olhos e descobriu que ele estava olhando para ela. As mãos saíram dos bolsos, encontraram as dela, e segurando-as na altura do colo. Ele se inclinou deliberadamente, dando a Luce outra chance para sentir a noite espetacular ao seu redor.

Ela sabia que Miles ia beijá-la. Sabia que não deveria deixar que ele fizesse aquilo. Por causa de Daniel, é lógico, mas também pelo que tinha acontecido quando beijara Trevor. Seu primeiro beijo. O único beijo que dera em outra pessoa além de Daniel. Poderia ter a ver com Daniel o fato de Trevor ter morrido? E se, no instante em que beijasse Miles, ele... Luce não suportava sequer pensar naquilo.

— Miles. — Ela apertou a mão dele também. — Você não devia fazer isso. Me beijar é... — ela engoliu — perigoso.

Ele riu. Óbvio que sim, porque não sabia nada sobre Trevor.

— Acho que vou arriscar.

Ela tentou se afastar, mas Miles tinha um jeito de fazê-la sentir-se bem sobre quase tudo. Mesmo agora. Quando a boca de Miles tocou a dela, Luce prendeu a respiração, esperando pelo pior.

Mas nada aconteceu.

Os lábios de Miles eram suaves como plumas, beijando-a com delicadeza suficiente para ela entender que ele ainda era seu bom amigo, mas também com paixão para provar que ele era capaz de fazer mais... se ela quisesse.

Mas, ainda que não houvesse chamas, ou fogo queimando a pele, nenhuma morte ou destruição — e por que não havia? —, o beijo *deveria* trazer uma sensação errada. Por tanto tempo, tudo que seus lábios desejaram eram os lábios de Daniel, o tempo todo. Ela costumava sonhar com seu beijo, o sorriso, os lindos olhos violeta, a sensação de seu corpo contra o dela. Não era para existir outra pessoa.

E se ela tivesse se enganado a respeito de Daniel? E se ela pudesse estar mais feliz — ou simplesmente feliz — com outro cara?

Miles se afastou, parecendo feliz e triste ao mesmo tempo.

— Então, boa noite. — Ele se virou, quase como se estivesse prestes a sair correndo para o quarto. Mas então se virou de novo e pegou a mão dela. — Se você um dia achar que as coisas não estão dando certo, você sabe, com... — Ele olhou para o céu. — Estou aqui. Só queria que você soubesse.

Luce assentiu, já lutando contra os sentimentos confusos que se aproximavam. Miles apertou a mão dela e em seguida partiu na outra direção, saltando sobre as telhas inclinadas, para o lado de seu dormitório.

Sozinha, ela tocou os próprios lábios, que Miles tinha acabado de beijar. Da próxima vez em que ela visse Daniel, ele seria capaz de notar? Sua cabeça doía por todos os altos e baixos do dia, e ela só queria ir para a cama. Enquanto deslizava até o quarto, virou uma última vez para apreciar a vista, para se lembrar de como tudo era na noite em que tantas coisas haviam mudado.

Mas, em vez das estrelas, árvores e ondas quebrando, os olhos de Luce fixaram-se em outra coisa atrás das muitas chaminés dos telhados. Algo branco e esvoaçante. Um par de asas iridescentes.

Daniel. Agachado, mas parte do corpo visível, a poucos metros de onde ela e Miles haviam se beijado. De costas para ela. Sua cabeça estava baixa.

— Daniel — chamou ela, sentindo a voz vacilar ao dizer o nome dele.

Quando ele se virou para encará-la, seu olhar era de completa agonia. Como se Luce tivesse acabado de arrancar seu coração. Ele dobrou os joelhos, abriu as asas e decolou noite adentro.

Um minuto depois, ele parecia apenas mais uma estrela no céu escuro e brilhante.

DEZESSEIS

TRÊS DIAS

Na manhã seguinte, Luce mal conseguiu comer.
 Era o último dia de aula antes da Shoreline liberar os alunos para o feriado de Ação de Graças, e Luce já estava se sentindo solitária. Solidão em meio a uma multidão é o pior tipo de solidão, mas não dava para evitar. Todos os alunos ao seu redor estavam conversando alegremente sobre ir para casa e rever a família. Falando sobre a moça ou rapaz que não viam desde as férias de verão. Sobre as festas que os amigos dariam no fim de semana.
 A única festa para a qual Luce estava indo esse fim de semana era o festival de choro no seu quarto vazio do dormitório.
 Alguns outros alunos da escola principal certamente ficariam lá durante o feriado: Connor Madson, que viera de um orfanato em Minnesota. E Brenna Lee, pois seus pais viviam na

China. Francesca e Steven também ficariam lá — que surpresa — e ofereceriam um jantar de Ação de Graças no refeitório para os excluídos, na quinta-feira à noite.

Luce estava se agarrando a uma esperança: que a ameaça de Ariane sobre ficar de olho nela incluísse o feriado de Ação de Graças. Mas, pensando bem, ela mal tinha visto a amiga desde que Ariane levara os três de volta à Shoreline. Apenas naquele breve momento no Festival da Colheita.

Todo mundo estaria indo embora em um ou dois dias. Miles ia para o evento de mais de cem pessoas com a família. Dawn e Jasmine encontrariam as respectivas famílias na mansão de Jasmine em Sausalito. Até mesmo Shelby — embora ela não tivesse dito uma palavra a Luce sobre voltar para Bakersfield — tinha falado no telefone com a mãe um dia antes, gemendo "*Sim*. Eu *sei*. Eu *estarei* lá".

Era o pior momento para Luce ser deixada sozinha. Ela se sentia mais confusa a cada dia, até não saber mais como se sentir a respeito de Daniel ou qualquer outra pessoa. E ela não conseguia parar de xingar a si mesma por como tinha sido estúpida na noite anterior, deixando Miles ir tão longe.

Durante toda a noite, ela chegou continuamente à mesma conclusão: Ainda que estivesse chateada com Daniel, o que tinha acontecido com Miles não tinha sido culpa de ninguém, apenas dela. Foi ela quem traíra.

Deixava-a fisicamente doente pensar em Daniel sentado lá fora, olhando, sem dizer nada, enquanto ela e Miles se beijavam; imaginar como ele deve ter se sentido quando decolou do telhado. Da forma que ela se sentira quando ouviu pela primeira vez o que havia acontecido entre Daniel e Shelby, só que pior, porque dessa vez era traição de verdade. Só mais uma coisa a acrescentar à lista de provas de que ela e Daniel não conseguiam se entender.

Um riso suave trouxe-a de volta à realidade e ao intocado café da manhã.

Francesca deslizava pelas mesas com uma longa capa de bolinhas pretas e brancas. Toda vez que Luce a olhava, ela estava com aquele sorriso açucarado no rosto e absorta numa conversa com um aluno ou outro, mas Luce ainda se sentia sob forte escrutínio. Como se Francesca pudesse ler sua mente e saber exatamente o que tinha acontecido para que perdesse o apetite. Como se, assim como as peônias brancas selvagens que desapareceram durante a noite sem deixar vestígios de sua existência, a crença de Francesca de que Luce era forte pudesse desaparecer também.

— Por que tão sombria, companheira? — Shelby engoliu uma grande fatia de bagel. — Acredite, você não perdeu muita coisa na noite passada.

Luce não respondeu. Ela nem se lembrava da fogueira na praia. Mas acabara de notar Miles marchando para o café, muito mais tarde do que de costume. Seu boné dos Dodgers estava puxado bem para baixo sobre os olhos, e os ombros pareciam um pouco curvados. Involuntariamente, os dedos de Luce foram até os lábios.

Shelby estava acenando com exagero, balançando ambos os braços sobre a cabeça.

— Qual o problema dele? Terra para Miles!

Quando finalmente chamou a atenção dele, Miles deu um aceno desajeitado para a mesa, quase tropeçando no buffet. Ele acenou novamente, e depois desapareceu atrás do refeitório.

— É impressão minha ou Miles tem estado totalmente desligado esses dias? — Shelby revirou os olhos e imitou o amigo desajeitado.

Mas Luce estava morrendo de vontade de ir atrás dele e...

E o quê? Dizer a ele para não sentir vergonha? Que o beijo tinha sido culpa dela também? Que sentir-se atraído por alguém como ela só traria problemas? Que ela gostava dele, mas que uma relação entre os dois seria impossível? Que mesmo que ela e Daniel estivessem brigando agora, nada poderia realmente ameaçar aquele amor?

— Enfim, como eu estava dizendo — continuou Shelby, enchendo de novo o copo de café de Luce com a jarra de bronze na mesa. — Fogueira, hedonismo, blá-blá-blá. Essas coisas podem ser muito chatas. — Um dos lados da boca de Shelby se moveu em um quase sorriso. — Principalmente, sabe, quando você não está por perto.

O coração de Luce se alegrou um pouco. De vez em quando, Shelby deixava o mais ínfimo raio de luz entrar. Mas então sua companheira de quarto rapidamente deu de ombros, como se dissesse: *não se empolgue*.

— O problema é que ninguém mais aprecia minha imitação de Lilith. — Shelby esticou as costas, ergueu o peito para a frente e fez o lado direito de seu lábio superior tremer de reprovação.

A pequena imitação que Shelby fazia de Lilith era infalível: sempre fazia Luce cair na risada. Mas hoje tudo o que ela conseguiu foi um pequeno sorriso.

— Hmm — disse Shelby. — Não que você se importe com o que perdeu na festa. Notei Daniel voando sobre a praia na noite passada. Vocês dois devem ter colocado muita coisa em dia.

Shelby tinha visto Daniel? Por que não mencionara mais cedo? Alguém mais poderia tê-lo visto?

— Nós nem sequer conversamos.

— É difícil de acreditar. Ele normalmente é tão cheio de ordens para cima de você...

— Shelby, Miles me beijou — interrompeu Luce, com os olhos fechados. Por alguma razão, aquilo tornava mais fácil confessar. — Na noite passada. E Daniel viu tudo. Ele partiu antes que eu pudesse...

— É, isso é o suficiente. — Shelby soltou um assobio. — Que notícia bombástica.

O rosto de Luce ardia de vergonha. Sua mente não conseguia se livrar da imagem de Daniel levantando voo. Parecia muito definitivo.

— Então as coisas estão, você sabe, *acabadas* entre você e Daniel?

— Não. Nunca. — Luce não podia nem ouvir aquilo sem estremecer. — Eu simplesmente não sei.

Ela não tinha contado a Shelby o que mais havia vislumbrado no Anunciador, como vira Daniel e Cam trabalhando juntos. Eram amigos em segredo, até onde ela podia entender. Mas Shelby não saberia quem era Cam e a história era muito complicada para ser explicada. Além disso, Luce não seria capaz de suportar se Shelby, com seus pontos de vista ah-tão-deliberadamente-controversos sobre anjos e demônios, tentasse provar que uma parceria entre Daniel e Cam não era grande coisa no fim das contas.

— Você sabe que Daniel vai ficar mal por causa disso agora. Não era essa a questão para Daniel, a devoção *eterna* entre vocês dois?

Luce se ergueu da cadeira de ferro branco.

— Eu não estava sendo sarcástica, Luce. Então, talvez, sei lá, Daniel tenha se envolvido com outras pessoas. É tudo muito confuso. O que importa, no final, como falei antes, é que ele teve dúvidas de que você era a única que importava.

— Isso deveria me fazer sentir melhor?

— Não tenho a pretensão de fazer você se sentir melhor. Estou apenas tentando demonstrar um ponto de vista. Apesar de toda a irritante aparência de indiferença de Daniel, ele é realmente apaixonado por você. A verdadeira questão aqui é: e você? Pelo que Daniel viu, você poderia deixá-lo assim que alguém novo aparecesse. Miles apareceu, e ele obviamente é um cara ótimo. Um pouco meloso demais para o meu gosto, mas...

— Eu nunca deixaria Daniel — disse Luce em voz alta, querendo desesperadamente acreditar naquilo também.

Ela pensou sobre a expressão de horror no rosto dele na noite em que os dois discutiram na praia. Luce ficou chocada quando Daniel perguntara de imediato: *nós estamos terminando?* Como se ele suspeitasse que havia uma possibilidade. Como se ela não tivesse engolido direito toda aquela história absurda sobre um amor infinito que ele lhe contara sob os pessegueiros na Sword & Cross. Ela engolira, de uma só vez, ingerindo todas as suas falhas também — as partes extremamente irregulares que não faziam sentido, mas que lhe imploravam para crer naquele momento. Agora, a cada dia, elas roíam suas entranhas.

Ela podia sentir a maior de todas as falhas subindo por sua garganta.

— Na maior parte do tempo, nem sei por que ele gosta de mim.

— Qual é — gemeu Shelby. — Não seja uma dessas meninas. *Ele é bom demais para mim, blá-blá-blá.* Vou ter que chutar você para a mesa de Dawn e Jasmine. Essa é a especialidade delas, não a minha.

— Eu não quis dizer isso. — Luce inclinou-se e baixou a voz. — Quero dizer, séculos atrás, quando Daniel estava, você sabe, *lá em cima,* ele *me* escolheu. Eu, entre todos os seres humanos na Terra...

— Bem, provavelmente havia muito menos opções naquela época... Ai! — Luce havia cutucado ela. — Só estou tentando melhorar o clima!

— Ele me escolheu, Shelby, em vez de algum lugar de prestígio no céu, em vez de um status elevado. Isso é muito importante, você não acha? — Shelby assentiu. — Ele não pode simplesmente ter me achado bonitinha.

— Mas... você não sabe o que foi?

— Já perguntei, mas ele nunca me contou o que aconteceu. Quando toquei no assunto, foi quase como se Daniel não conseguisse se lembrar. O que é um absurdo, porque significa que nós dois já estamos seguindo com a corrente. Baseados em milhares de anos de um conto de fadas de que nenhum de nós pode se lembrar.

Shelby esfregou o queixo.

— O que mais Daniel está escondendo de você?

— Isso é o que pretendo descobrir.

O tempo tinha passado e a maioria dos alunos já estava deixando o terraço e indo para a aula. Os garçons bolsistas corriam para recolher os pratos. Mais próxima ao oceano, Steven bebia café sozinho, com os óculos dobrados e descansando sobre a mesa. Seus olhos encontraram os de Luce, e sustentaram o olhar por um longo tempo, tanto que, mesmo após ela se levantar para ir à aula, a expressão intensa e vigilante permaneceu em sua mente. O que provavelmente fora a intenção dele.

❊

Depois do vídeo educacional mais longo e chato jamais visto sobre divisão celular, Luce escapou da biologia, descendo as escadas do prédio principal, onde se surpreendeu ao ver o estacionamento lotado. Pais, irmãos mais velhos e alguns motoristas formavam uma longa fila de veículos do tipo que Luce não via desde a entrada no ginásio, na Geórgia.

Em torno dela, os alunos saíram correndo da aula e foram em zigue-zague para os carros, puxando malas de rodinhas. Dawn e Jasmine se abraçaram antes que Jasmine entrasse em um carro e o irmão de Dawn abrisse espaço para ela na parte de trás de um utilitário. As duas só estariam separadas por algumas horas.

Luce voltou ao prédio e saiu pela pouco usada porta traseira para se dirigir ao dormitório. Ela definitivamente não poderia lidar com despedidas agora.

Caminhando sob o céu cinzento, Luce ainda se sentia pesada pela culpa, mas a conversa com Shelby deixara suas emoções um pouco mais sob controle. Foi idiotice, ela sabia, mas ter beijado outra pessoa fez com que sentisse que finalmente tinha alguma importância no seu relacionamento com Daniel. Talvez fizesse ele reagir, para variar. Ela poderia pedir desculpas a ele também. Eles resolveriam os problemas, superariam aquela confusão e começariam a conversar de verdade.

Foi quando seu telefone tocou. Era uma mensagem do Sr. Cole:

Cuidei de tudo.

Então o Sr. Cole tinha repassado a notícia de que Luce não voltaria para casa. Mas convenientemente deixou de fora da mensagem se os pais dela ainda estavam falando com Luce. Ela não tinha notícias deles há dias.

Era uma situação sem saída: se seus pais escrevessem para ela, sentiria-se culpada por não escrever de volta. Se não escrevessem, sentiria-se responsável por estar tão distante. Ela ainda não tinha descoberto o que fazer com Callie.

Ela subiu as escadas do dormitório vazio. Cada passo ecoava no edifício cavernoso. Não havia ninguém por perto.

Ao chegar no quarto, esperava descobrir que Shelby já tinha ido embora, ou pelo menos ver a mala arrumada esperando na porta.

Shelby não estava lá, mas suas roupas estavam espalhadas por todo o lado. Seu colete vermelho estava no cabideiro, e o equipamento de ioga ainda estava empilhado num canto. Talvez ela só fosse na manhã seguinte.

Antes de Luce não ter sequer fechado a porta, alguém bateu. Ela pôs a cabeça no corredor.

Miles.

Suas mãos ficaram úmidas e ela podia sentir o coração acelerando. Imaginou como estaria seu cabelo, se lembrara de fazer a cama esta manhã, e há quanto tempo Miles estava andando atrás dela. Se ele vira Luce evitar a caravana de despedidas antes do feriado ou o olhar triste no rosto dela quando leu a mensagem de texto.

— Oi — disse ela suavemente.

— Oi.

Miles estava com um suéter marrom grosso sobre uma camisa de colarinho branco. Usava o jeans com um rasgo no joelho, aquele que sempre fazia Dawn pular para segui-lo, deixando tanto ela quanto Jasmine suspirando atrás dele.

Os lábios de Miles se contorceram em um sorriso nervoso.

— Quer fazer alguma coisa?

Seus polegares estavam presos sob as alças da mochila azul-marinho e a voz ecoou pelas paredes. De repente Luce pensou que ela e Miles poderiam ser as duas únicas pessoas em todo o edifício. A ideia era ao mesmo tempo emocionante e assustadora.

— Estou de castigo por toda a eternidade, lembra?

— É por isso que eu trouxe a diversão até você.

A princípio, Luce pensou que Miles estava se referindo a si mesmo, mas depois ele deslizou a mochila para um ombro e abriu o compartimento principal. Lá dentro havia um tesouro: jogos de tabuleiro — Boggle, Liga Quatro, Ludo.

O jogo do *High School Musical*. Até mesmo Palavras Cruzadas pra viagem. Foi tão legal e normal, que Luce quase chorou.

— Eu achei que você estava indo para casa hoje — disse ela. — Todo mundo está.

Miles deu de ombros.

— Meus pais não se importaram que eu ficasse. Estarei em casa novamente em algumas semanas e, além disso, temos opiniões diferentes sobre férias perfeitas. A deles é qualquer coisa digna de uma resenha na seção de estilo do *New York Times*.

Luce riu.

— E a sua?

Miles procurou um pouco mais em sua sacola, retirando dois pacotes de suco em pó, um saco de pipoca de micro-ondas e um DVD do filme *Hannah e Suas Irmãs*, de Woody Allen.

— Bem humilde, mas é isso aí. — Ele sorriu. — Pedi para você passar o feriado de Ação de Graças comigo, Luce. Só porque estamos mudando de local não significa que temos que mudar nossos planos.

Ela sentiu um sorriso se espalhar pelo rosto, e segurou a porta para que Miles entrasse. Seus ombros roçaram nos dela quando ele passou, e se entreolharam por um momento. Ela sentia Miles balançando sobre os calcanhares, como se estivesse prestes a se inclinar e beijá-la. Ela ficou tensa, à espera.

Mas ele apenas sorriu, largou a mochila no meio do chão e começou a descarregar a diversão para Ação de Graças.

— Está com fome? — perguntou ele, acenando com o pacote de pipoca.

Luce estremeceu.

— Eu sou muito ruim fazendo pipoca.

Ela estava lembrando da vez em que ela e Callie quase incendiaram o dormitório da Dover. Não conseguiu evitar. Isso a deixara com saudades da melhor amiga mais uma vez.

Miles abriu a porta do micro-ondas e ergueu um dedo.

— Posso apertar *qualquer* botão com esse dedo, e fazer praticamente tudo no micro-ondas. Você tem sorte por eu ser tão bom nisso.

Era estranho que mais cedo ela estivesse tão chateada por ter beijado Miles. Agora, Luce percebeu que ele era a única coisa que a fazia se sentir melhor. Se Miles não tivesse aparecido, ela estaria afundando em mais um buraco negro de culpa. Mesmo que ela não conseguisse se imaginar beijando-o de novo — não porque não queria, necessariamente, mas porque sabia que era errado, que não poderia fazer algo assim com Daniel... que não *queria* fazer com Daniel —, a presença de Miles era muito reconfortante.

Eles jogaram Boggle até Luce finalmente entender as regras, Palavras Cruzadas até perceberem que estava faltando metade das letras, Ludo até o sol se pôr lá fora e estar escuro demais para ver o tabuleiro sem acender a luz. Então Miles levantou-se, acendeu o fogo e colocou *Hannah e Suas Irmãs* no computador de Luce. O único lugar para sentar e assistir ao filme era na cama.

De repente, Luce ficou nervosa. Antes, eles haviam sido apenas dois amigos se divertindo com jogos de tabuleiro, à tarde em um dia de semana. Agora, as estrelas brilhavam, o dormitório estava vazio, o fogo crepitava e... o que essa cena fazia deles?

Eles se sentaram lado a lado na cama de Luce, e ela não conseguia parar de se preocupar com as próprias mãos, se era estranho deixá-las sobre o colo ou se seus dedos tocariam os de Miles se ela as deixasse ao lado do corpo. Pelo canto dos olhos, ela podia ver o peito dele se movendo quando respirava. Podia ouvi-lo coçar a nuca. Ele havia tirado o boné e Luce podia sentir o cheiro cítrico do xampu em seu cabelo castanho.

Hannah e Suas Irmãs era um dos poucos filmes de Woody Allen que Luce nunca vira, mas não conseguia prestar atenção. Já havia cruzado e descruzado as pernas três vezes antes que os títulos de abertura terminassem.

A porta se abriu. Shelby entrou no quarto, deu uma olhada no monitor do computador de Luce e desabafou:

— Esse é o melhor filme de Ação de Graças da história! Posso ver com... — Então, olhou para Luce e Miles, sentados às escuras sobre a cama. — Ah.

Luce levantou num pulo.

— É óbvio que sim! Eu não sabia quando você iria para casa...

— Nunca. — Shelby lançou-se no beliche superior, criando um pequeno terremoto onde Luce e Miles estavam. — Briguei com minha mãe. Nem perguntem, é muita idiotice. Além disso, prefiro ficar com vocês, de qualquer forma.

— Mas, Shelby... — Luce não podia imaginar uma briga grande o suficiente para cancelar a viagem para casa no feriado de Ação de Graças.

— Vamos apenas aproveitar a genialidade de Woody em silêncio — ordenou Shelby.

Miles e Luce se entreolharam, entendendo tudo.

— Você quem sabe — disse Miles para Shelby, sorrindo para Luce.

Para ser sincera, Luce ficou aliviada. Quando se acomodou novamente, seus dedos realmente roçaram nos de Miles e ele apertou a mão dela. Foi só por um momento, mas foi o suficiente para Luce entender que, pelo menos ao longo do fim de semana de Ação de Graças, tudo ia ficar bem.

DEZESSETE

DOIS DIAS

Luce acordou com o barulho de alguém revirando os cabides do armário.

Antes que pudesse ver quem era o responsável pela confusão, um monte de roupas a bombardeou. Ela se sentou na cama, abrindo caminho pela pilha de calças jeans, camisetas e casacos. Arrancou uma meia de losangos grudada em sua testa.

— Ariane?

— Você gosta do vermelho? Ou do preto? — Ariane estava segurando dois vestidos de Luce contra o corpo minúsculo, balançando-os um de cada vez.

Ariane não precisava mais da terrível pulseira de monitoramento que era obrigada a usar na Sword & Cross. Luce não percebera isso até agora, e estremeceu ao lembrar-se do choque cruel percorrendo Ariane quando esta criara uma confusão. A cada dia que passava na Califórnia, Luce se lembrava da Sword & Cross de forma mais nebulosa, até que um momento como este a carregava de volta para sua tumultuada temporada lá.

— Elizabeth Taylor diz que só algumas mulheres podem vestir vermelho — continuou Ariane. — É tudo uma questão de busto e tom de pele. Felizmente, você tem os dois perfeitos. — Ela tirou o vestido vermelho do cabide e o atirou na pilha.

— O que você está fazendo aqui? — perguntou Luce.

Ariane colocou as pequenas mãos nos quadris.

— Ajudando você a arrumar as malas, sua boba. Você vai para casa.

— Q-que casa? O que você quer dizer? — gaguejou Luce.

Ariane riu, dando um passo à frente para pegar uma das mãos de Luce e puxá-la para fora da cama.

— Na Geórgia, meu pessegueiro. — Ela deu um tapinha na bochecha de Luce. — Com os bons e velhos Harry e Doreen. E, aparentemente, alguns dos seus amigos também estarão lá.

Callie. Ela ia realmente ver Callie? E seus pais? Luce ficou tonta, subitamente sem palavras.

— Você não quer passar o dia de Ação de Graças com o papai e a mamãe?

Luce estava esperando o porém.

— E quanto a...

— Não se preocupe. — Ariane tocou o nariz de Luce. — A ideia foi do Sr. Cole. Temos que continuar fingindo que você ainda está a apenas uma curta viagem de carro de distância dos seus pais. Esta parecia ser a maneira mais simples e divertida de fazer isso.

— Mas, quando ele me mandou uma mensagem ontem, tudo o que disse foi...

— Ele não queria encher você de esperanças até ter cuidado de cada detalhe, incluindo... — Ariane fez uma reverência — o acompanhante perfeito. Um dos acompanhantes, quero dizer. Roland deve estar aqui a qualquer momento.

Houve uma batida na porta.

— Ele é tão pontual. — Ariane apontou para o vestido vermelho, ainda nas mãos de Luce. — Vista essa belezura.

Luce rapidamente deslizou para dentro do vestido, então correu para o banheiro para escovar os dentes e ajeitar o cabelo. Ariane acabara de apresentar a ela uma daquelas raras situações nas quais você não deve se incomodar com perguntas. Simplesmente obedece.

Ela saiu do banheiro, esperando ver Roland e Ariane fazendo algo típico dos dois, com um deles de pé em cima da sua mala, enquanto o outro tentava fechá-la.

Mas não fora Roland quem batera.

E sim Steven e Francesca.

Merda.

As palavras "eu posso explicar" estavam na ponta da língua de Luce, só que ela não fazia ideia de como se safar daquela situação. Olhou para Ariane em busca de ajuda, mas ela ainda estava jogando os tênis de Luce dentro da mala. Será que não sabia que estavam prestes a se meter na maior confusão?

Quando Francesca entrou, Luce se preparou. Mas então as mangas largas da blusa carmesim de Francesca a envolveram num inesperado abraço.

— Viemos para desejar uma boa viagem.

— Tudo bem que sentiremos sua falta amanhã, no que, com um pouco de ironia, chamamos de "jantar dos rejeitados" — disse Steven, tomando a mão de Francesca e puxando-a até que estivesse longe de Luce. — Mas é sempre melhor para o aluno estar com a família.

— Eu não entendo — disse Luce. — Vocês sabiam disso? Pensei que estava de castigo pra sempre.

— Nós conversamos com o Sr. Cole de manhã — começou Francesca.

— E você não estava de castigo como punição, Luce — explicou Steven. — Era a única maneira de garantir que você estava a salvo sob nosso teto. Mas estará em boas mãos com Ariane.

Não sendo de abusar da hospitalidade alheia, Francesca já se dirigia para a porta.

— Ouvimos dizer que seus pais estão ansiosos para vê-la. Algo sobre sua mãe estar enchendo um freezer com tortas. — Ela piscou para Luce e, junto com Steven, acenou. Depois foram embora.

O coração de Luce pulou com a ideia de voltar para casa, para junto de sua família.

Mas não iria antes de falar com Miles e Shelby. Eles ficariam muito chateados se ela fosse para casa e abandonasse-os aqui. Ela nem sabia onde estava Shelby. Não podia ir embora sem...

Roland enfiou a cabeça pela porta aberta. Ele parecia bem sério em seu blazer de risca de giz e uma camisa de colarinho branco bem-passada. Seus dreads pretos e dourados estavam mais curtos, mais espetados, deixando seus olhos escuros e profundos ainda mais impressionantes.

— A barra está limpa? — perguntou ele, abrindo para Luce o familiar sorriso diabólico. — Temos um penetra. — Ele balançou a cabeça indicando alguém atrás dele, que apareceu logo em seguida, de mochila na mão.

Miles.

Ele abriu para Luce um sorriso maravilhosamente sem vergonha e se sentou na beirada da cama. Uma imagem de si, apresentando Miles a seus pais, passou pela cabeça de Luce. Ele tirava o boné de beisebol, apertava as mãos de ambos, elogiava os bordados pela metade de sua mãe...

— Roland, que parte de "missão ultrassecreta" você não entendeu? — perguntou Ariane.

— É culpa minha — admitiu Miles. — Eu vi Roland vindo para cá... e forcei-o a confessar. Foi por isso que ele se atrasou.

— Assim que esse cara ouviu as palavras *Luce* e *Geórgia* — Roland apontou o polegar para Miles —, levou cerca de um nanossegundo para arrumar a mala.

— Nós meio que tínhamos um trato de Ação de Graças — disse Miles, olhando apenas para Luce. — Eu não podia deixar que ela o quebrasse.

— Não. — Luce devolveu o sorriso. — É verdade.

— Mmm-hmm. — Ariane ergueu uma sobrancelha. — Eu só me pergunto o que Francesca diria sobre isso. Acho que alguém deve pedir permissão a seus pais primeiro, Miles...

— Ah, vamos lá, Ariane. — Roland acenou com desdém. — Desde quando você pede permissão para autoridades? Eu cuido do garoto. Ele não vai se meter em nenhuma encrenca.

— Se meter em encrenca onde? — Shelby chegou, com o tapete de ioga pendurado em um dos ombros. — Aonde estamos indo?

— Para a casa de Luce, na Geórgia, passar o feriado de Ação de Graças — disse Miles.

No corredor atrás de Shelby, alguém com cabelo loiro-branco espiava. O ex-namorado de Shelby. Sua pele era pálida como a de um fantasma e Shelby estava certa: havia algo estranho em seus olhos. Em como eram claros.

— Pela última vez, eu disse *tchau*, Phil. — Shelby rapidamente fechou a porta na cara dele.

— Quem era? — perguntou Roland.

— O canalha do meu ex-namorado.

— Parece um cara interessante — disse Roland, olhando para a porta, distraído.

— Interessante? — Shelby bufou. — Uma ordem judicial seria interessante. — Ela deu uma olhada na mala de Luce, em seguida, na mochila de Miles, e depois começou a jogar a esmo seus pertences em um baú preto.

Ariane ergueu as mãos.

— Você não pode fazer nada sem uma comitiva? — perguntou a Luce. Depois, voltando-se para Roland, continuou: — Suponho que você queira assumir a responsabilidade por essa daí também?

— Esse é o espírito do feriado! — Roland riu. — Nós estamos indo para o Ação de Graças dos Price — disse ele para Shelby, cujo rosto se iluminou. — Quanto mais gente, melhor.

Luce não podia acreditar como tudo estava se resolvendo bem. Ação de Graças com sua família *e* Callie *e* Ariane *e* Roland *e* Shelby *e* Miles. Ela não poderia ter criado roteiro melhor.

Só uma coisa a incomodava. E muito.

— E Daniel?

O que ela queria saber era: *ele já sabe sobre essa viagem? E, qual é a verdade sobre ele e Cam? E, ele ainda está zangado comigo por causa daquele beijo? E, é errado que Miles esteja vindo junto?* E também, *quais as chances de Daniel aparecer amanhã, na casa dos meus pais, embora diga que não pode me ver?*

Ariane limpou a garganta.

— Sim, e Daniel? — Ela repetiu em voz baixa. — Só o tempo dirá.

— Então nós temos passagens de avião ou algo assim? — perguntou Shelby. — Porque, se formos de avião, preciso arrumar meu kit serenidade: óleos essenciais e almofada aquecida. Vocês não vão querer me ver a 35 mil pés sem eles.

Roland estalou os dedos.

Perto de seus pés, a sombra da porta aberta se descolou das tábuas do chão, erguendo-se como o alçapão de um porão. Uma rajada de vento frio subiu, seguida de uma explosão sombria de escuridão, que cheirava a feno molhado ao mesmo tempo que encolhia até virar uma esfera pequena e compacta. Mas então, a um aceno de Roland, ela se transformou em um portal preto e alto. Parecia o tipo de porta que levaria a uma cozinha de restaurante, de vaivém, com uma janela redonda no topo. Só que esta era feita de névoa de Anunciador, e tudo o que estava visível através da janela era uma escuridão ainda maior, que rodopiava.

— Isso parece exatamente com o que li no livro — disse Miles, claramente impressionado. — Tudo que consegui foi uma espécie estranha de janela trapezoidal. — Ele sorriu para Luce. — Mas ainda assim funcionou.

— Fique comigo, garoto — disse Roland —, e você vai ver o que é viajar em grande estilo.

Ariane revirou os olhos.

— Ele é tão exibido.

Luce inclinou a cabeça para Ariane.

— Mas pensei que você tinha dito...

— Eu sei. — Ariane ergueu as mãos. — Eu sei que repeti aquela lenga-lenga toda sobre como perigoso é viajar num Anunciador. E não quero ser um daqueles anjos chatos "faça o que eu digo mas não o que eu faço". Só que todos nós concordamos; Francesca e Steven, Sr. Cole, todo mundo...

Todo mundo? Luce não podia agrupá-los sem notar a peça que faltava. Onde estava Daniel em tudo isso?

— Além disso — Ariane sorriu, orgulhosa —, estamos na presença de um mestre. Ro é um dos melhores atravessadores de Anunciador. — E então, sussurrou de lado para Roland: — Não deixe isso subir à sua cabeça.

Roland abriu a porta do Anunciador. Ela gemeu e rangeu nas dobradiças fantasmas, abrindo-se como se estivesse bocejando, para um poço úmido e vazio.

— Hmm... Por que mesmo viagens por Anunciador são tão perigosas? — perguntou Miles.

Ariane apontou ao redor da sala, para a sombra sob a lâmpada da mesa, atrás da esteira de ioga de Shelby. Todas as sombras estavam tremendo.

— Um leigo pode não saber em qual Anunciador viajar. E acredite, há sempre penetras à espreita, esperando que alguém acidentalmente os abra.

Luce lembrou-se da sombra marrom doentia na qual havia tropeçado. O espreitador penetra em que vislumbrara o pesadelo com Cam e Daniel na praia.

— Se você pegar o Anunciador errado, é muito fácil se perder — explicou Roland. — Não ter nenhuma ideia de aonde, ou para quando, está indo. Mas, contanto que fique conosco, não precisa se preocupar com nada.

Nervosa, Luce apontou para o centro do Anunciador. Ela achava que as outras sombras pelas quais tinham viajado não pareciam tão sombrias e escuras. Ou talvez ela só não soubesse das consequências até agora.

— Nós não vamos simplesmente aparecer no meio da cozinha dos meus pais, vamos? Porque acho que minha mãe poderia desmaiar de choque...

— Por favor. — Ariane estalou a língua, guiando Luce, em seguida, Miles, e depois Shelby para ficarem diante do Anunciador. — Tenha um pouco de fé.

Foi como atravessar uma névoa escura, molhada e desagradável. Ela escorregava e se enrolava sobre a pele de Luce, ficava presa em seus pulmões quando ela respirava. O eco de um ruído inocente incessante enchia o túnel como uma cachoeira. Nas duas outras vezes em que Luce viajara por um Anunciador, se sentira instável e apressada, capotando pela escuridão até chegar a algum lugar com luz. Dessa vez foi diferente. Ela perdeu a noção de onde e quando e até mesmo de quem era e para onde estava indo.

Em seguida, alguém a puxou para fora com força.

Quando Roland largou Luce, o som da cachoeira ecoando virou um gotejar e o cheiro de cloro encheu seu nariz. Um trampolim. Um trampolim familiar, sob o teto arqueado alto, revestido por vitrais quebrados. O sol já estava acima das janelas altas, mas sua luz ainda jogava fracos prismas coloridos sobre a superfície de uma piscina olímpica. Ao longo das paredes, velas tremeluziam em recessos de pedra, projetando uma luz fraca e inútil. Ela reconheceria aquela igreja-ginásio em qualquer lugar.

— Ai, meu Deus — sussurrou Luce. — Estamos de volta à Sword & Cross.

Ariane avaliou o espaço rapidamente e sem emoção.

— Tudo que seus pais sabem, até nos buscarem amanhã de manhã, é que você esteve aqui o tempo todo. Entendeu?

Ariane agia como se passar a noite na Sword & Cross não fosse muito diferente de se hospedar num hotel qualquer. Voltar à esta parte de sua vida, entretanto, foi como uma bofetada para Luce. Ela não tinha gostado dali. Sword & Cross era um lugar terrível, mas fora o lugar onde coisas haviam *aconteci-*

do com ela. Ela se apaixonara ali, vira uma amiga morrer ali. Mais do que qualquer outra coisa, esse era o lugar onde ela mudara.

Ela fechou os olhos e riu com amargura. Não sabia de *nada* na época, comparado ao que sabia agora. E, ainda assim, se sentia mais segura de si mesma e de suas emoções naquela época do que jamais imaginara que fosse se sentir no futuro.

— Que diabos de lugar é esse? — perguntou Shelby.

— Minha última escola — respondeu Luce, olhando para Miles. Ele parecia desconfortável, aproximando-se de Shelby na parede. Isso fez Luce se lembrar de que eram bons meninos e, como ela nunca tinha falado muito sobre os dias dela ali, os boatos Nefilim poderiam facilmente ter preenchido suas mentes com detalhes vívidos o suficiente para fazer com que imaginassem uma noite assustadora na Sword & Cross.

— Ahã — disse Ariane, olhando para Shelby e Miles.

— E, quando os pais de Luce perguntarem, vocês estudam aqui também.

— Como assim, isso é uma escola? — perguntou Shelby.

— Vocês nadam e rezam ao mesmo tempo? Isso é um nível bizarro de eficiência que nunca se vê na Costa Oeste. Acho que acabei de ficar com saudades de casa.

— Se você acha que isso é ruim — disse Luce —, deveria ver o resto do campus.

Shelby franziu o cenho e Luce não podia culpá-la. Comparado à Shoreline, o lugar era uma espécie de purgatório horrível. Pelo menos, ao contrário do restante dos alunos dali, eles iriam embora na manhã seguinte.

— Vocês parecem esgotados — disse Ariane. — O que é bom, porque prometi ao Sr. Cole que iríamos ficar quietinhos.

Roland estava encostado no trampolim, esfregando as têmporas, os cacos do Anunciador tremendo a seus pés. Então se levantou e começou a explicar tudo:

— Miles, você vai ficar comigo, no meu antigo quarto. E Luce, seu quarto ainda está vazio. Vamos levar um colchão para Shelby. Vamos só largar as malas e depois voltar para meu quarto. Vou usar meus contatos no mercado clandestino para pedir uma pizza.

A ideia de uma pizza foi suficiente para tirar Miles e Shelby do estado catatônico, mas Luce estava demorando mais tempo para se ajustar. Não era tão estranho que o quarto dela ainda estivesse vazio. Contando nos dedos, percebeu que tinha ido embora desse lugar há menos de três semanas. Parecia muito mais tempo, como se cada dia tivesse durado um mês e era impossível imaginar a Sword & Cross sem qualquer uma das pessoas, anjos ou demônios que fizeram parte de sua vida ali.

— Não se preocupe. — Ariane estava ao lado de Luce. — Este lugar é como uma porta giratória de rejeição. Pessoas vêm e vão o tempo todo, por causa de algum problema de liberdade condicional, pais instáveis, sei lá. Hoje é a noite de folga de Randy. Ninguém se importa. Se alguém olhar duas vezes para você, apenas olhe três de volta. Ou mande-os para mim. — Ela socou a própria mão. — Você está pronta para sair daqui? — Apontou para os outros já seguindo Roland porta afora.

— Já alcanço vocês — disse Luce. — Há algo que preciso fazer antes.

※

No extremo leste do cemitério, próximo à lápide de seu pai, o túmulo de Penn era simples, mas bonito.

Na última vez em que Luce estivera nesse cemitério, ele estava coberto por uma grossa camada de poeira. O resultado de cada batalha dos anjos, segundo Daniel. Luce não sabia se o vento já tinha levado a poeira embora a essa altura ou se pó de anjo simplesmente desaparecia com o passar do tempo, mas o cemitério parecia estar de volta ao seu antigo e abandonado estado. Continuava cercado pela floresta com carvalhos entrelaçados que nunca paravam de crescer. Ainda era estéril e destruído, coberto pelo céu sem cor. Só que estava faltando alguma coisa, alguma coisa importante, que Luce não conseguia identificar, mas que a fazia se sentir mais solitária.

Uma camada esparsa de grama verde havia crescido ao redor do túmulo de Penn, e por isso ele não parecia mais tão novo em comparação com os túmulos seculares que o rodeavam. Um buquê de lírios frescos estava na frente da simples lápide cinzenta, que Luce abaixou-se para ler:

PENNYWEATHER VAN SYCKLE-LOCKWOOD
UMA AMIGA QUERIDA
1991 – 2009

Luce inspirou, tomando fôlego, e seus olhos ficaram cheios de lágrimas. Ela deixara a Sword & Cross antes de poder enterrar Penn, mas Daniel tinha resolvido tudo. Era a primeira vez em vários dias que seu coração doía por não o ter por perto. Porque ele soubera, melhor do que ela jamais poderia saber, exatamente como deveria ser a lápide de Penn. Luce ajoelhou-se sobre a grama, as lágrimas escorrendo livremente, as mãos acariciando a grama inutilmente.

— Estou aqui, Penn — sussurrou ela. — Me desculpe por ter precisado deixar você. Lamento por você ter se aproximado de mim, em primeiro lugar. Você merecia mais do que isso. Merecia uma amiga melhor do que eu.

Ela desejava que a amiga ainda estivesse ali. Desejava poder falar com ela. Luce sabia que a morte de Penn fora sua culpa e isso quase lhe partia o coração.

— Não sei mais o que estou fazendo, e estou com medo.

Ela queria dizer que sentia falta de Penn o tempo todo, mas do que realmente sentia falta era da possibilidade de Penn ter sido uma amiga a quem poderia ter conhecido melhor, se a morte não a tivesse levado cedo demais. Nada disso estava certo.

— Olá, Luce.

Luce teve que enxugar as lágrimas antes que pudesse ver o Sr. Cole de pé do outro lado da sepultura de Penn. Já estava tão acostumada a seus elegantes e impecáveis professores na Shoreline que o Sr. Cole parecia quase amarrotado, em seu terno marrom, com o bigode e cabelo castanho repartido com rigor logo acima de sua orelha esquerda.

Luce se pôs de pé, secando o nariz com o dorso da mão.

— Olá, Sr. Cole.

Ele sorriu gentilmente.

— Você está indo bem lá, ouvi dizer. Todos dizem que está indo muito bem.

— Ah... n-não... — gaguejou ela. — Não sei bem quanto a isso.

— Bem, eu sei. Sei também que seus pais estão muito felizes por poderem vê-la. É bom quando essas coisas dão certo.

— Muito obrigada — disse ela, esperando que o Sr. Cole entendesse o quanto estava grata.

— Não vou tomar muito seu tempo, mas tenho uma pergunta.

Luce esperou que ele fosse lhe perguntar algo profundo, sombrio e importante. Sobre Daniel e Cam, o bem e o mal, o certo e o errado, confiança e traição.... Mas tudo o que ele perguntou foi:

— O que você fez com seu cabelo?

❄❄

Luce estava com a cabeça dentro da pia do banheiro das meninas no corredor do refeitório da Sword & Cross. Shelby levou as últimas duas fatias de pizza de muçarela empilhadas num prato de papel para Luce. Ariane estendeu-lhe um frasco barato de tintura de cabelo preto, a melhor que Roland tinha conseguido arranjar tão em cima da hora, mas não muito distante da cor natural do cabelo de Luce.

Nem Ariane nem Shelby questionaram Luce sobre a sua súbita necessidade de mudança, e ela havia ficado grata por isso. Agora, percebeu que as duas só estavam esperando que ela estivesse em uma posição vulnerável, com os cabelos pintados pela metade, para começarem o interrogatório.

— Acho que Daniel vai gostar — comentou Ariane em seu tom mais tímido, para começar. — Não que você esteja fazendo isso por Daniel. Está?

— Ariane — advertiu Luce. Ela não ia falar sobre isso. Não, agora não.

Mas Shelby parecia estar a fim de discutir o assunto.

— Você sabe o que eu sempre gostei em Miles? Ele gosta de você pelo que você é não pelo que faz com seu cabelo.

— Se vocês duas querem ser tão óbvias, por que não colocam logo camisas indicando Time Daniel e Time Miles?

— A gente podia encomendar algumas — disse Shelby.

— A minha está lavando — devolveu Ariane.

Luce as ignorou, concentrando-se na água morna e na mistura estranha que fluía escorrendo em sua cabeça, em seu couro cabeludo e pelo ralo: os dedos curtos de Shelby haviam ajudado com a primeira tintura de Luce, quando Luce pensara que aquela era a única maneira de ter um novo começo. O primeiro ato de amizade de Ariane em relação a ela foi quando mandou que cortasse seu cabelo preto para deixá-lo parecido com o de Luce. Agora, suas mãos trabalhavam no couro cabeludo de Luce no mesmo banheiro onde Penn lavara os restos de comida que Molly havia despejado em sua cabeça no primeiro dia na Sword & Cross.

Era ao mesmo tempo amargo e doce — e belo —, Luce não conseguia descobrir se aquilo tudo significava alguma coisa. Apenas que ela não queria mais se esconder — nem de si mesma, de seus pais ou de Daniel e nem mesmo daqueles que queriam machucá-la.

Ela estava em busca de uma transformação barata quando chegara à Califórnia. Agora percebia que a única maneira de fazer uma mudança que valesse a pena era com uma mudança de verdade, merecendo-a. Pintar seu cabelo de preto também não era a resposta — ela sabia que ainda não chegara lá —, mas pelo menos era um passo na direção certa.

Ariane e Shelby pararam de discutir sobre quem era a alma gêmea de Luce. Observaram-na em silêncio e assentiram. Luce sentiu antes mesmo de ver seu reflexo no espelho: o peso da melancolia, um peso que ela nem sequer sabia que estava carregando, havia sumido de seu corpo.

Ela estava de volta às suas raízes. Estava pronta para ir para casa.

DEZOITO

AÇÃO DE GRAÇAS

Quando Luce entrou pela porta da frente da casa de seus pais, em Thunderbolt, tudo estava exatamente igual: o cabideiro na entrada ainda parecia estar prestes a desabar sob o peso de tantos casacos. O cheiro de lençóis recém-lavados ainda fazia a casa parecer mais limpa do que era. O sofá com estampa floral na sala desbotara por causa do sol da manhã que entrava pelas persianas. Uma pilha de revistas de decoração manchadas cobria a mesa de centro, com as páginas favoritas marcadas com recibos do mercado, para o futuro distante em que o sonho de seus pais se tornaria realidade e, com a hipoteca paga, eles finalmente tivessem algum dinheiro sobrando para redecorar a casa. Andrew, o poodle histérico de sua mãe, se aproximou para cheirar os convidados e dar uma familiar mordida no calcanhar de Luce.

Seu pai largou a mochila no saguão, colocando um braço em torno do ombro dela. Luce observou o reflexo no espelho estreito da porta de entrada: pai e filha.

Os óculos sem aro escorregaram pelo nariz enquanto ele beijava o topo da cabeça dela.

— Bem-vinda de volta, Lucie — disse ele. — Sentimos sua falta por aqui.

Luce fechou os olhos.

— Senti a falta de vocês também. — Era a primeira vez em semanas que ela não estava mentindo para os pais.

A casa estava aquecida e cheia de aromas inebriantes típicos de Ação de Graças. Ela inspirou e pôde instantaneamente imaginar cada prato que estava esquentando no forno embrulhado em papel-alumínio. Peru com recheio de cogumelos, uma especialidade de seu pai. Molho de maçã e cranberry, pães fofinhos e tortas de abóbora com nozes, especialidade de sua mãe, suficientes para alimentar o estado inteiro. Ela devia estar cozinhando desde o início da semana.

A mãe de Luce segurou suas mãos. Os olhos cor de avelã estavam um pouco úmidos.

— Como você está, Luce? — perguntou ela. — Está tudo bem?

Era um alívio tão grande estar em casa. Luce podia sentir os olhos lacrimejando. Ela assentiu, se aconchegando em sua mãe para um abraço.

O cabelo escuro na altura do queixo da mãe estava bem-cortado e impecável, como se ela tivesse ido ao salão de beleza no dia anterior. O que, conhecendo-a bem, provavelmente tinha feito. Ela parecia mais jovem e mais bonita do que nas lembranças de Luce. Comparada aos pais idosos que ela tentara visitar em Mount Shasta — e até mesmo em comparação a Vera

—, a mãe de Luce parecia feliz e viva, não contaminada pela tristeza.

Isso porque ela nunca tinha sentido o mesmo que os outros, a perda de uma filha. A perda de Luce. Seus pais haviam construído toda a sua vida ao redor dela. Se Luce morresse, eles ficariam destruídos.

Ela não podia morrer como tinha acontecido no passado. Não podia destruir a vida dos pais desta vez, agora que sabia mais sobre o que acontecera antes. Ela faria qualquer coisa para mantê-los felizes.

Sua mãe reuniu os casacos e chapéus dos outros quatro adolescentes que estavam no hall de entrada.

— Espero que seus amigos sejam bons de garfo.

Shelby apontou para Miles com o polegar.

— Cuidado com o que você deseja.

Luce sabia que os pais não se importariam com uma caravana de convidados de última hora na mesa de Ação de Graças.

Quando o Chrysler New Yorker de seu pai entrou pelos portões de ferro forjado da Sword & Cross pouco antes do meio-dia, Luce já estava esperando. Não tinha conseguido dormir a noite toda. Estar de volta à Sword & Cross causava-lhe estranheza e para o feriado de Ação de Graças ela estava nervosa por levar tantos estanhos em casa, sua mente não relaxava.

Felizmente, a manhã passou sem incidentes; depois de dar no pai o abraço mais longo e apertado que já tinha dado em alguém, Luce mencionou que tinha alguns poucos amigos sem lugar para ir durante o feriado.

Cinco minutos depois, estavam todos dentro do carro.

Agora, andavam pela casa onde Luce passara a infância, pegando fotos dela em diferentes e desajeitadas idades, contemplando as mesmas janelas pelas quais ela olhara enquanto tomava café da manhã por mais de uma década. Era meio surreal. Enquanto Ariane seguia para a cozinha para ajudar a mãe de Luce com o chantilly, Miles enchia seu pai de perguntas sobre o enorme telescópio velho no escritório. Luce sentiu-se orgulhosa pelos pais, que faziam com que todos se sentissem bem-vindos.

O som de uma buzina lá fora a fez saltar.

Ela se empoleirou no sofá macio e ergueu uma das ripas da persiana. Lá fora, um táxi estava parado na frente da casa, o exaustor poluindo o ar frio de outono. As janelas eram escuras, mas só uma pessoa poderia estar lá dentro.

Callie.

Uma das botas de couro vermelho na altura do joelho de Callie apareceu pela porta de trás, pisando na calçada de concreto em seguida. Um segundo depois, o rosto em forma de coração da melhor amiga de Luce era visível. A pele de porcelana estava corada, os cabelos ruivos mais curtos, em um elegante corte rente ao queixo. Seus olhos azuis brilhavam. Por alguma razão, ela não parava de olhar para trás, dentro do táxi.

— O que você está olhando? — perguntou Shelby, levantando outra tira, para que pudesse ver. Roland surgiu do outro lado e também olhou para fora.

Foi o tempo de ver Daniel deslizar para fora do táxi...

Seguido por Cam, saindo do assento da frente.

Luce prendeu a respiração ao vê-los.

Os dois rapazes usavam longos sobretudos escuros, como os que usavam na praia, na cena que Luce vislumbrara. Seus cabelos brilhavam ao sol e, por um momento, apenas por um momento, Luce lembrou por que os dois lhe despertaram tanta curiosidade na Sword & Cross. Eles eram *lindos*. Não havia como negar. De maneira surreal e estranhamente espetacular.

Mas o que diabos estavam fazendo ali?

— Bem na hora — murmurou Roland.

Do outro lado de Luce, Shelby perguntou:

— Quem convidou esses caras?

— Exatamente o que pensei — respondeu Luce, mas não pôde evitar um suspiro com a visão de Daniel. Mesmo que as coisas entre eles estivessem tão complicadas.

— Luce. — Roland estava rindo da expressão dela observando Daniel. — Você não acha que devia atender a porta?

A campainha tocou.

— É a Callie? — falou a mãe de Luce da cozinha, sobre o zumbido da batedeira.

— Eu atendo! — gritou Luce de volta, sentindo um frio se espalhar pelo peito. É óbvio que queria ver Callie. Porém, maior do que a alegria em ver a melhor amiga, percebeu, era a vontade de ver Daniel. De tocá-lo, abraçá-lo e sentir seu cheiro. De apresentá-lo aos pais.

Eles seriam capazes de perceber, não seriam? Veriam que Luce tinha encontrado a pessoa que mudara sua vida para sempre.

Ela abriu a porta.

— Feliz Ação de Graças! — Soou uma voz alta com sotaque do sul. Luce teve que pensar um pouco antes de seu cérebro entender o que via.

Gabbe, o mais belo e perfeitamente educado anjo da Sword & Cross, estava na varanda de Luce, em um vestido rosa de angorá. O cabelo loiro era um lindo frenesi de tranças, presas num redemoinho no alto da cabeça. A pele tinha um brilho suave e agradável, não muito diferente do de Francesca. Ela segurava um buquê de gladíolos brancos em uma das mãos e um pote de plástico branco de sorvete na outra.

Ao lado dela, com o cabelo descolorido a raiz castanha, estava o demônio Molly Zane. Seu jeans preto rasgado combinava com o casaco preto desgastado, como se ainda estivesse seguindo o código de vestimentas da Sword & Cross. Havia mais piercings no rosto desde a última vez em que Luce a vira, e Molly carregava um caldeirão de ferro preto pequeno equilibrado na dobra do braço. Olhava para Luce fixamente.

Luce podia ver os outros subindo a longa entrada curva. Daniel estava carregando a mala de Callie no ombro, mas era Cam que se inclinava em sua direção, sorrindo, a mão no antebraço direito de Callie enquanto conversavam. Ela parecia não saber se ficava meio nervosa ou muito encantada.

— Nós estávamos pela vizinhança. — Gabbe sorriu, estendendo as flores para Luce. — Fiz o meu sorvete caseiro de baunilha e Molly trouxe um aperitivo.

— Camarão Diablo. — Molly levantou a tampa de sua caçarola e Luce inalou o vapor do caldo picante de alho. — Receita da família. — Molly fechou a tampa e em seguida passou por Luce para o hall de entrada, tropeçando em Shelby no caminho.

— Com *licença* — disseram as duas com rispidez e ao mesmo tempo, olhando uma para a outra, desconfiadas.

— Ah, que bom. — Gabbe se inclinou para dar um abraço em Luce. — Molly já fez uma amiga.

Roland levou Gabbe até a cozinha, e Luce teve sua primeira visão clara de Callie. Quando se olharam nos olhos, não conseguiram evitar: ambas sorriram espontaneamente e correram uma na direção da outra.

O impacto do corpo de Callie tirou o fôlego de Luce, mas não importava. As duas se envolveram em um grande abraço, o rosto de uma enterrado no cabelo da outra; riam de jeito que só é possível depois de ficar muito tempo longe de um bom e grande amigo.

Relutante, Luce se afastou e voltou-se para os dois rapazes de pé a poucos metros dela. Cam era o mesmo de sempre: calmo e à vontade, moderno e bonito.

Daniel, porém, parecia desconfortável e tinha um bom motivo para isso. Eles não se falavam desde que ele vira Luce e Miles se beijando, e agora estavam todas ali, com a melhor amiga dela e o inimigo de Daniel que virou... seja lá o que Cam fosse para Daniel agora.

Mas...

Daniel estava *em sua casa*. A poucos metros de seus pais. Será que perderiam a cabeça se soubessem quem ele realmente era? Como apresentar o rapaz responsável por sua morte milhares de vezes, por quem ela era magneticamente atraída quase todo o tempo, que era impossível, ilusório, secreto e às vezes até mesmo mau, cujo amor ela não entendia. E que estava *trabalhando com o diabo*, pelo amor de Deus, e que, se ele pensou que aparecer ali sem ser convidado, com aquele demônio a tiracolo seria uma boa ideia, talvez não a conhecesse muito bem afinal.

— O que você está fazendo aqui? — A voz dela estava completamente seca, porque não podia falar com Daniel sem falar com Cam, e não podia falar com Cam sem ter vontade de atirar algo pesado nele.

Cam falou primeiro:

— Feliz Ação de Graças para você também. Ouvimos dizer que a sua casa era o lugar para se estar hoje.

— Encontramos sua amiga no aeroporto — acrescentou Daniel, no tom de voz sem emoção que usava quando os dois estavam em público. Era mais formal, o que fazia com que Luce ansiasse estar a sós com ele para que pudessem ser verdadeiros.

E para que ela pudesse agarrá-lo pela gola daquele casaco idiota, sacudindo-o até que explicasse tudo. Isso já tinha ido longe demais.

— Começamos a conversar, dividimos um táxi — completou Cam, piscando para Callie.

Callie sorriu para Luce.

— Eu estava imaginando que participaria de um evento íntimo com a família Price. Mas isso é muito melhor. Agora posso conhecer todo mundo?

Luce podia sentir a amiga buscando em seu rosto pistas sobre quem eram aqueles dois caras. O feriado de Ação de Graças estava prestes a ficar muito estranho, tudo acontecendo rápido demais. Não era para as coisas serem assim.

— Hora do peru! — chamou sua mãe da porta. Seu sorriso transformou-se em uma careta confusa quando viu a multidão lá fora. — Luce? O que está acontecendo? — O velho avental listrado de verde e branco estava amarrado em volta da cintura.

— Mãe — disse Luce, gesticulando com a mão —, esta é Callie, Cam e... — Ela queria segurar a mão de Daniel, fazer alguma coisa, qualquer coisa, para mostrar à mãe que ele era especial, que era o escolhido dela. E também para que ele soubesse que ela ainda o amava, que tudo entre eles ficaria bem. Mas não pôde. Ficou apenas parada lá. — ... Daniel.

— Tudo bem. — Sua mãe olhou de soslaio para cada um dos recém-chegados. — Hmm, sejam bem-vindos. Luce, querida, posso dar uma palavrinha com você?

Luce foi até sua mãe na porta da frente, levantando um dedo para dizer a Callie que já voltava. Seguiu a mãe através do hall de entrada, pelo corredor escuro que tinha fotos emolduradas da infância de Luce penduradas, até o quarto dos pais, acolhedor com a luz dos abajures. Sua mãe sentou-se sobre a colcha branca e cruzou os braços.

— Gostaria de me dizer alguma coisa?

— Eu sinto muito, mãe — disse Luce, afundando-se na cama.

— Não vamos negar uma refeição de Ação de Graças a ninguém, mas você não acha que é preciso ter algum limite? Um convidado inesperado já não era suficiente?

— Sim, tem razão, você está certa — disse Luce. — Não convidei todas essas pessoas. Estou tão surpresa quanto você que todas elas tenham aparecido.

— É só que temos tão pouco tempo com você. Gostamos de conhecer seus amigos — disse a mãe de Luce, acariciando seu cabelo —, mas prezamos mais o tempo que passamos com você.

— Eu sei que este é pedir demais, mas, mãe... — Luce virou o rosto, encostando na palma da mão aberta de sua mãe. — Ele é especial. Daniel. Eu não sabia que ele viria, mas agora que está aqui... e preciso desse tempo com ele tanto quanto preciso de tempo com você e papai. Isso faz algum sentido?

— Daniel? — A mãe repetiu. — Aquele menino loiro bonito? Vocês dois estão...

— Estamos apaixonados. — Por alguma razão, Luce estava tremendo. Mesmo que tivesse dúvidas sobre seu relacionamento, dizer em voz alta, para a mãe que amava Daniel, fez com que parecesse verdade, a fez lembrar que ela, apesar de tudo, o amava de verdade.

— Entendo. — Quando a mãe assentiu, seus cabelos castanhos cheios de laquê permaneceram no lugar. Ela sorriu. — Bem, de qualquer forma não podemos chutar todos para fora menos ele, podemos?

— Obrigada, mãe.

— Agradeça a seu pai, também. E, querida? Da próxima vez, nos avise com um pouco mais de antecedência, por favor. Se eu soubesse que você estava trazendo "o garoto", teria tirado seu álbum de fotos de bebê do sótão. — Ela piscou, dando um beijo na bochecha de Luce.

※

De volta à sala, Luce correu para Daniel primeiro.

— Estou feliz que você tenha conseguido ficar com sua família no fim das contas — disse ele.

— Espero que você não esteja brava com Daniel por me trazer — se intrometeu Cam, e Luce procurou pela arrogância em sua voz, mas não encontrou nenhuma. — Tenho certeza de que vocês dois prefeririam que eu não estivesse aqui, mas — ele olhou para Daniel — trato é trato.

— Tenho certeza que sim — disse Luce, fria.

O rosto de Daniel não entregava nada, mas de repente se fechou. Miles estava vindo da sala de jantar.

— Hmm, ei, seu pai vai fazer um brinde. — Os olhos de Miles estavam fixos em Luce, de uma maneira que lhe deu a impressão que ele estava fazendo esforço para nem olhar para Daniel. — Sua mãe me pediu para perguntar onde você quer sentar.

— Ah, em qualquer lugar. Talvez ao lado de Callie? — Um leve pânico tomou conta de Luce enquanto pensava em todos os outros convidados e como precisava mantê-los o mais longe possível uns dos outros, e Molly longe de quase todo mundo. — Eu deveria ter feito um mapa dos lugares.

Roland e Ariane rapidamente tinham armado a mesa de carteados na ponta da mesa de jantar, e assim o banquete se estendeu até a sala de estar. Alguém tinha estendido uma toalha de mesa dourada e branca e os pais tiraram até as louças do enxoval de casamento do armário. Velas estavam acesas e os copos, cheios d'água. Logo Shelby e Miles estavam carregando tigelas fumegantes de vagem e purê de batatas, enquanto Luce tomava seu lugar entre Callie e Ariane.

O íntimo jantar de Ação de Graças agora servia doze: quatro pessoas, dois Nefilim, seis anjos caídos (três para cada lado, do Bem e do Mal), e um cão vestido de peru, com a sua tigela de restos sob a mesa.

Miles estava prestes a ocupar o lugar em frente a Luce, mas Daniel lançou-lhe um olhar ameaçador e ele recuou. Daniel estava prestes a sentar-se quando Shelby deslizou e sentou-se primeiro. Sorrindo vitorioso, Miles sentou-se à esquerda de Shelby, em frente a Callie, enquanto Daniel, parecendo ligeiramente irritado, sentou-se à sua direita, em frente a Ariane.

Alguém estava chutando Luce por baixo da mesa, tentando chamar sua atenção, mas ela manteve os olhos no prato.

Quando todos estavam sentados, o pai de Luce levantou-se na cabeceira da mesa, de frente para a mãe. Ele bateu o garfo contra o copo de vinho tinto.

— Já fui famoso por fazer um ou dois discursos prolixos nesta época do ano. — Ele riu. — Mas nós nunca servimos tantas crianças com cara de fome antes, por isso vou direto ao ponto. Sou grato pela minha querida esposa, Doreen, minha filha querida, Luce e por todos vocês terem se juntado a nós. — Ele olhou para Luce, sugando as bochechas da forma que fazia quando estava especialmente orgulhoso. — É maravilhoso vê-la prosperando, tornando-se uma bela jovem com tantos grandes amigos. Esperamos que todos venham novamente. Um brinde a todos. Aos amigos.

Luce forçou um sorriso, evitando os olhares esquivos que todos os seus "amigos" estavam compartilhando.

— Isso mesmo! — Daniel quebrou o silêncio incrivelmente desconfortável, erguendo a taça. — Para que serve a vida sem amigos confiáveis?

Miles mal olhou para ele, mergulhando uma colher no purê de batatas.

— Vindo do próprio Senhor Confiável.

Os Price estavam muito ocupados passando pratos de um lado para o outro da mesa para perceber o olhar feio que Daniel dirigiu a Miles.

Molly estava servindo uma pilha crescente do Camarão Diablo em que ninguém havia tocado ainda no prato de Miles.

— É dizer "chega" quando tiver suficiente.

— Opa, Mo, guarda um pouco para mim. — Cam se esticou para pegar o caldeirão de camarão. — Diga, Miles. Roland me disse que você mostrou ter inacreditáveis habilidades para esgrima no outro dia. Aposto que as meninas enlouqueceram. — Ele se inclinou para a frente. — Você estava lá, não estava, Luce?

Miles estava com o garfo suspenso no ar. Seus grandes olhos azuis pareciam confusos sobre as intenções de Cam e, como se estivesse esperando ouvir Luce dizer que sim, que as meninas, inclusive ela, tinham realmente enlouquecido.

— Roland também disse que Miles perdeu — disse Daniel tranquilamente, espetando um pedaço de peru.

Na outra ponta da mesa, Gabbe cortou a tensão com um ronronar alto e satisfeito.

— Ah, meu Deus, Sra. Price. Estas couves estão com um gostinho do céu. Não estão, Roland?

— Hmm — concordou Roland. — Elas realmente me lembram de uma época melhor.

A mãe de Luce começou a recitar a receita, enquanto o pai contou sobre as iguarias locais. Luce estava tentando aproveitar esse raro tempo com a família, e Callie inclinou-se para sussurrar que todos pareciam muito legais, especialmente Ariane e Miles, mas havia muita coisa acontecendo para prestar atenção em tudo. Luce sentia que teria que desarmar uma bomba a qualquer momento.

Poucos minutos depois, passando o recheio do peru em volta da mesa pela segunda vez, a mãe de Luce disse:

— Sabe, seu pai e eu nos conhecemos quando tínhamos mais ou menos a idade de vocês.

Luce tinha ouvido a história três mil e quinhentas vezes antes.

— Ele era o atacante na Athens High. — Sua mãe piscou para Miles. — Os atletas deixavam as meninas alvoroçadas naqueles dias, também.

— Sim, os troianos eram nossos inimigos do colégio. — O pai de Luce riu, e ela esperou por sua frase de sempre. — Eu só tive que mostrar a Doreen que não era tão durão fora do campo.

— Eu acho ótimo um casamento forte como o que vocês dois têm — disse Miles, pegando mais um dos famosos pães da mãe de Luce. — Luce tem sorte de ter pais tão *honestos* e *abertos* com ela e um com o outro.

A mãe de Luce resplandeceu.

Mas antes que ela pudesse responder, Daniel se intrometeu:

— O amor é muito mais do que *isso*, Miles. Você não acha, Sr. Price, que um relacionamento *real* é mais do que só diversão? Que é preciso algum esforço?

— Certamente. — O pai de Luce limpou a boca com um guardanapo. — Por que mais eles chamariam o casamento de compromisso? Tudo bem, o amor tem seus altos e baixos. Assim é a vida.

— Isso mesmo, Sr. P. — disse Roland, com uma emoção exagerada para seus aparentes 17 anos de idade. — Deus sabe como já vi altos e baixos.

— Ah, o que é isso — opinou Callie, para surpresa de Luce. Pobre Callie, julgando todos aqui pela aparência. — Vocês fazem parecer tão sério.

— Callie tem razão — disse a mãe de Luce. — Vocês são jovens e cheios de esperança, realmente deviam estar apenas se divertindo.

Diversão. Então, esse era o objetivo agora? Seria possível para Luce se divertir? Ela olhou para Miles. Ele estava sorrindo.

— Eu estou me divertindo — murmurou ele.

Isso fez toda a diferença para Luce, que olhou em volta da mesa de novo e percebeu que, apesar de tudo, ela estava se divertindo também. Roland estava dando um show para Molly, beijando um camarão, e ela até riu talvez pela primeira vez na história. Cam tentou dar em cima de Callie, até mesmo se oferecendo para passar manteiga em seu pão, que ela recusou, com as sobrancelhas arqueadas e balançando a cabeça. Shelby comia como se estivesse treinando para uma competição. E alguém ainda estava chutando os pés de Luce abaixo da mesa. Ela encontrou os olhos violeta de Daniel timidamente e ele piscou, sentindo um frio na barriga.

Havia algo de notável sobre a reunião. Era a Ação de Graças mais animada que Luce tinha desde que sua avó morrera e os Price pararam de ir aos pântanos da Louisiana para o feriado. Então, esta era a sua família agora: todas essas pessoas, anjos, demônios, e fosse lá o que mais eles fossem. Para o bem ou para mal, complicados, traiçoeiros, cheios de altos e baixos, e às vezes até mesmo divertidos. Assim como seu pai havia dito: assim era a vida.

E, para uma menina que tinha alguma experiência com a morte, a vida — pura e simplesmente — era a coisa pela qual Luce subitamente estava tremendamente agradecida.

— Bem, pra mim já foi o suficiente — anunciou Shelby após mais alguns minutos. — Você sabe. Comida. Alguém mais acabou? Vamos resolver isto. — Ela assobiou e fez um gesto de laço com o dedo. — Estou ansiosa para voltar para aquela escola de reformatório onde todos nós... er... estudamos...

— Vou ajudar a limpar a mesa. — Gabbe saltou e começou a empilhar pratos, arrastando uma relutante Molly para a cozinha com ela.

A mãe de Luce ainda estava lhe mandando seus olhares furtivos, tentando ver a reunião através dos olhos da filha, o que era impossível. Ela se agarrou à ideia de Daniel muito rapidamente e ficava olhando para os dois. Luce queria uma chance para mostrar a sua mãe que o que ela e Daniel tinham era sólido e maravilhoso e diferente de tudo no mundo, mas havia muitas outras pessoas ao redor. Tudo o que deveria ter sido fácil parecia difícil agora.

Então Andrew parou de mastigar as penas de feltro em seu pescoço e começou a arranhar a porta. O pai de Luce se levantou e pegou a coleira. Que alívio.

— Alguém quer acompanhá-lo sua caminhada depois do jantar? — anunciou.

Sua mãe levantou-se também. Luce a seguiu até a porta e ajudou-a a vestir o casaco, entregando o cachecol ao pai em seguida.

— Obrigado por serem tão legais esta noite. Vamos lavar os pratos enquanto estiverem fora.

A mãe sorriu.

— Temos orgulho de você, Luce. Não importa o que aconteça. Lembre-se disso.

— Gostei daquele Miles — disse o pai de Luce, prendendo a coleira de Andrew no pescoço do cãozinho.

— E Daniel é... extraordinário — disse sua mãe para o marido em um tom de voz autoritário.

As bochechas de Luce coraram e ela olhou de volta para a mesa, lançando a seus pais um olhar de por "favor não me envergonhem".

— Tudo bem! Façam uma caminhada longa e agradável!

Luce segurou a porta aberta e os assistiu saindo na noite com o ansioso cão praticamente sufocado pela coleira. O ar frio que entrou pela porta aberta foi refrescante. A casa estava quente, com tantas pessoas lá dentro. Pouco antes de seus pais desaparecerem no fim da rua, Luce pensou ter visto um clarão de algo lá fora.

Algo que parecia asas.

— Viu isso? — disse ela, não muito certa de com quem estava falando.

— O quê? — perguntou seu pai de volta. Ele parecia tão satisfeito e feliz que quase partiu o coração de Luce.

— Nada. — Luce forçou um sorriso enquanto fechava a porta. Ela podia sentir alguém atrás dela.

Daniel. O calor que a fazia oscilar sobre os próprios pés.

— O que você viu?

Sua voz estava gelada, não de raiva, mas de medo. Luce olhou para ele e segurou suas mãos, mas ele virou para o outro lado.

— Cam — chamou ele. — Pegue o arco.

Do outro lado da sala, Cam levantou a cabeça.

— Já?

Um zunido fora da casa o silenciou. Ele se afastou da janela e pôs a mão dentro do blazer. Luce viu um brilho prateado e imediatamente se lembrou: as flechas que ele havia tirado da menina Pária.

— Avise aos outros — disse Daniel antes de se virar para encarar Luce. Seus lábios entreabertos e o olhar desesperado a fizeram pensar que ele poderia beijá-la, mas tudo que fez foi dizer: — Vocês têm um abrigo contra tempestades?

— O que está acontecendo? — perguntou Luce. Ela podia ouvir a água correndo na cozinha, Ariane e Gabbe cantando harmonicamente "Heart and Soul" com Callie enquanto lavavam a louça. Podia ver as expressões animadas de Molly e Roland enquanto tiravam a mesa. E, de repente, Luce sabia que este jantar de Ação de Graças fora uma encenação. Um disfarce. Só que ela não sabia para quê.

Miles apareceu ao lado de Luce.

— O que está acontecendo?

— Nada com que precise se preocupar — respondeu Cam. Não foi rude, apenas apontou os fatos. — Molly. Roland.

Molly baixou sua pilha de pratos.

— O que vocês precisam que façamos?

Foi Daniel quem respondeu, falando com Molly como se estivessem, de repente, do mesmo lado.

— Avisem aos outros. E encontrem escudos. Eles estarão armados.

— Quem? — perguntou Luce. — Os Párias?

Daniel pousou os olhos sobre ela e seu semblante era triste.

— Eles não deveriam ter nos encontrado hoje à noite. Sabíamos que havia uma chance, mas eu realmente não queria trazer isso para cá. Sinto muito...

— Daniel — interrompeu Cam. — Tudo o que importa agora é contra-atacar.

Uma pesada batida reverberou pela casa. Cam e Daniel moveram-se instintivamente em direção à porta da frente, mas Luce balançou a cabeça:

— Porta dos fundos — sussurrou ela. — Pela cozinha.

Todos pararam por um momento ao ouvir o rangido da porta dos fundos se abrindo. Então veio um grito longo e agudo.

— Callie! — Luce saiu correndo pela sala e estremeceu ao imaginar a cena que sua melhor amiga estava vendo. Se Luce soubesse que os Párias iriam aparecer, ela não teria deixado Callie vir. Nem ela teria vindo. Se algo de ruim acontecesse, Luce jamais se perdoaria.

Passando pela porta da cozinha dos pais, Luce viu Callie, escondida atrás do corpo estreito de Gabbe. Ela estava segura, pelo menos por enquanto. Luce suspirou de alívio, quase desmaiando no paredão de músculos que Daniel, Cam, Miles e Roland formavam atrás dela.

Ariane estava na porta, com uma enorme faca de açougueiro erguida nas mãos. Ela parecia pronta para fatiar alguém que Luce ainda não conseguia ver.

— Boa noite. — Era a voz de um homem, firme e formal.

Quando Ariane baixou a faca de açougueiro, na porta estava um rapaz alto e magro em um casaco marrom. Ele era muito pálido, com um rosto estreito e um nariz marcante. Ele parecia familiar. Cabelos curtos e descoloridos, loiros. Olhos brancos.

Um Pária.

Mas Luce o vira em outro lugar antes.

— *Phil?* — gritou Shelby. — Que diabos você está fazendo aqui? E o que aconteceu com seus olhos? Eles estão...

Daniel se virou para Shelby.

— Você conhece este Pária?

— *Pária?* — A voz de Shelby vacilou. — Ele não é um... Ele é meu ex-namorado idio... Ele é...

— Ele estava usando você — disse Roland, como se soubesse de algo que os outros desconheciam. — Eu deveria ter percebido. Deveria tê-lo reconhecido pelo que era.

— Mas não reconheceu — disse o Pária, sua voz estranhamente calma. Ele abriu o casaco e, de um bolso interno, puxou um arco de prata. De outro bolso veio uma flecha, que ele rapidamente encaixou na mira e apontou para Roland. Em seguida atravessou a multidão, mirando em cada um deles separadamente. — Por favor, perdoem a minha intrusão. Vim buscar Lucinda.

Daniel deu um passo na direção do Pária.

— Você não veio *buscar* ninguém nem nada — disse ele —, exceto uma morte rápida, a menos que saia agora.

— Desculpe, mas não posso fazer isso — respondeu o garoto, os braços musculosos ainda com a flecha de prata na mira. — Tivemos tempo para nos preparar para esta noite de abençoada restituição. Não vamos sair de mãos vazias.

— Como pôde, Phil? — gemeu Shelby, virando-se para Luce. — Eu não sabia... Sério, Luce, eu não sabia. Achei que ele fosse só um canalha.

Os lábios do menino se curvaram num sorriso. Seus horríveis olhos brancos sem profundidade pareciam saídos de um pesadelo.

— Entregue-a sem lutar, ou nenhum de vocês será poupado.

Então Cam estourou em uma longa e profunda gargalhada. Ela balançou a cozinha e fez o garoto na porta contorcer-se desconfortavelmente.

— Você e que exército? — perguntou Cam. — Quer saber? Acho que você é o primeiro Pária que eu já conheci com senso de humor. — Ele olhou ao redor da cozinha lotada. — Por que você e eu não levamos isso lá para fora? Vamos acabar logo com isso, que tal?

— Com prazer — respondeu o menino, um sorriso falso nos lábios pálidos.

Cam esticou os ombros para trás, como se estivesse estalando as costas, e dali, exatamente onde suas omoplatas se juntavam, um enorme par de asas douradas atravessou o suéter de cashmere cinza. Elas se desenrolaram para trás, ocupando a maior parte da cozinha. As asas de Cam eram tão brilhantes que doíam os olhos.

— Que diabos... — sussurrou Callie, piscando.

— Quase isso — disse Ariane enquanto Cam arqueava as asas para trás e encurralava o Pária, passando pela porta e para o quintal. — Luce vai explicar tudo, tenho certeza!

As asas de Roland também se abriram com o som de um grande bando de pássaros voando. A luz da cozinha destacava o dourado escuro e as linhas pretas entremeadas nelas enquanto ele passava pela porta depois de Cam. Molly e Ariane seguiam logo atrás, esbarrando uma na outra; Ariane com suas asas iridescentes à frente das nebulosas asas de bronze de Molly, depois solta, o que parecia faíscas elétricas quando se tocaram ao sair. Em seguida foi Gabbe, cujas asas brancas macias se abriram graciosamente como as de uma borboleta, mas com velocidade tal que enviaram uma rajada de vento perfumado pela cozinha.

Daniel segurou as mãos de Luce, fechou os olhos e inspirou, deixando suas enormes asas brancas se abrirem. Totalmente estendidas, elas teriam preenchido a cozinha inteira, mas Daniel as segurou, junto ao corpo. Elas brilhavam, cintilantes e lindas demais. Luce estendeu os braços e tocou-as com as duas mãos. Eram quentes e macias como cetim por fora, mas por dentro estavam cheias de energia. Podia sentir isso correndo através de Daniel e chegando até ela. Sentia-se tão perto dele, entendia-o completamente. Como se fossem um só.

Não se preocupe. Tudo vai ficar bem. Sempre vou cuidar de você.

Mas o que ele disse em voz alta foi:

— Fique em segurança. Fique aqui.

— Não — implorou ela. — Daniel...

— Eu já volto. — Então arqueou as asas para trás e voou porta afora.

Agora sozinhos lá dentro, os não anjos se reuniram. Miles estava grudado à porta dos fundos, olhando pela janela escancarada. Shelby estava de cabeça baixa, escondendo o rosto. Callie tão estava branca quanto a geladeira.

Luce segurou a mão de Callie:

— Acho que tenho algumas coisas a explicar.

— Quem é esse menino com o arco e a flecha? — sussurrou Callie, recuando, mas ainda segurando firme a mão de Luce. — Quem é *você*?

— Eu? Sou apenas... eu. — Luce deu de ombros, sentindo-se congelar. — Eu não sei.

— Luce — disse Shelby, tentando não chorar. — Estou me sentindo uma idiota. Juro que não tinha ideia. As coisas que contei a ele... eu só estava desabafando. Ele estava sempre perguntando sobre você e era um bom ouvinte, então eu... Quero dizer, eu não tinha ideia do que ele realmente era... Eu nunca, nunca iria...

— Acredito em você — interrompeu Luce. Ela foi para a janela, ao lado de Miles, olhando para o pequeno deque de madeira que seu pai havia construído alguns anos atrás. — O que você acha que ele quer?

No quintal, folhas de carvalho caídas haviam sido juntadas em pilhas. O ar cheirava a fogueira. Em algum lugar ao longe, uma sirene disparava. Ao pé dos três degraus do deque, Daniel, Cam, Ariane, Roland e Gabbe estavam lado a lado, de frente para a cerca.

Não, não era a cerca, Luce percebeu. Eles enfrentavam uma multidão sombria de Párias em posição de sentido, com as flechas de prata apontadas para a fileira de anjos. O Pária não estava sozinho. Ele reunira um exército.

Luce teve que se segurar no balcão da cozinha. Sem contar com Cam, os anjos estavam desarmados. E ela já via o que aquelas flechas podiam fazer.

— Luce, pare! — chamou Miles, mas ela já estava saindo pela porta.

Mesmo na escuridão, Luce podia ver que todos os Párias eram semelhantes, um tipo de beleza inexpressiva. Havia tantas meninas quanto meninos, todos pálidos e vestidos com o mesmo sobretudo marrom, cabelo descolorido curto nos meninos, e presos em rabos de cavalo, nas meninas. As asas dos Párias se arqueavam para fora de suas costas. Elas estavam destruídas — esfarrapadas, desgastadas e revoltantemente imundas, cobertas de sujeira. Nada como as asas gloriosas de Daniel ou de Cam, ou de qualquer um dos anjos ou demônios que Luce conhecia. Parados de forma idêntica, com seus estranhos olhos vazios, com as cabeças inclinadas em diferentes direções, os Párias formavam um terrível exército de pesadelo. Mas Luce não podia acordar.

Quando Daniel notou-a em pé com os outros no deque, ele virou para trás e apertou as mãos dela. Seu rosto parecia retorcido de medo.

— *Eu disse para ficar lá dentro.*

— Não — sussurrou ela. — Não vou ficar escondida enquanto vocês lutam. Não posso simplesmente ficar observando as pessoas ao meu redor morrerem sem nenhum motivo.

— Nenhum motivo? Vamos discutir sobre isso outra hora, Luce. — Seus olhos iam e vinham da fileira de Párias perto da cerca.

Ela fechou as mãos em punhos.

— *Daniel...*

— Sua vida é preciosa demais para desperdiçar em um acesso de raiva. Entre. *Agora.*

Um grito forte ecoou no meio do quintal. A linha de frente de dez Párias levantou as armas para os anjos e atirou. A cabeça de Luce levantou apenas a tempo de ver algo — *alguém* — se jogando do telhado.

Molly.

Ela voou para baixo, uma mancha escura empunhando dois ancinhos, girando-os como bastões com as mãos.

Os Párias a ouviram, mas não puderam vê-la chegando. Os ancinhos de Molly rodopiavam, rebatendo as flechas no ar como se estivessem cortando ervas daninhas em um campo. Ela caiu sobre os coturnos pretos, as flechas de prata no chão, parecendo inofensivas como galhos. Mas Luce sabia que isso não era verdade.

— Não haverá misericórdia! — gritou um Pária chamado Phil, do outro lado do quintal.

— Leve-a para dentro, e pegue as setas estelares! — gritou Cam para Daniel, pulando por cima do corrimão da varanda e pegando o próprio arco de prata. Em rápida sucessão, ele encaixou e atirou três raios de luz. Os Párias se contorceram quando três de suas fileiras desapareceram em explosões de pó.

Rápidos como um relâmpago, Ariane e Roland dispararam pelo pátio, varrendo as setas para cima com as asas.

Uma nova fileira de Párias avançou, preparando outra saraivada de flechas. Quando estavam à beira do ataque, Gabbe saltou para cima do corrimão.

— Humm, vamos ver. — Com um olhar feroz nos olhos, ela apontou a extremidade de sua asa direita para o chão sob os Párias.

O gramado estremeceu e, em seguida, uma faixa de terra de alguns metros de largura surgiu, dividindo o espaço.

Pelo menos vinte Párias caíram no profundo abismo escuro.

Seus gritos eram ocos e solitários no caminho para o fundo. Para sabe Deus onde. Os Párias atrás daqueles recuaram, parando bem na beirada do terrível desfiladeiro que Gabbe tinha criado do nada. Suas cabeças moviam-se de um lado para o outro, como se para ajudar os olhos que não enxergam a entenderem o que tinha acontecido. Mais alguns Párias oscilaram na beirada e caíram lá dentro. Seus gritos ficaram cada vez mais fracos até que não havia mais nenhum som. Um instante depois, a terra estalou como uma dobradiça enferrujada e voltou a se fechar.

A asa de Gabbe voltou para o lugar com elegância e ela secou a testa.

— Bem, isso deve ajudar.

Mas, em seguida, outro banho de estilhaços de prata choveu do céu. Um deles atingiu o degrau mais alto do deque, aos pés de Luce. Daniel puxou a flecha para fora do degrau de madeira, estendeu o braço e atirou-a bruscamente, como um dardo letal, diretamente na testa de um Pária que avançava.

Houve um flash de luz, como o de uma câmera, e o menino de olhos brancos nem sequer teve tempo de gritar; simplesmente desapareceu no ar.

Daniel correu os olhos pelo corpo de Luce, e a cutucou, como se quisesse ter certeza que ela ainda estava viva.

Ao lado dela, Callie engoliu em seco.

— Ele acabou de... Esse cara realmente...

— Sim — disse Luce.

— Não faça isso, Luce — avisou Daniel. — Não me faça arrastar você para dentro. Preciso lutar. Você tem que sair daqui. *Agora*.

Luce já tinha visto o suficiente para concordar. Ela se virou de volta para casa, tentando alcançar Callie, mas então, pela porta aberta da cozinha, teve um vislumbre assustador de mais Párias.

Três. *Dentro da casa dela*. Arcos de prata prontos para atirar.

— Não! — berrou Daniel, correndo para proteger Luce.

Shelby se jogou para fora da cozinha, fechando a porta.

Três tiros certeiros atingiram o outro lado da porta.

— Ei, ela foi exonerada! — gritou Cam do gramado, assentindo para Shelby rapidamente antes de acertar uma flecha no crânio de uma Pária.

— Tudo bem, novo plano — murmurou Daniel. — Encontrem um lugar por perto para se esconderem. Todos vocês. — Ele se dirigia a Callie e Shelby, e, pela primeira vez na noite, a Miles. Daniel agarrou Luce pelos braços. — Fique longe das setas — suplicou. — Prometa. — Ele a beijou rapidamente e então enxotou todos pela parede de trás do deque.

O brilho das asas de tantos anjos era forte o suficiente para que Luce, Callie, Shelby e Miles tivessem que proteger os olhos. Eles se agacharam e engatinharam pelo chão, as sombras do corrimão dançando diante deles, enquanto Luce levava todos para a lateral do quintal em busca de abrigo. Tinha que haver um, em algum lugar.

Mais Párias saíam das sombras. Eles apareciam nos ramos altos das árvores distantes, saíam dos canteiros altos e do antigo balanço comido por cupins da infância de Luce. Seus aros de prata brilhavam sob o luar.

Cam era o único do outro lado com um arco. Ele nunca parava para contar quantos Párias estava matando; apenas soltava flecha após flecha com precisão mortal em seus corações. Mas para cada um que desaparecia, outro parecia surgir.

Quando ficou sem flechas, tirou a velha mesa de piquenique de madeira da posição em que estava há dez anos e segurou-a à sua frente com o braço, para se proteger. Saraivada após saraivada, as flechas batiam na mesa e caíam no chão a seus pés. Ele só abaixava, recolhia e disparava, abaixava, recolhia e disparava.

Os outros teriam de ser mais criativos.

Roland batia as asas douradas com tanta força que o ar ao seu redor fazia com que as flechas voltassem para onde tinham vindo, atingindo vários daqueles Párias que não enxergavam de uma vez. Molly avançava contra a fileira sem parar, seus ancinhos girando como as espadas de um samurai.

Ariane arrancou o velho pneu de Luce da árvore e o girou como uma vaqueira, desviando as flechas para o chão, enquanto Gabbe corria para buscá-las. Ela girava e cortava freneticamente, matando qualquer Pária que chegasse perto demais, sorrindo com doçura, enquanto as flechas espetavam seus corpos.

Daniel tinha confiscado as ferraduras enferrujadas dos Price de debaixo do alpendre. Ele as lançava contra os Párias, às vezes nocauteando três deles com uma única ferradura ricocheteando em seus crânios. Então se lançava sobre eles, tirando as setas estelares dos arcos e enfiando as flechas em seus corações com as mãos nuas.

Na borda do deque, Luce avistou o galpão do pai e sinalizou para que os outros a seguissem. Eles rolaram por cima do corrimão para a grama e, abaixados, correram para o barracão.

Estavam quase lá quando Luce ouviu um zumbido rápido no ar. Callie gritou de dor.

— Callie! — Luce rodopiou.

Mas sua amiga ainda estava lá, esfregando o ombro onde a flecha a tinha atingido de raspão. Fora isso, saíra ilesa.

— Isso arde demais!

Luce estendeu a mão para tocá-la.

— Como você...?

Callie balançou a cabeça.

— Para baixo! — gritou Shelby.

Luce caiu de joelhos, puxando os outros para baixo e empurrando-os para dentro do galpão. Entre as ferramentas sujas do pai de Luce, o cortador de grama e os antigos equipamentos esportivos, Shelby se arrastou até Luce. Seus olhos brilhavam e os lábios estavam tremendo.

— Não acredito que isso está acontecendo — murmurou ela, agarrando o braço de Luce. — Você não sabe como estou chateada. É tudo minha culpa.

— Não é culpa sua — disse Luce rapidamente. Tudo bem que Shelby não sabia quem Phil era de verdade. E o que ele realmente queria com ela. Nem o que esta noite poderia significar. Luce sabia o que era carregar a culpa por fazer algo que você não compreendia. Ela não desejaria aquilo a ninguém, muito menos a Shelby.

— Onde ele está? — perguntou Shelby. — Eu poderia matar aquele idiota.

— Não. — Luce segurou Shelby. — Você não vai sair. *Você* poderia ser morta.

— Eu não entendo — disse Callie. — Por que alguém iria querer machucar você?

Foi quando Miles saiu em direção à entrada do galpão, iluminado por um raio de luar. Ele estava carregando um dos caiaques do pai de Luce sobre a cabeça.

— Ninguém vai machucar Luce — disse ao sair.

Direto para o coração da batalha.

— Miles! — gritou Luce. — Volte...

Ela levantou-se para correr atrás do amigo e então congelou, atordoada ao vê-lo arremessar o caiaque bem em cima de um dos Párias.

Era Phil.

Seus olhos vazios se arregalaram e ele gritou, caindo na grama quando o caiaque o atingiu. Caído no chão e indefeso, suas asas sujas se contorciam.

Por um instante Miles parecia orgulhoso de si mesmo e Luce sentiu um pouco de orgulho também. Mas então uma Pária baixinha se adiantou, inclinou a cabeça como um cão ouvindo um apito silencioso, levantou o arco de prata e mirou à queima-roupa no peito de Miles.

— Sem piedade — disse ela, sem emoção.

Miles estava indefeso contra aquela menina estranha que parecia não ter um pingo de misericórdia, nem mesmo em relação ao garoto mais gentil e inocente do mundo.

— Parem! — gritou Luce, o coração batendo forte enquanto corria para fora do galpão. Ela podia sentir a batalha acontecendo ao seu redor, mas tudo que via era aquela flecha, pronta para entrar no peito de Miles. Pronta para matar mais um de seus amigos.

A cabeça da Pária estava inclinada. Seus olhos vagos voltaram-se para Luce, em seguida se arregalaram ligeiramente, como se, como Ariane havia dito, ela realmente pudesse ver a alma de Luce ardendo.

— Não atire nele. — Luce ergueu as mãos em sinal de rendição. — Sou eu quem você quer.

DEZENOVE

A TRÉGUA É QUEBRADA

A jovem Pária baixou seu arco. Quando a flecha relaxou em sua corda, fez um rangido, como uma porta de sótão se abrindo. Seu rosto estava calmo como um lago tranquilo num dia sem vento. Ela era da altura de Luce, a pele clara e reluzente, lábios pálidos e covinhas, mesmo sem sorrir.

— Se você quiser que o menino viva — disse ela, com a voz monótona —, eu o entregarei a você.

Ao redor deles, os outros tinham parado de lutar. O pneu do balanço rolou até parar, batendo contra o canto da cerca. As asas de Roland desaceleraram até um ritmo suave e o levaram de volta para o solo. Todo mundo ficou quieto, mas o ar estava carregado de um silêncio tenso.

Luce podia sentir o peso de tantos olhares sobre ela: Callie, Miles e Shelby. Daniel, Ariane e Gabbe. Cam, Roland e Molly. Até mesmo dos próprios Párias. Mas ela não podia se afastar da garota com os olhos opacos.

— Você não vai matá-lo... Só porque eu pedi? — Luce estava tão confusa, que riu. — Eu pensei que você queria me matar.

— Matar *você*? — A voz mecânica da menina se ergueu com a surpresa. — De jeito nenhum. Nós morreríamos por você. Queremos que venha conosco. Você é a última esperança. A nossa entrada.

— Entrada? — perguntou Miles, dando voz ao que Luce estava surpresa demais para expressar. — Para onde?

— Para o céu, é óbvio. — A menina olhou para Luce com seus olhos mortos. — Você é o preço.

— Não. — Luce balançou a cabeça, mas as palavras da Pária estavam ricocheteando dentro de sua mente, ecoando de uma forma que a fez se sentir tão vazia que mal podia suportar.

Entrada para o céu. O preço.

Luce não entendeu. Os Párias iriam levá-la e fazer o quê? Usá-la como uma espécie de moeda de troca? Essa menina nem sequer via Luce como uma pessoa. Se Luce havia aprendido uma coisa na Shoreline era que ninguém podia ter certeza sobre os mitos. Eles eram muito antigos, muito complicados. Todo mundo sabia que havia uma história, uma na qual Luce estivera envolvida por muito tempo, mas ninguém parecia saber *por quê*.

— Não dê ouvidos a ela, Luce. Ela é um monstro. — As asas de Daniel estavam tremendo, como se ele pensasse que ela estivesse tentada a ir. Os ombros de Luce começaram a coçar, um formigamento quente que deixou o resto de seu corpo gelado.

— Lucinda? — chamou a menina Pária.

— Certo, espere um minuto — disse Luce para a garota. Ela virou-se para Daniel. — Quero saber: o que é essa trégua? E não me diga que não é "nada", nem que não pode explicar. Me diga a verdade. Você me deve isso.

— Você está certa — disse Daniel, surpreendendo-a. Ele continuava olhando furtivamente para a Pária, como se ela pudesse roubar o espírito de Luce a qualquer momento. — Cam e eu a erguemos. Concordamos em deixar de lado nossas diferenças durante dezoito dias. Todos os anjos e demônios. Nos unimos para caçar os inimigos em comum. Como eles. — Ele apontou para a Pária.

— Mas por quê?

— Por sua causa. Porque você precisava de tempo. Nossos objetivos finais podem ser diferentes, mas por ora Cam e eu, e todos da nossa espécie, trabalhamos como aliados. Temos uma prioridade em comum.

O vislumbre que Luce tinha visto no Anunciador, aquela cena repugnante de Daniel e Cam trabalhando juntos... Era para aquilo ser aceitável só porque eles tinham concordado com um cessar-fogo? Para dar tempo a *ela*?

— Não que você tenha cumprido a trégua — soltou Cam para Daniel. — Para que serve uma trégua, se você não a honra?

— Você também não a cumpriu — disse Luce a Cam. — Você estava na floresta da Shoreline.

— Protegendo você! — exclamou Cam. — Não levando-a para passeios sob o luar!

Luce virou-se para Ariane.

— Seja o que for a trégua, quando ela acabar, significa que... Cam de repente é o inimigo de novo? E Roland também? Isso não faz o menor sentido.

— É só dizer, Lucinda — disse a Pária. — Vou levá-la para longe de tudo isso.

— Para quê? Para onde? — perguntou Luce. Havia algo de atraente em simplesmente fugir. De todas as dores, lutas e confusão.

— Não faça algo de que vá se arrepender, Luce — advertiu Cam. Foi estranha a maneira como ele parecia ser a voz da razão, diferente de Daniel, que parecia completamente paralisado.

Luce olhou em volta pela primeira vez desde que saíra do galpão. O combate havia cessado. A mesma camada de poeira que cobrira o cemitério da Sword & Cross já endurecia a grama do quintal. Enquanto seu grupo de anjos estava totalmente intacto, os Párias haviam perdido a maioria de seu exército. Cerca de dez ficaram a distância, observando. Seus arcos de prata estavam abaixados.

A Pária ainda esperava pela resposta de Luce.

Seus olhos brilhavam na noite e ela recuava a medida que os anjos chegavam mais perto. Quando Cam se aproximou, a menina levantou o arco de prata de novo, lentamente, apontando-o para seu coração.

Luce viu Cam ficar sério.

— Você não quer ir com os Párias — disse para Luce —, especialmente não esta noite.

— Não diga a ela o que quer ou não — se intrometeu Shelby. — Não estou dizendo que ela deveria ir com os albinos bizarros nem nada. Mas está na hora de todo mundo parar de mimá-la e deixá-la resolver as coisas, para variar. Tipo, já *chega*.

Sua voz ecoou pelo quintal, fazendo a Pária saltar. Ela virou-se para mirar a flecha na direção de Shelby.

Luce prendeu a respiração. A flecha de prata tremia nas mãos da Pária, que retesava a corda do arco. Luce esperou, mas antes que a menina pudesse disparar, seus olhos brilhantes se arregalaram. O arco caiu de suas mãos e corpo desapareceu em um clarão ofuscante.

Meio metro atrás de onde a menina estivera, Molly abaixou um arco de prata. Ela havia atirado com precisão nas costas da Pária.

— O quê? — reclamou Molly quando o grupo todo se virou e olhou surpreso para ela. — Eu gosto dessa Nefilim. Ela me lembra alguém que conheço.

Ela apontou para Shelby, que respondeu:

— Obrigada. Sério mesmo. Isso foi legal.

Molly deu de ombros, indiferente à gigantesca sombra que se erguia por trás dela. O Pária que Miles tinha derrubado no chão com o caiaque: Phil.

Ele girou o caiaque atrás de seu corpo como um bastão de beisebol e bateu em Molly, lançando-a até o outro lado do gramado. Ela caiu com um grunhido na grama. Jogando o caiaque de lado, o Pária enfiou a mão no casaco em busca de uma última flecha brilhante.

Os olhos sem vida eram a única parte inexpressiva de seu rosto. O resto, seu rugido, as sobrancelhas, até as maçãs do rosto, parecia totalmente feroz. A pele pálida parecia esticada sobre o crânio ossudo. Suas mãos eram como garras. A raiva e o desespero tinham transformado o cara pálido e estranho, porém de boa aparência, em um verdadeiro monstro. Ele ergueu o arco de prata e mirou Luce.

— Estive esperando por semanas para ter minha chance com você. Agora não me importo de pressioná-la um pouco mais do que minha irmã — rosnou ele. — Você *virá* conosco.

Dos dois lados de Luce, arcos de prata foram erguidos. Cam tirou o seu de dentro do casaco, mais uma vez, e Daniel se abaixara para pegar o arco que a menina tinha deixado cair. Phil parecia esperar por isso. Seu rosto se contorceu num sorriso sombrio.

— Será preciso matar seu amante para fazê-la se juntar a mim? — perguntou ele, apontando para Daniel agora. — Ou precisarei matar todos eles?

Luce olhou para a estranha ponta reta da flecha de prata, a menos de três metros do peito de Daniel. Phil não erraria, daquela distância. Ela vira as flechas extinguirem uma dúzia de pessoas esta noite com aquele flash de luz insignificante. Mas ela também havia visto uma flecha raspar a pele de Callie, como se não fosse mais que um não afiado pedaço de madeira que parecia ser.

As flechas de prata matavam anjos, percebeu de repente, não humanos.

Ela pulou na frente de Daniel.

— Não vou deixar você machucá-lo. E suas flechas não podem me machucar.

Um som escapou de Daniel, um estranho meio riso, meio soluço. Ela se virou para ele, de olhos arregalados. Parecia estar com medo mas, mais do que isso, parecia culpado.

Luce pensou na conversa que tiveram sob o pessegueiro da Sword & Cross, a primeira vez que ele lhe contara sobre suas reencarnações. Lembrou-se de estar com ele na praia em Mendocino, quando falou do seu lugar no céu antes dela. Como havia lutado para fazê-lo se abrir sobre aqueles tempos antigos. Ela ainda achava que houvesse mais. Tinha que haver mais.

O ranger do arco trouxe sua atenção de volta para o Pária, que estava puxando para trás a flecha de prata. Agora ela se destinava a Miles.

— Chega de conversa — disse ele. — Vou derrubar seus amigos, um por um, até que você se entregue.

Em sua mente, Luce viu um piscar de luz brilhante, um redemoinho de cores e uma montagem estranha de suas vidas — a mãe, o pai e Andrew. Os pais que vira em Mount Shasta. Vera patinando no lago congelado. A menina que ela havia sido, nadando na cachoeira com um biquíni amarelo frente-única. Outras cidades, casas e tempos que ainda não reconhecia. O rosto de Daniel, em milhares de ângulos distintos, sob mil luzes diferentes. E explosão após explosão após explosão.

Então ela piscou os olhos e estava de volta ao quintal. Os Párias se aproximavam, se reunindo e sussurrando para Phil. Ele ficava indicando para que voltassem, agitado, tentando se concentrar em Luce. Todos estavam tensos.

Luce viu Miles olhando para ela. Ele devia estar apavorado. Mas não, não era bem apavorado. Ele estava concentrando-se nela com tanta intensidade que seu olhar parecia fazer vibrar a essência dela. Luce ficou tonta e sua visão ficou turva. O que se seguiu foi uma sensação estranha de algo sendo sugado dela. Como uma casca sendo removida de sua pele.

E ela ouviu sua voz dizer:

— Não disparem. Eu me rendo.

Só que era uma voz vazia e em outro corpo, pois Luce não tinha realmente dito essas palavras. Ela seguiu o som com os olhos, e seu corpo ficou rígido com o que viu.

Outra Luce estava de pé atrás do Pária, batendo-lhe no ombro.

Mas este não era nenhum vislumbre de uma vida anterior, era *ela*, em seu jeans skinny preto e camisa xadrez com o botão faltando. O cabelo preto cortado e recém-tingido. Os olhos cor de mel provocando o Pária. E a alma ardente facilmente reconhecida por ele. Por ele e por todos os outros anjos também. Era uma imagem espelhada dela. Isto era...

O dom de Miles.

Ele tinha separado dela e uma segunda Luce, assim como lhe contara que podia fazer, em seu primeiro dia na Shoreline. *Dizem que é fácil fazer com pessoas que você, tipo, ama*, ele dissera.

Ele a amava.

Luce não podia pensar naquilo agora. Enquanto todos os olhares foram atraídos para o reflexo, a Luce real recuou dois passos e se escondeu dentro do barracão.

— O que está acontecendo? — gritou Cam para Daniel.

— Eu não sei! — sussurrou Daniel com voz tensa.

Só Shelby pareceu entender.

— Ele fez isso — disse para si mesma.

O Pária girou o arco para mirar nesta nova Luce. Como se não confiasse muito na vitória.

— Vamos nessa. — Luce ouviu sua própria voz no meio do quintal. — Não quero ficar aqui com eles. Eles têm segredos demais. Mentiras demais.

Uma parte dela se sentia assim. Como se não pudesse mais suportar aquilo. Como se sentisse que algo tinha que mudar.

— Você virá comigo e se juntará aos meus irmãos e irmãs? — perguntou o Pária, soando esperançoso. Seus olhos lhe davam náusea. O Pária estendeu-lhe a fantasmagórica mão branca.

— Eu vou — falou a outra Luce.

— Luce, não. — Daniel prendeu a respiração. — Você não pode.

Os Párias restantes levantaram seus arcos para Daniel, Cam e o resto deles, para que não interferissem. O reflexo de Luce se adiantou, em seguida segurou a mão de Phil.

— Sim, eu posso.

O monstro embalou-a em seus braços pálidos e firmes. Houve um espalhafatoso bater das asas sujas. Uma nuvem de poeira subiu do solo. Dentro do galpão, Luce prendeu a respiração.

Ela ouviu Daniel ofegar quando o reflexo de Luce e os Párias decolaram para fora do quintal. Os que ficaram pareciam incrédulos. A não ser Shelby e Miles.

— O que diabos aconteceu? — perguntou Ariane. — Será que ela realmente...

— Não! — gritou Daniel. — Não, não, não!

O coração de Luce doía ao vê-lo puxar os cabelos, girar em círculos e deixar suas asas se abrirem até o tamanho real.

Imediatamente, a frota de Párias remanescente desenrolou suas asas sujas e levantou voo. As asas eram tão finas que tinham que bater freneticamente para mantê-los no ar. Eles estavam se aproximando de Phil. Tentando formar um escudo em torno dele para que pudesse levar Luce para onde quer que pensasse estar levando.

Mas Cam foi mais rápido. Os Párias estavam a provavelmente seis metros de altura quando Luce ouviu uma flecha final ser atirada.

A flecha de Cam não foi direcionada para Phil. Foi direto para Luce.

E sua mira foi perfeita.

Luce congelou enquanto sua imagem espelhada desaparecia em uma grande explosão de luz branca. No céu, as asas esfarrapadas de Phil estremeceram, abertas. Vazio. Um rugido horrível escapou. Ele começou a voar de volta em direção a Cam, seguido por seu exército de Párias. Mas então parou no meio do caminho, como se tivesse percebido que não havia mais motivo para voltar.

— Então, começa de novo — gritou para Cam e os outros. — Poderia ter terminado de forma pacífica. Mas esta noite você fez uma nova seita de inimigos imortais. Da próxima vez, não negociaremos.

Em seguida, os Párias desapareceram na noite.

No quintal, Daniel empurrou Cam, jogando-o no chão.

— Qual é o seu *problema*? — gritou ele, os punhos batendo no rosto de Cam. — Como pôde?

Cam se esforçou para detê-lo. Eles rolaram um sobre o outro na grama.

— Foi um final melhor para ela, Daniel.

Daniel estava furioso, atingindo Cam batendo sua cabeça no chão. Os olhos de Daniel ardiam.

— Eu vou matar você!

— Você *sabe* que tenho razão! — gritou Cam, sem reagir.

Daniel congelou. Fechou os olhos.

— Não sei de nada agora. — Sua voz era áspera. Ele estava agarrando Cam pela lapela, mas simplesmente se deixou cair no chão, enterrando o rosto na grama.

Luce queria ir até ele. Queria abraçá-lo e dizer que tudo ia ficar bem.

Mas não ia.

O que ela vira esta noite fora demais. Ela sentia-se mal vendo a si mesma — o reflexo de si mesma criado por Miles — morrer por uma seta estelar.

Miles tinha salvado sua vida. Ela não conseguia esquecer isso.

E os outros pensavam que Cam tinha acabado com tudo.

Sua cabeça girava enquanto saía das sombras do galpão, planejando dizer que não se preocupassem, que ainda estava viva. Mas então percebeu a presença de outra coisa.

Um Anunciador estava tremendo na porta. Luce saiu do barracão e se aproximou.

Lentamente, ele libertou-se de uma sombra projetada pela lua. Deslizou ao longo da relva na direção dela por alguns metros, levantando uma camada da poeira suja deixada pela batalha. Quando chegou até Luce, estremeceu e subiu até pairar de um jeito sombrio sobre sua cabeça.

Ela fechou os olhos e sentiu-se levantando a mão para pegá-la. A escuridão descansou na palma da sua mão, com um barulho como um chiado frio.

— O que foi isso? — A cabeça de Daniel girou ao redor ao ouvir aquele som. Ele se levantou do chão. — *Luce!*

Ela ficou parada enquanto os outros se surpreenderam ao vê-la de pé em frente ao galpão. Ela não queria vislumbrar um Anunciador. Já tinha visto o suficiente por uma noite. Nem sabia por que estava fazendo aquilo...

Até que ela entendeu. Não estava buscando uma visão, e sim uma saída. Algo distante o suficiente para atravessar. Havia muito tempo desde que tivera um momento para pensar por si só. O que ela precisava era de um tempo. Longe de tudo.

— Hora de ir — disse para si mesma.

A porta da sombra que se apresentava à sua frente não era perfeita, era tremida nas bordas e fedia a esgoto. Mas Luce separou sua superfície mesmo assim.

— Você não sabe o que está fazendo, Luce! — A voz de Roland chegou a ela quando já estava na beira da porta. — Isso pode levá-la para qualquer lugar!

Daniel estava em pé, correndo na direção de Luce.

— O que você está fazendo? — Ela podia ouvir o profundo alívio em sua voz por ela ainda estar viva e o pânico por Luce poder manipular o Anunciador. A ansiedade dele só a impulsionava para seguir em frente.

Ela queria olhar para trás, se desculpar com Callie, agradecer Miles pelo que tinha feito, dizer a Ariane e Gabbe para não se preocuparem como ela sabia que se preocupariam de qualquer maneira, para mandarem um beijo para seus pais. Para dizer a Daniel que ele não devia segui-la, que ela precisava fazer aquilo, por ela. Mas sua chance de se libertar estava escapando, então ela deu um passo à frente e olhou para trás para dizer a Roland:

— Acho que vou ter que descobrir.

Pelo canto do olho, ela viu Daniel correndo em sua direção. Como se ele não tivesse acreditado até agora que Luce fosse capaz de fazer aquilo.

Ela sentiu as palavras subindo pela garganta. *Eu te amo.* Amava. Ela amaria para sempre. Mas se o que havia entre os dois era para sempre, seu amor poderia esperar até que ela descobrisse algumas coisas importantes sobre si mesma. Sobre suas vidas e sobre a vida que tinha à frente. Esta noite só havia tempo de acenar um adeus, respirar fundo e se jogar dentro da sombra.

Para a escuridão.

Para seu passado.

EPÍLOGO

PANDEMÔNIO

— O que aconteceu?
— Para onde ela foi?
— Quem a ensinou a fazer isso?

As vozes frenéticas no quintal pareciam vacilantes e distantes para Daniel. Ele sabia que os outros anjos estavam discutindo, procurando por Anunciadores em meio às sombras do jardim. Daniel era uma ilha, fechado para tudo, menos para sua própria agonia.

Ele havia fracassado com ela. Ele havia fracassado.

Como era possível? Durante semanas, ele ficara exausto, com o único objetivo de mantê-la segura até o momento em que já não pudesse oferecer-lhe proteção. Agora aquele momento tinha chegado e desaparecido — assim como Luce.

Qualquer coisa poderia acontecer a ela. Ela poderia estar em qualquer lugar. Daniel nunca se sentira tão vazio e envergonhado.

— Por que não podemos achar o Anunciador que ela atravessou, juntá-lo de novo e ir atrás dela?

O menino Nefilim. Miles. Ele estava de joelhos, segurando a grama. Como um idiota.

— Eles não funcionam dessa forma — rosnou Daniel para ele. — Quando você pisa no tempo, leva o Anunciador com você. É por isso que nunca deve fazer isso a menos...

Cam olhou para Miles, quase com pena.

— Por favor, me diga que Luce sabe mais sobre atravessar um Anunciador do que você.

— Cale a boca — disse Shelby, protegendo Miles. — Se ele não tivesse criado o reflexo de Luce, Phil a teria levado embora.

Shelby parecia na defensiva e com medo, deslocada entre os anjos caídos. Anos atrás, ela tivera uma paixão por Daniel — e ele nunca correspondera, é óbvio. Mas, até essa noite, ele sempre pensara bem da menina. Agora ela estava apenas atrapalhando.

— Você mesmo disse que Luce estaria melhor morta do que com os Párias — disse ela, ainda defendendo Miles.

— Os Párias que *vocês* convidaram para cá — se intrometeu Ariane, olhando para Shelby, que corou.

— Por que você acharia que alguma criança Nefilim conseguiria detectar um Pária? — Molly desafiou Ariane. — Você esteve naquela escola. *Você* devia ter notado alguma coisa.

— Todos vocês: quietos. — Daniel não conseguia pensar direito.

O pátio estava cheio de anjos, mas a ausência de Luce fazia com que parecesse totalmente vazio.

Ele mal podia suportar olhar para alguém. Para Shelby, por cair como um patinho na armadilha fácil do Pária. Miles, por pensar que tinha alguma chance no futuro de Luce. Cam, pelo que ele tentara fazer...

Ah, aquele momento em que Daniel pensou tê-la perdido para a flecha de Cam! Suas asas pareceram pesadas demais para se erguerem. Mais frias do que a morte. Naquele instante, ele havia perdido toda a esperança.

Mas fora apenas um truque. Um reflexo projetado, nada especial em circunstâncias normais, mas a última coisa que Daniel teria esperado esta noite. Tinha-lhe provocado um choque horrível. Quase o matou. Até a alegria de vê-la ressurgida.

Ainda havia esperança.

Contanto que conseguisse encontrá-la.

Ele ficara atordoado ao ver Luce abrir a sombra. Impressionado e tão atraído para ela, mas mais do que tudo isso, atordoado. Quantas vezes ela tinha feito aquilo antes sem que ele soubesse?

— O que você acha? — perguntou Cam, se aproximando dele. As asas de um atraía a do outro, pela velha força magnética, mas Daniel estava cansado demais para se afastar.

— Vou atrás dela — disse ele.

— Bom plano — zombou Cam. — É só "ir atrás dela". Qualquer lugar no tempo e no espaço, em milhares de anos. Por que você precisaria de uma estratégia?

Seu sarcasmo fez com que Daniel quisesse atacá-lo uma segunda vez.

— Eu não estou pedindo por sua ajuda nem por seus conselhos, Cam.

Apenas duas setas estelares permaneciam no quintal: a que ele pegou da Pária que Molly tinha matado e a que Cam havia encontrado na praia no começo da trégua. Teria sido uma boa simetria se Cam e Daniel estivessem trabalhando como inimigos: dois arcos, duas setas, dois inimigos imortais.

Mas não. Ainda não. Eles precisavam eliminar muitos outros antes que pudessem ser inimigos outra vez.

— O que Cam quer dizer — Roland ficou entre eles, falando com Daniel em voz baixa — é que isso pode exigir algum trabalho de equipe. Eu vi a forma como esses garotos viajam através dos Anunciadores. Ela não sabe o que está fazendo, Daniel. Vai se meter em encrenca muito rápido.

— *Eu sei.*

— Não é um sinal de fraqueza nos deixar ajudar — insistiu Roland.

— Eu posso ajudar — ofereceu Shelby. Ela estivera sussurrando com Miles. — Acho que sei onde ela está.

— Você? — perguntou Daniel. — Você já ajudou o bastante. Vocês dois.

— Daniel...

— Eu conheço Luce melhor do que qualquer um no mundo. — Daniel se afastou de todos eles, em direção ao espaço escuro e vazio no quintal onde ela atravessara a sombra. — Muito melhor do que qualquer um jamais a conhecerá. Não preciso da ajuda de vocês.

— Você conhece o passado dela — disse Shelby, ficando na frente de Daniel para que ele tivesse que olhar para ela. — Não sabe o que ela passou nas últimas semanas. Fui eu quem esteve lá, quando ela vislumbrou suas vidas passadas. Fui eu quem viu o rosto dela quando encontrou a irmã que perdeu quando você a beijou e ela... — Shelby parou. — Eu sei que todos vocês me odeiam neste momento. Mas juro por... Ah, pelo que for que vocês acreditem. Vocês podem confiar em mim daqui pra frente.

Miles também. Nós queremos ajudar. Nós *vamos* ajudar. Por favor. — Ela estendeu a mão perto de Daniel. — Confiem em nós.

Daniel se esquivou dela. Confiança sempre fora algo que o incomodava. O que ele tinha com Luce era inabalável. Nunca houvera necessidade de depender de confiança. Seu amor simplesmente *existia*.

Mas, por toda a eternidade, Daniel nunca fora capaz de ter fé em alguém ou em alguma coisa. E não queria começar agora.

Na rua, um cão latiu. Então, novamente, mais alto. Mais perto.

Os pais de Luce estavam voltando do passeio.

No quintal escuro, os olhos de Daniel encontraram os de Gabbe. Ela estava em pé perto de Callie, provavelmente consolando-a. Ela já tinha recolhido suas asas.

— Apenas vá — murmurou Gabbe para ele no quintal desolado e poeirento. O que ela queria dizer era. *Vá buscá-la.* Ela lidaria com os pais de Luce. Ela se certificaria de que Callie fosse chegar bem em casa. Ela daria toda a cobertura para que Daniel pudesse ir atrás do que importava. *Nós vamos encontrá-lo e ajudá-lo assim que pudermos.*

A lua saiu de trás de uma nuvem. A sombra de Daniel alongava-se na relva a seus pés. Ele observou-a crescer um pouco, depois começou a puxar o Anunciador de dentro dela. Quando a escuridão fria e úmida tocou nele, Daniel percebeu que não atravessava há anos. Olhar para o passado não era muito do feitio dele.

Mas a técnica ainda estava presente, enterrada em suas asas, ou em sua alma ou em seu coração. Ele moveu-se rapidamente, tirando o Anunciador de sua própria sombra, dando-lhe um puxão rápido para separá-lo do chão. Então o jogou, como um pedaço de barro, para o ar à sua frente.

O Anunciador formou um portal simples e limpo.

Daniel fora uma parte de cada uma das vidas passadas de Luce. Não havia por que ele não conseguir encontrá-la.

Ele abriu a porta. Não havia tempo a perder. Seu coração o guiaria até ela.

Daniel tinha uma sensação clara de que algo ruim estava se aproximando, mas também a esperança de que algo incrível estava esperando mais à frente.

Tinha que estar.

O amor ardente que sentia por ela percorreu-o até que Daniel sentiu-se tão completo que não sabia se conseguiria atravessar o portal. Ele aproximou as asas do corpo e saltou para dentro do Anunciador.

Atrás dele, no quintal, uma comoção distante. Sussurros, farfalhar e gritos.

Ele não se importava. Não se importava com nenhum deles, realmente.

Apenas com ela.

Ele ouviu a algazarra quando atravessou.

— *Daniel*.

Vozes. Atrás dele, seguindo-o, se aproximando. Chamando seu nome enquanto ele afundava mais e mais no passado.

Ele a encontraria?

Sem dúvida.

Ele a salvaria?

Sempre.

Este livro foi composto na tipologia Classical Garamond BT,
em corpo 11/16,1, impresso em papel off-white,
no Sistema Cameron da Divisão Gráfica
da Distribuidora Record.